黄河水利委员会治黄著作出版资金资助出版图书

河流水权和黄河取水权市场研究

苏　青　施国庆　著

黄河水利出版社

图书在版编目(CIP)数据

河流水权和黄河取水权市场研究 / 苏青，施国庆著.
郑州：黄河水利出版社，2004.12
ISBN 7－80621－809－2

Ⅰ.河⋯　Ⅱ.①苏⋯　②施⋯　Ⅲ.①河流－水资源管理－
研究　②黄河－取水－水资源管理－研究　Ⅳ.TV 213.4

中国版本图书馆 CIP 数据核字(2004)第 076746 号

出　版　社:黄河水利出版社
　　　　　　地址:河南省郑州市金水路 11 号　　邮政编码:450003
发行单位:黄河水利出版社
　　　　　　发行部电话及传真：0371– 6022620
　　　　　　E-mail:yrcp@public.zz.ha.cn
承印单位:河南第二新华印刷厂
开本:850 mm × 1 168 mm　1 / 32
印张:9.125
字数:230 千字　　　　　　　　印数:1－1 500
版次:2004 年 12 月第 1 版　　　印次:2004 年 12 月第 1 次印刷

书号:ISBN 7－80621－809－2 / TV・364　　　　定价:20.00 元

前　言

　　中共中央明确建立社会主义市场经济体制以来，市场经济的思想深入人心。另一方面，我国许多地区尤其是华北和西北地区水资源短缺形势严峻，传统的水资源配置模式已经不能适应经济社会发展的要求；而水资源利用尖锐矛盾的解决，要求引入市场经济的原则。

　　黄河在国民经济中的地位举足轻重。当前，水资源供需矛盾日趋尖锐，生态用水遭侵占现象严重，与此同时，用水管理粗放、部分地区浪费水现象依然存在。因此，在黄河上引入取水权市场是必要的也是可行的。

　　本书的研究目的在于初步建立河流水权体系，进一步建立黄河取水权体系，并系统分析黄河取水权市场，为黄河水资源配置体制的市场化取向改革进行理论基础准备。

　　水权与水市场的研究正处于探索阶段，本书关于河流水权体系和黄河取水权市场的研究将填补水权和水市场理论在该领域研究的空白，对水利经济学科的建设和发展，对治黄理论的丰富和发展都将具有重大的理论意义，对指导河流尤其是黄河水资源配置体制改革具有重大的现实意义。

　　全书共分十章，通过综合运用水资源学、经济学、管理学、法学等学科的基本理论，从定性和定量两个方面进行了研究。在以下领域有所创新：提出河流水权概念并研究了河流水权体系以及河流取水权体系；研究了取水权分配中的公平与效率观；建立了流域内区域间河流取水权初始分配模型；分析了河流水资源配置体制改革的方向和措施；运用博弈论对黄河取水权分配体制进行演绎分析；建立了包括基本水权和丰余水权两个层次的黄河取水权体系；深入探讨了黄河取水权的可交易性；从理论上分别探讨了黄河干流区域间基本水权市场和丰余水权市场；探讨了基于多中心治理结构的灌区水市场；对灌区节水行为进行技术经济分析；初步研究了黄河农业水权农转非市场、黄河对外流域调水市场和南水北调水权市场对黄河取水权市场的影响；建立了基于取水权市场的黄河水价体系；分析了建设黄河取水权市场对数字黄河工程的需求；建立了基于取水权市场的数字黄河水资源调度和管理系统。

　　本书是在第一著者博士学位论文基础上修改而成。施国庆教授参与了全书框架的制定和各章的具体研究、讨论和修改写稿工作。吴湘婷参与了第二、三、五、九章的讨论和研究，对其他章节的研究也提出了很好的思路。由于作者水平有限，错误和不足之处肯定不少，恳请各位专家给予批评指导。

作　者

2004 年 10 月

目　　录

前言

第一章　绪　论……………………………………………………(1)

　1.1　研究背景、目的和意义…………………………………(1)

　1.2　水权研究进展……………………………………………(4)

　1.3　技术路线和内容结构……………………………………(21)

第二章　河流水权体系…………………………………………(25)

　2.1　水权概念和水权体系……………………………………(25)

　2.2　河流水权体系……………………………………………(53)

　2.3　河流取水权体系…………………………………………(61)

　2.4　本章小结…………………………………………………(78)

第三章　河流取水权区域间初始分配…………………………(80)

　3.1　河流取水权分配中的公平与效率观……………………(80)

　3.2　河流取水权区域间初始分配的指导思想

　　　　和重要意义……………………………………………(87)

　3.3　流域内区域间河流取水权初始分配模型研究…………(91)

　3.4　本章小结…………………………………………………(109)

第四章　基于水权水市场理论的河流水资源配置体制改革……(110)

　4.1　河流水资源配置体制改革………………………………(110)

　4.2　河流取水权分配体制的博弈演绎

　　　　分析(以黄河为例)……………………………………(115)

　4.3　本章小结…………………………………………………(123)

第五章　黄河取水权体系………………………………………(124)

　5.1　黄河取水权制度的历史沿革……………………………(124)

　5.2　黄河取水权体系…………………………………………(134)

　5.3　黄河取水权的运动过程…………………………………(152)

    5.4　本章小结 ………………………………………………… (155)

第六章　黄河干流区域间取水权市场 …………………………… (157)
    6.1　黄河取水权市场的研究框架 ………………………… (157)
    6.2　黄河取水权的可交易性 ……………………………… (161)
    6.3　黄河干流区域间基本水权市场 ……………………… (169)
    6.4　黄河干流丰余水权市场 ……………………………… (175)
    6.5　黄河取水权市场建设的体制障碍和改革方向 ……… (182)
    6.6　本章小结 ………………………………………………… (187)

第七章　其他类型的黄河取水权市场 …………………………… (188)
    7.1　黄河流域灌区水权制度和灌区内水市场 …………… (188)
    7.2　黄河农业水权农转非市场 …………………………… (213)
    7.3　跨流域取水权市场——黄河对外调水和南水北调 … (218)
    7.4　本章小结 ………………………………………………… (226)

第八章　基于取水权市场的黄河水价体系研究 ………………… (227)
    8.1　水价理论概述 ………………………………………… (227)
    8.2　基于取水权市场的黄河水价体系研究 ……………… (236)
    8.3　本章小结 ………………………………………………… (249)

第九章　数字黄河工程和黄河取水权市场 ……………………… (250)
    9.1　数字黄河工程概述 …………………………………… (250)
    9.2　建设取水权市场对数字黄河工程的需求 …………… (253)
    9.3　基于取水权市场的数字黄河水资源调度和
         管理系统 ……………………………………………… (254)
    9.4　本章小结 ………………………………………………… (261)

第十章　结　语 …………………………………………………… (262)
    10.1　总结 …………………………………………………… (262)
    10.2　展望 …………………………………………………… (269)

参考文献 …………………………………………………………… (270)

后记 ………………………………………………………………… (283)

第一章 绪 论

本章主要介绍研究背景、研究目的和意义，对国内外水权研究进行综述并进行简要分析，对本书研究内容在水权水市场理论体系中的位置、技术路线、研究内容进行了简单介绍。

1.1 研究背景、目的和意义

1.1.1 研究背景

1.1.1.1 关于水权和水市场的研究

水权问题古已有之，因为水事问题是人类生存、生活、生产之大问题。新中国成立后，关于水权与水市场的研究因计划经济体制的存在而受到忽视；改革开放以来，尤其是中央明确建立社会主义市场经济体制以来，关于水权和水市场的研究因指导水利改革的需要而逐步活跃起来，但真正的里程碑却是 2000 年 10 月 22 日水利部汪恕诚部长在中国水利学会 2000 年年会上所作的著名的讲话《水权和水市场——谈实现水资源优化配置的经济手段》。讲话发表之后，在中国水利界掀起了研究水权和水市场的热潮，在该理论指导下的实践也不断涌现。

1.1.1.2 我国水资源配置存在的问题

水资源指可利用或有可能被利用的水源。这个水源，应具有足够的数量和可用的质量，并能够在某一地点为满足某种用途而可被利用(1977 年联合国教科文组织的定义)。水资源对人类生存、生产、生活都具有非常重要的作用，但目前面临的问题有以下两个方面。

(1)水资源短缺。随着经济社会的发展，我国水资源供求矛盾日益突出，特别是北方地区水资源不足的情况更为严重。水污染加剧了水资源短缺。水资源短缺已经阻碍了缺水地区的经济发展。

(2)传统的水资源配置模式不能适应经济社会的发展。上游和下游、地表水和地下水、农业用水和城市用水、经济用水和生态用水之间水资源利用的尖锐矛盾的解决，供水与需水、短缺与浪费、开源与节流、用水与防污之间的水资源管理的辩证关系的处置，都要求引入市场经济的原则。

1.1.1.3　以黄河为代表的河流水资源配置问题突出[1, 2]

河流水资源是主要的地表水资源，以黄河为主要代表的河流水资源的配置问题已经影响到地区甚至整个国民经济的发展。以黄河为例，水资源配置存在如下问题。

(1)水资源供需矛盾日趋尖锐。不断扩大的供水范围和持续增长的供水要求，使水少沙多的黄河难以承受，承担的供水任务已超过其承载能力，造成水资源供需矛盾日益尖锐，地区间供水矛盾加剧，一些地区地下水超采，形成地下水漏斗，流域生态环境不断恶化等。黄河下游持续长时间断流是水资源供需矛盾突出的集中表现。从 1972 年至 1998 年的 27 年中，下游利津水文站有 21 年出现断流，累计达 1 050 天。进入 20 世纪 90 年代，年年断流，1997 年距河口最近的利津水文站全年断流达 226 天，断流河段曾上延至距河口约 780 km 的河南开封附近。断流造成了部分地区无水可供、河道主河槽淤积加重、洪水威胁和防洪难度增加、河口地区生态环境恶化和生物多样性减少，制约了经济、社会、环境的协调发展。

(2)用水管理粗放，部分地区浪费水现象严重。由于部分灌区渠系老化失修、工程配套较差、灌水田块偏大、沟长畦宽、土地不平整、灌水技术落后及用水管理粗放等原因，部分灌区大水漫灌、浪费水现象严重。大中城市的工业用水定额比发达国家高 3~4

倍，重复利用率只有 40%~60%。对水资源的不科学认识和水价严重背离成本也是浪费水现象长期存在和迟迟得不到纠正的重要原因之一。

(3)对水源保护和生态环境建设重视不够。新中国成立 50 多年来，黄河流域水资源开发利用得到了很大提高，促进了经济社会的发展，但在一定程度上忽略和挤占了流域生态需水和水环境需水。一些地区盲目开荒种地、滥采乱伐森林，致使湿地萎缩甚至消失、水源涵养地减少、水土流失严重，生态环境遭到破坏，社会经济发展与生态建设和环境保护的矛盾日益突出。

1.1.2 研究目的

产权明晰是市场经济的基本要求。水权是产权在水资源领域的反映，研究水权是研究水资源配置模式改革的第一步。

本书的研究目的在于初步建立河流水权体系，进一步建立黄河取水权体系，并系统分析黄河取水权市场，为黄河水资源配置体制的市场化取向改革准备理论基础。

1.1.3 研究意义

1.1.3.1 重大的理论意义

水权与水市场作为实现水资源优化配置的经济手段，其理论是指导水资源配置体制改革的重要理论基础，是水利经济学科的重要内容，是社会主义市场经济理论体系的重要组成部分。关于水权与水市场的研究正处于探索阶段，本书关于河流水权体系和黄河取水权市场的研究将填补水权和水市场理论在该领域研究的空白，对水利经济学科的建设和发展、对治黄理论的丰富和发展、以至于对完善社会主义市场经济理论都将具有重大的理论意义。

1.1.3.2 重大的现实意义

当前，我国正处于水利改革的紧要关头，水资源配置存在诸多问题。如何灵活运用计划与市场两种手段提高水资源配置效率，是迫切需要解决的问题，利用水权与水市场配置水资源是对水资源配置体制进行改革的基本方向。因此，水权水市场研究对指导水资源配置体制改革实践具有重大的现实意义。

黄河的治理和开发面临着前所未有的形势，水资源问题越来越困扰经济社会的可持续发展，正逐步成为中华民族的新的忧患。如何建立黄河的取水权体系、运用水市场提高黄河水资源的配置效率，是摆在水利工作者尤其是治黄工作者面前现实的、紧迫的课题。因此对河流水权体系以及黄河取水权市场的研究，对指导黄河水资源的配置体制改革、以至对于黄河的治理开发大局而言，都具有重大的现实意义。

1.2　水权研究进展

1.2.1　国外水权简介

1.2.1.1　国外水权制度

各个国家水资源状况、水资源管理体制和水法规制定主体不同，所实行的水权管理体系也不尽相同[3]。如英国、澳大利亚、法国的水权体系为滨岸权系，而加拿大、日本的水权体系则为优先占用权体系。即使是同一个国家，由于地理、自然条件不同，经济发展水平不同，其水权管理体系也不一样。概括起来，主要的水权制度如下。

1. 占用优先原则

占用优先原则也称优先占用原则。美国西部是占用优先原则(Prior Appropriation Doctrine)[4, 5]历史悠久且发展较为完善的地区。美国西部开发早期，土地开发和利用中对水资源的引取不受河岸权的限制，后来通过通报取水意图并在地方司法部门记录该报告的形式而正规化。1849 年以后，采矿活动促进了"时先权先"原则的发展，受西班牙法律以及穆斯林判例的影响，逐步形成法律。

占用优先原则不认可用户对水体的占有权，但承认对水的用益权。其主要法则：一是时先权先(first in time，first in right)，先占用者有优先使用权；二是有益用途(beneficial use)，即水的使用必须用于能产生效益的活动；三是不用即作废(use it or lose it)。

占用优先原则也是随着社会的发展不断得到完善的。最初，美国许多州为保护占用优先制度，对水权转让设置了或多或少的限制。如怀俄明州要求申请人必须提交没有触犯第三方权利的有力证据；内布拉斯加州干脆禁止农业用水向非农业用水部门转移。这些限制成了占用优先体制下水市场发展缓慢的主要原因。为了改变这种局面，西部各州已经利用公共所有权对用户用水权进行不同程度的调整，采用公共托管原则(the public-trust doctrine)，削弱用水权的保障程度以增加占用优先原则的灵活性，以适应公共利益部门用水需求。有些州已经开始制定修改有关规定，如客观上承认水权转让为有益用途，促进水权的销售和转让。水市场和水银行等已经开始成为水权转让的主要形式。水资源从边际效益低的使用者向边际效益高的使用者转移，其典型代表是由灌溉农业用水向城市和工业用水的转让。

日本所采用的水权原则基本上与占用优先原则相同，即各种水权中的优先权的决定应当以批准水权的时间顺序为基础。但日本也对这种原则规定了一些例外情况，如实行地方惯例水权原则、堤坝用益权原则、条件水权原则等，以适应不同的实际情况。

2. 河岸所有原则

河岸所有原则也称滨岸权原则。河岸所有权制度(riparian ownership)源于英国的普通法和 1804 年的拿破仑法典[6]，河岸权是属于与河道相毗邻土地所有者的一项所有权。河岸权不论使用与否都具有延续性，它不会因不使用而丧失，也不会因被利用的时间先后而建立优先权，河岸权附着于河流的天然径流，它本身不要求水资源的有效利用。

河岸权是在土地开发初期自然存在并发展的一种水权形式，有其自然的合理性，直至今日，世界上许多地区仍然保留着河岸所有权制度，如在美国东部。但是该制度限制了非毗邻水源土地的用水需求，影响了用水效率和经济发展，即使仍然保留河岸权制度的地区也已经对其进行不同程度的约束和规范，比如与优先占用制度并行，以及其他的法律规定和行政约束。澳大利亚最初实行的是河岸权制度[7、8]，将水权与土地紧密结合在一起。后来人们对水管理的法律和法规进行了修正，设立"可转让的水条例"，允许水权与所授权的土地分离出来单独出售。

3. 平等用水原则

平等用水原则是指所有用户拥有同等的用水权，当缺水时，大家以相同的比例削减用水量。在智利的一些地区采用了平等用水原则[9]。

4. 公共托管原则(公共信任原则)

公共托管原则(the public-trust doctrine)源于普通法，是指政府具有管理某些自然资源并维护公共利益的义务[10]。该原则在美国西部被采用，作为改善占用优先原则不足的补充原则，目的是确保公共用水，保护公共利益。

5. 条件优先权原则

条件优先权原则是指在一定条件的基础上用户具有优先用水权。如日本采用的堤坝用益权[11]，日本的《多功能堤坝法》使得水资源使用者能够取得使用水库蓄水的堤坝用益权。该权利是一种本质上类似于水权的财产权。市政供水、工业供水、水力发电的水资源用户可以分担建设成本而申请相应的水权。获得堤坝用益权的用户不受占用优先权原则的束缚，因为他们有权利用水库的一定储存容量。当分配到的水库蓄水容量存蓄满后，堤坝用益权持有者将可以从堤坝甚至从下游引取这部分水资源。这一水权可能比以前的其他水权有更高的优先权。

6. 惯例水权制度

惯例水权制度并非是明确的水权制度，它是由于惯例形成的各种水权分配形式，往往与历史上水权纠纷的民间或司法解决先例，以及历史上沿袭下来的水权配置形式有关。它往往是占用优先原则、河岸所有原则、平等用水原则、公共托管原则、条件优先原则的各种形式的变体或复合体。世界上大多数国家都有自己独特的惯例水权制度，如美国采取的是印第安人水源地原则[12]。

地下水水权分配因地下水水文规律的复杂性而更加复杂，但基本上遵循了上述原则，如源于普通法的绝对所有权原则，即土地所有者拥有土地财产下地下水资源的绝对所有权[9]。后来为了避免水资源浪费，同时保障地下水流域内其他用户的用水权，逐渐引入了合理性原则，并进而形成相对所有权原则。在该原则下，居于地下水流域之上的土地所有者，水资源利用行为必须要合理，而且必须要与其他抽取者的利用相互协调。当水资源不足以供给居于地下水流域上的全部土地，而居于其上的某些土地所有者却不使用地下水时，流域内的其他用水者可以抽取未被利用的水资源。同地表水一样，在美国西部等地区也建立了地下水的占用优先权原则，它根据最初抽取或利用的时间先后建立。居于某一地下水流域之上却从未利用该地下水资源的土地所有者，可能会在优先权上落后于那些已得到开发和利用地下水许可的水权占有者。但地下水的优先占用权与地表水还有不同，通常情况下，地下水流域之上土地的地下水使用权相对于该流域之外土地的地下水使用权有绝对优先权。

1.2.1.2 水权转让和水权市场

当可开发的水资源已经被分配完了的时候，人们开始关注现有水权的再分配问题。再分配的渠道一般有两种，一是行政或司法干预下的公共部门用水问题；二是通过销售、转让、租借等形式的私人部门用水问题。目前水权的销售、转让成为研究讨论的热点。

在美国西部，为了避免水权的转让给其他用户带来损失，如果他们预计到自己的水权受到损害，各州通常允许他们抗议(或阻止)水权的任何参数的变化。然而，由于水文的复杂性，受影响用户可能意识不到哪种变化会影响到他们的水供给[13]。

一些情况下，水权被暂时或长期转让，而在其他情况下，水权占有者将自己过剩的或因减少使用而节省的水资源转让，但同时保留水权。在自由市场经济条件下，销售和转让是由买卖双方自愿进行的，多数水权的转让是从较低收益向较高收益的经济活动转让，其典型代表是由灌溉农业用水向城市和工业用水的转让。

不同于永久水权转让带来的位置、使用性质的永久改变，临时水权转让问题受到关注，包括水权租赁、水市场和水银行。但存在的问题是，由于优先占用原则中"要么使用要么放弃"条款，那些承认拥有富余水希望转让的用户经常担心可能失去他们的优先权。因此，人们要求政策承认水权转让也是水的一种有效使用。

有些水市场、水银行是专门为农业用户设立的，但很多也允许将水转让到城市和环境使用。在美国，加里福尼亚旱期水银行1991年促成了向城市的水权转让，爱达荷州水银行1979年开始转向河道内用水以保护鲑鱼和水力发电。上述体制的改进均在优先占用原则的框架内，并使出售者的水权免于丧失，标志着美国西部水法的改进。

多余的水的来源之一是灌溉和用水效率的提高[14]。水权可以转让鼓励了节水技术的采用以及用水效率的提高。新技术的采用可以使用户引取较少的水量而获得同样的消耗性用水，但这同时使得整个流域的消耗性用水增加。

水权转让被看做是增加河道流量鼓励物种恢复的措施。人们日益关注渔业、娱乐、濒危物种、野生物种栖息地、生态系统的用水需求。但未被占用的水权已经几乎没有了，增加河道内用水必须在已经建立的水权之间重新分配。爱达荷州水银行被用来将 snake 河上游水重新分配到该下游以及 columbia 河以拯救濒危的鲑鱼。目前，联邦政府是爱达荷州水银行的主要水权购买者，已经购买了几个区段完全的水权用于鲑鱼保护[15]。

水权转让的一个重要方向是城市和工业用水。随着城市人口增长，用水需求增加，但城市供水能力不足。这时由于新开发水源的成本日益增加，重新配置水权便成为必然选择。工业生产也是如此。

水权转让将改变现有的用水方式，以不同的方式影响水用户。由于水文的独特规律，水在使用时具有经济外在性，节水是被定义为取水量的减少还是消耗性用水的减少成为一个关键问题。如果水权转让促进了消耗性用水的增加，长期的河流流量将会减少。只有减少某种消耗性用水(如不可恢复性损失)的效率提高，才能创造更多的水供给，不改变消耗性用水而允许水权转让必然影响到第三方利益[16]。

占用优先原则下的水权转让其实是一个社会和政治问题，是在现行水资源分配体系的稳定性、确定性和高效率、灵活性之间的选择。众多的利益相关者之中有人获益有人损失[17]。因此，尽管受益人与损失人直接的协商和谈判可以解决许多问题，但最终解决途径可能是政治决策。

在日本，水权销售是不允许的，要进行水权转让，该权利必须先返还到管理者，然后由准备接受水权的用户申请获得水权。但水权转让已经在惯例水权合理化进程中得以实施，目前，城市部门通过投资于灌溉设施，获得剩余水量，实现灌溉水权转让[18]。

在智利，水权所有者拥有使用水、从中获利和处置水的权利，同时水权可以脱离土地作为抵押品、附属担保品和留置物。

世界银行倡导在缺水地区建立正式的或非正式的水权交易市场，以促进水资源的优化配置[19]，并指出，为使市场奏效就要控制交易成本。要控制这些成本，就必须建立相应的组织和政策性的机制，还要有灵活的基础设施和管理。关键性的第一步是建立与土地使用权分开的可交易的水权制度或用水权制度[20]，这个制度必须顾及对第三方的影响。如果一时难以建立立法上可行的永久水权，建立现货水市场(spot market)和应急市场(contingent market)则对保证用水有重要作用。

1.2.1.3 水权价格

影响水权价格的因素很多。在美国西部，永久水权的转让价格变化很大，每英亩英尺水权从几百到几千美元不等[21]。区域之间价格水平的变化一般归因于水的用途和制度约束的不同。同一区域内价格水平的变化一般归因于水商品的异质性，如水权的优先程度和供给可靠性[22]、区域内转移能力(制度和地貌限制)、交易和信息成本[23]等。另外，即使是同质的水权(是指具有相同的优先权、供给可靠性、制度要求、供水位置和市场条件)，其价格随时期的不同也有很大的变化，Michelsen 研究认为人们的理性预期是同质水权价格变化的主要原因[24]。

1.2.2 国内水权研究进展

1.2.2.1 水资源特性

水资源具有以下多种特性[25]。

(1)从自然特性角度看，水资源有独特的地域特征，以流域或水文地质单元构成一个统一体，每个流域的水资源是一个完整的水系，各种类型的水不断运动、相互转化，可以循环再生，但是储量有限，时空分配不均，利害两重，而且自然界需要大量的生态环境用水。

(2)从生产特征角度看，水供给具有区域自然垄断性，通常由地方政府部门提供，而且地表水上游地区取水处于自然优先地位。

(3)从消费特征来看，水需求同时包含水量需求和水质需求。人类用水有一个弹性很小的基本用水，而大部分用水为弹性相对较大的多样化用水，占用水很大比重的农业用水和降水呈逆向波动，农业节水依赖于用水管理和节水技术设施，需要较大的节水投资。

(4)从经济特性来看，水资源具有混合经济特性，既有私人物品的属性，又有公共物品的属性，二者相互混合，不能分开，且水资源具有不可专有性[26]。水的流动性导致测量和跟踪水资源的特定部分非常困难。在现有技术条件下，很难规定水圈中某部分水属于某人所有；即使规定，也无法保证这部分水不被别人使用。水属于经济学中所说的排他成本很高的资源，要确立和保护水资源的专有财产权不仅非常困难，而且成本很高，对水资源规定、保障和实施专有的财产权的成本远远超过了任何可以得到的收益。

李中锋[27]对水资源属性也进行了研究，指出水资源具有多种自然属性和社会属性。正是这些属性，决定了水权问题的来源和水权问题在现代社会中鲜明而突出的表现。

王浩等[28]分析了水资源资产的属性、特点，对其在现代水利中的作用与地位提出了初步的观点和相应的建议。研究水资源资产，确立其资产地位，定量其资产价值，可直接服务于水权水市场建设。

1.2.2.2 关于水权概念

水权是产权理论渗透到水资源领域的产物。水资源本身是不可专有的资源，社会可以通过建立财产共有的权利，建立和实施规定谁在什么条件下可以使用水资源的法令来保护水资源，防止滥用并保障生产者获得合理的和有保障的收入，从而达到水资源配置和使用的次佳结果。这些关于使用的规定并不具有不减弱的财产权所有的高效率特点，但可以在专有财产权无法建立的地方建立一套切实可行的权利体系。从经济学角度分析，世界各国的水权制度实质上就是这类共有权利和使用规定[29]。

关于水权概念，各学者均认为水权是一组权利束，总的来看，包括所有权以及各种不同情况的使用权。学者们的不同看法如下：

水权最简单的说法是水资源的所有权和使用权，按照《中华人民共和国水法》(以下简称《水法》)，水的所有权属于国家，研究的重点是水的使用权问题[30]。水权是指水资源稀缺条件下人们有关水资源的权利的总和(包括自己或他人受益或受损的权利)，其最终可以归结为水资源的所有权、经营权和使用权[31]。在我国和水资源属于国家所有的其他一些国家里，水权主要指依法对于地表水、地下水所取得的使用权及相关的转让权、收益权等。取得水权的用水与一般用水的区别，在于水权得到法律的确认和保护，并明确规定拥有水权者具有法定权利和义务。当水权受到侵害时，国家应依法排除侵害或使拥有水权者得到相应补偿。水权是水立法、水政策和水政管理中的一个核心问题[26]。水资源产权或水权，是水资源所有权、水资源使用权、水产品与服务经营权等与水资源有关的一组权利的总称，是调节个人、地区与部门之间水资源开发利用活动的一套规范。水权可以认为是一种长期独占水资源使用权的权力，同时也可以认为是一项财产权[32]。冯尚友、刘国全[33]针对我国的公有制特点，将水资源产权问题分为水资源所有权、水资源使用权、水资源工程所有权和经营权四种类型。董文虎[34]认为水权分水资源水权和水利工程供水水权两种；水资源水权是国家的政治权力，水利工程供水水权是所有者的财产权利。马晓强[35]认为水权制度主要是指水资源的所有权、经营权、管理权与使用权的界定、保护与监督的规则体系。刘杰[36]提出并分析了农业水权概念。熊向阳[37]对水权的法律内涵作了解释，指出水权是特别物权。赵伟[38]认为水权是以水资源的使用收益为内容的，具有用益物权的特征，可以将水权定性为用益物权。

1.2.2.3 水权的特征

水权与一般的资产产权不同，具有明显的特征，主要表现在以下几个方面[31]：

(1)水权的非排他性。从法律层面上来看，法律约束的水权具有无限的排他性，但从实践上来看，水权具有非排他性。

(2)水权的分离性。根据我国的实际情况，水资源的所有权、经营权和使用权存在着严重的分离，这是由我国特有的水资源管理体制所决定的。

(3)水权的外部性。水权具有一定的外部性，它既有积极的外部经济性(效益)，也有消极的损失。

(4)水权交易的不平衡性。交易的双方是两个不同的利益代表者，其地位不同。

1.2.2.4 水权界定的原则

陈安宁[33]在对自然资源产权进行研究时认为：在产权设置不合理造成代理成本过高的问题中，主要有产权设置重叠部分过多和委托—代理关系链过长两类。例如：河流的灌溉、水产、电力和航运等事项分别委托给水利、水产、水电、交通等部门管理，这些政府部门都拥有进行水面设施建设的权力，这就产生了河流水域资源处置权重叠现象。随着利用强度的提高，这些部门在资源利用活动中的相互影响、相互侵权的现象也将加剧。

界定水权不可避免会涉及到方方面面的利益调整，因此必须遵循如下原则[39]：

(1)可持续发展原则。力图达到水资源利用和水环境保护的协调统一。

(2)效率原则。水资源使用权的界定应坚持效率优先，兼顾平等。效率原则包括两层含义：一是水资源使用权的界定能够起到节约用水、提高水资源利用效率的激励作用；二是从全流域整体出发，水资源使用权的界定不能绝对平等，而应在优先保证各地区基本生活用水的基础上适当向水资源利用效率高的地区倾斜，这样有利于引导水资源向优化配置的方向发展。

(3)补偿原则。如果水权的界定导致流域地区不同省份在水资源利用上的收益变化，收益大的省区应向收益受损的省区进行适度补偿。只要从总体上看，收益的增加大于部分地区的损失，水权的界定就是符合社会福利最大化原则的。

姜文来[31]提出了大体相同的原则，第一，可持续利用原则；第二，效率至上原则；第三，公平交易的原则，与上述补偿原则的内涵基本相同。

1.2.2.5　水权制度

汪恕诚[40, 41]提出在流域水资源统一管理的前提下，建立政府宏观调控、流域民主协商、准市场运作和用水户参与管理的运行模式。提出明晰水权是水权管理的第一步，要建立两套指标体系，一套是水资源的宏观控制体系，一套是水资源的微观定额体系；制定用水指标、定额管理制度和水权交易市场规则，这是实施水权管理的第二步。

张岳[42]认为权属管理是核心，体制改革是保障，职能转变是关键，这些都涉及到上层建筑与生产关系的改革问题。提出水权制度的建立要在水权理论指导下，提倡大胆实践，开展理论研究，通过立法积极推进水权制度的改革与发展。

李曦[43]针对现代水权制度的基本要求，在剖析我国现行的水管理体制与建立现代水权制度不相适应的体制障碍因素的基础上，提出了适应现代水权制度和现代水管理要求的水资源管理体制改革的构想。

邵益生[44]提出了水权管理应"三权分立"的思想，即对水权进行管理的权力水资源的配置权、水经营的特许权和水管理的监督权，这三种权力的行为主体应当是相互分立、各司其职的，既相互支持又相互制衡。

张仁田[45]对水权、水权分配与水权交易体制进行了研究，指出必须从国家的法律体系上对水权进行清晰的界定，注重初始水权的分配、争端的解决机制、水权注册体系的产生与维护以及对第三方利益(包括环境)的负面影响最小化；其次是通过经济手段，促进水权在不同流域进行不同形式的交易，使水资源的可持续利用价值与水成本相一致。

王亚华[46]对我国水权制度的变迁进行了研究，指出资源稀缺导致的资源相对价格变化是制度变迁的根本动因，伴随着水资源相对稀缺程度的变化，水资源产权制度相应发生滞后性变迁，现有水权制度变迁的方向是进一步提高水权的排他性，指出由于各利益群体获利的不均衡性，诱致性制度变迁并不容易发生，需要中央政府主导进行强制性的水权制度变迁。

阮本清[47]对水权制度与取水许可制度的差异进行分析，包括管理机制上与调度方式上的差异，探讨了取水许可制度向水权制度转变的现实性与必要性。

李英明[48]针对山西省水资源现状和存在问题，着重阐述了用水权、水市场理论加强水资源管理的重要性和紧迫性，通过建立合理的水权初始分配权制度、宏观控制和微观定额体系、水价形成机制等，加快流域水资源和城乡水务一体化的管理体制改革，积极完善和培育水交易市场，实现水资源的优化配置。

1.2.2.6 水权体系的建立

水权体系的建立，要注意以下几点：首先，要明确水权归属。第二，要明确水权的计量方式。水权可以根据不确定的径流的一部分，或蓄水层或水库的一部分确定；水权也可以规定为一个时间段的用水量。第三，如果水权是按量分配，必须找到当供水不能满足所有水权的用水量时分配水的协调机制。一般可以采取以下三种方法：第一种方法是根据授权的时间、地点或用水的类型(如灌溉用水、生活用水等)，给每一种水权规定一个优先级，当水短缺时，按照优先顺序供水，只有上一个优先级水权的全部用水量都得到满足后才供给下一个优先级水权的用水。第二种方法是根据短缺程度按比例减少所有水权的用水量。第三种方法是前两种方法的综合。第四，地下水和地表水的水权要同时建立，如果只针对其中一类，会导致另一类水的过度开发；水权也得不到保证。第五，创建了独立于土地所有权的水权后，还要登记水权并保证水权的实施。

石玉波[32]提出建立水权制度的步骤应是：①摸清资源家底；②分析需求结构；③配置初始产权；④建立水市场。

傅春[67]根据不同用水方式的影响，分别按非占用性用水、取水、排污、公益性与盈利性结合的水利工程四种类型的水资源开发利用，分类探讨其管理目标，设计产权管理具体制度及激励机制。

1.2.2.7　水权分配和优先权

汪恕诚[30]就水权分配问题指出：第一，用水的需求大体上包括四种，即人的基本生活用水、农业用水、经济用水和生态用水。第二，流域分水与地域分水。作为一个流域，有上下游之间的分水问题。还有地域分水问题，是指在一个省、一个地区或一个县的范围内，有地表水、地下水，有主水、客水，有过境水，什么水给谁用，都有一个分水问题。第三，其他分水。如水能、水域、水质，也都有一个水权的分配问题。

关于水权分配原则中的优先权问题。第一，首先人的基本生活用水要得到保障。第二，优先权因素，一是水源地优先原则，二是粮食安全优先原则，三是用水效益优先原则，四是投资能力优先原则，五是用水现状优先原则。第三，优先权是变化的。

刘文强[50]在研究塔里木河流域水权分配交易制度时提出，地、州间水权分配准则为：以现实为基准，考虑历史发展情况，促进经济发展与发展权利均等相结合，确保生态平衡以实现可持续发展。并且建立了可持续发展水权分配模型。

付国辉在水资源产权的研究中引入除基于交易费用概念的局部均衡分析之外的博弈均衡的分析方法，提出了一个基于局部均衡和一般均衡的产权博弈分析框架。

1.2.2.8　水权定价和水价

汪恕诚[30]认为水的使用权应该是有偿的。水价是水资源优化配置的一种手段。水权的定价应该区分各种情况，比如说从需水的角度来讲，生活用水、农业用水、工业用水、生态用水等，如居民、宾馆、洗车业、洗浴业等社会用水，大田作物、蔬菜、经济作物用水，重工业、轻工业和其他工业用水。从供水水源的角度来看，地表水(包括水库水、湖泊水和河道径流)、地下水，主水、客水。从水资源总量的角度来考虑，当地的降雨、流域的降雨、水库的存水、地下水的水位等等，都是定价时需要考虑的。水权的定价受到需水、供水、水资源总量三个因素的影响，需要不断地调整和变动。不同的用水户，在不同地区的不同时间，使用不同水源的不同量的水，其资源水价是不同的。提出水价的组成包括水权水价、工程水价、环境水价。董文虎[51]进一步分析了具体价格成本构成。熊向阳[52]认为水价是微观层次上配置水资源的重要手段，它包括水资源费、水资源加工成本费和合理收益、水资源使用的消极外部性补偿。

1.2.2.9　水权转让和水权市场

在通过水资源配置确定初始水权之后，就要通过水市场实现水权所有者之间的水权转让与交易。汪恕诚[30]、胡鞍钢[25]认为在现实转型期条件下，我国的水市场只能是一个准市场，所谓准市场是指流域水资源在兼顾上下游防洪、发电、航运、生态等其他方面需要的基础之上，兼顾各地区的基本用水需求，部分多样化用水市场化，在上下游省份之间、地区之间和地区内部按市场化加以配置。石玉波也认为水市场只是在不同地区和行业部门之间发生水权转让行为的一种辅助手段，水权市场是一种"拟市场"，表现在不同地区和部门在进行水权转让谈判时引用市场机制的价格手段，而这样的市场只能是由国务院水行政主管部门或其派出机构——流域水资源委员会来组织。胡鞍钢在论述水市场时提出水市场的辅助机制是："政治民主协商制度"和"利益补偿机制"。黄河[29]提出，根据市场经济理论和水市场的特点及实践经验，要建立一个有效、公平和持续发展的水市场，就要创建与土地所有权分离的可交易水权的制度，建立相应的独立于买卖双方的公正的管理单位，制定保护第三方利益的制度以及解决冲突的机制。

蔡守秋[53]对水权转让的范围、原则和条件进行了分析。提出国有水资源使用权流动的原则包括水资源所有权与使用权分离的原则，水资源有偿使用、有限期使用的原则，兼顾公平和效率的原则，政企职责分开、政府行政调控机制与市场调控机制相结合的原则，统一监督管理的原则，环境保护原则和可持续发展原则，提出了国有水资源的出让、转让的一般条件和程序。

钟玉秀[54]对水市场类型、水权交易成本和水市场立法原则等进行了一些探讨。王治[55]分析了我国水权转让可能出现的几种形式，提出了关于建立水权和水市场制度框架的建议。焦爱华[56]结合中国水系的分布特点和水权交易特性，给出水市场的运作模型方案。董文虎[51]指出建立水市场是我国经济体制改革的必然要求，提出水资源水权进入市场的方法只宜用水资源费(或税)的方法，附着于水利工程供水水价进入市场；在水市场中水资源水权永远是国家的，不宜使用"买断"的做法，只有水利工程的产权或水利工程所供之水的水权可以买断；水市场是一个"准市场"，政府必须实行宏观调控。

刘文强[50]在研究塔里木河水权交易时，设计了地、州间水权交易的具体规则和步骤。王丽萍在研究水权转让方式及有效性的基础上，提出建立一种在水权转让思路指导下以水价为基础的利益分配机制，用来保证在资源配置过程中的公平性，并结合南水北调中线工程实例，提出了这种利益分配机制的具体模式。

2000 年 11 月发生在浙江省义乌市购买东阳水权的实践引起了诸多争论[57~65]，吴国平认为东阳—义乌之间的水权转让是没有法律依据的，与我国的水资源国家所有制相悖，其转让前提不具备，利益主体为当地政府也可商榷，转让程序也存在一定的问题。如果允许行政区间的水权转让，将引起一系列的法律问题，并直接影响到南水北调工程的实施。

叶舟[66]分析了水电资源开发权有偿转让过程中出现的有关问题，研究了水电资源有偿转让的市场配置机制。

1.2.2.10 南水北调水权问题

傅春[67]从水权与水权转让的基本内涵出发，借鉴美国等国家有关水权法则和水权转让的经验，探索南水北调工程基金建立的可能性与原则。

张郁[68]针对南水北调的特点，提出建立一种合约化的水权交易市场模式，并对市场的结构和功能加以分析。

刘斌[69]用水权理论分析南水北调工程时指出，当地水权的明晰将是确定调水需求量的关键，明确调水水权是工程建设和管理的前提，水权是解决水源地补偿的必要手段，加强水权管理是用好外调水的关键。

刘洪先[70]对南水北调工程水权分配的基本思路、原则、程序进行了探讨。

1.2.2.11 黄河水权问题

陈效国[71]在研究黄河水权时分析了黄河水权管理中存在的

主要问题，提出了流域水权界定中应把握的原则、流域分水的原则及监督管理制度，分析了建立我国水权制度需要开展的工作。

常云昆[72]就黄河断流和黄河水权制度进行了专门研究，系统研究了黄河水权制度的历史变迁和现有黄河水权制度的形成，提出了黄河水权制度创新的具体思路，即实行配水量权的可交易制度。

毛寿龙[73]在分析黄河水的产权分配问题时，提出依靠中央的合法的强权分配是一个比较好的办法，让各有关方面参与分水也能够有利于分水方案的执行。这一过程是讨价还价的过程，关键的问题在于分水方案必须能够让各个方面都接受并得到适当的实施。

1.2.2.12　灌区水权问题

胡和平[74]在分析灌区水权时指出，水权模糊的问题已经成为制约灌区用水的重要因素，灌区用水从半开放利用到集体水权行使是水权变迁的基本方向，一定程度的水权模糊是经济合理现象，集体水权是现实选择，提出保障灌区用水的收益权赋予灌区用水转让权等观念。

李甲林[75]对洪水河灌区长期以来形成的"水权面积"(判定配水面积)进行了研究。

1.2.3　对国内外水权理论研究进展的简要评述

世界各国在长期的社会发展和用水实践中形成了自己或成文或不成文的水权原则。这些原则的存在均有其历史的合理性，但水权是与各国家和地区具体的社会制度、水资源情况、文化传统紧密相关的，因此完全模式化的水权制度是不存在的，比如美国西部各州发展起来的水权管理系统尽管有很大的相似性，但却没有两个完全相同的系统。尽管各国学者针对各国水权实践都在研究水权理论，但完整的水权理论还没有建立。

国内水权理论的研究，尚处于初始阶段，其特征是百花齐放、百家争鸣。本综述中引述的许多研究成果都是最新的成果，即指与本书的研究同步进行，甚至许多的成果还晚于本书成果的研究时间。从各专家的研究成果看，近两年来的研究内容在不断拓宽、研究深度在不断加深。

总体看来，水权的内涵、层次、实质有了一定深度的研究，但远未达到成熟、经典的地步，尤其是各类水权体系的建立和水权市场的建立都还处于探索阶段，尚无较系统的成果。水权水市场理论的核心在于水权的明晰、市场交易体制的建立，但目前的研究仍基本停留在概念阶段，需要进一步往量化、可操作层面扩展。尤其需要结合具体的对象进行研究，作为水权水市场理论研究的突破口，这符合理论研究应从特殊到一般、再从一般到特殊的研究路线。

1.3 技术路线和内容结构

1.3.1 本书研究内容在水权水市场理论体系中的位置

水权与水市场理论是当前理论界和水利实践者关注的热点。关于水权与水市场的研究很多，如何在该领域创新呢？关键是找准突破口。

水权与水市场理论被引入水资源配置领域的动因，在于利用市场机制解决当前存在的水资源低效配置的问题。因此，水权水市场的突破口应该选择在最需要利用市场机制进行调节的地方。从国内的实际情况看，在我国北方尤其是西北和华北地区，水资源短缺较为明显，水资源配置问题也较为突出，因此水权水市场理论的应用应首先立足于水资源短缺的西北和华北地区。

水资源可以简单地分为地表水和地下水。从利用市场机制进行调节的可行性上分析，地表水的可行性较高。地表水主要指河川水和湖泊水。从西北和华北地区的实际情况看，黄河、黑河、塔里木河等是主要的淡水水源，因此应着眼于水权水市场理论在这些河流上的应用，也就是应首先研究河流水权和水市场问题。

研究河流水权和水市场，就要建立河流水权体系和研究河流水权市场。河流水权体系的建立为河流水权市场的运作提供了前提和基础，而河流水权市场才是研究的落脚点。

河流水权市场的研究尚存在以下问题：一方面，从理论研究实际进展情况看，当前探讨广泛意义上的河流水市场运作模式尚有难度，而结合具体河流进行研究可以使研究更深入、更言之有物；另一方面，从当前水利改革实践需要来看，结合具体河流的研究比空泛的研究更有实际价值，尤其是黄河的水资源配置问题举世关注，极具代表性，因此研究黄河水权水市场不但可行而且必要。

本书的研究将以黄河为着眼点，研究基于黄河的水权水市场理论。由于水权与水市场理论内涵丰富，全面探讨研究黄河水权水市场理论是个人能力和时间都不允许的，因此必须进一步选择研究重点。

就黄河(黑河、塔里木河有同样特点)而言，最迫切需要引入市场机制进行调节的是取水权的配置问题，其他的水权如污染权等虽然也很重要，但其地位都远逊于取水权。另外，从实施的可行性方面分析，取水权的市场配置最具可行性。因此，基于黄河的水权与水市场理论研究将主要研究黄河的取水权问题。其内容将包括黄河取水权体系和黄河取水权市场。

本书研究基本思路如图 1-1 所示，图中粗线条表示导向研究内容的路径，图中粗框表示本书的主要研究内容。

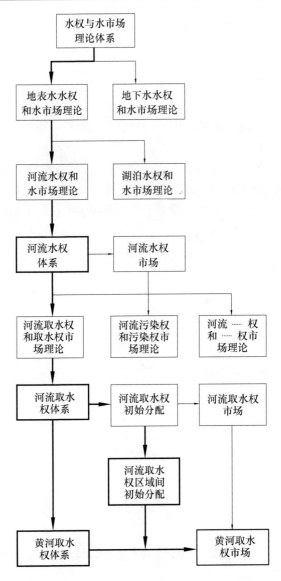

图 1-1 本书研究内容在水权水市场理论体系中的位置

1.3.2　研究技术路线和内容结构

本书将以水权概念的研究为出发点，分为河流水权体系和黄河取水权及取水权市场两个部分进行研究。前者建立的河流水权体系是后者展开研究的基础，而后者的深入研究将既是水权水市场理论在具体河流上的运用，同时也是对水权水市场理论的丰富和发展。

在建立河流水权体系之后，作为研究黄河取水权市场的前提，研究了河流取水权的初始分配问题，接下来为建立黄河水权体系和黄河水权市场作铺垫，研究了基于水权水市场理论的河流水资源配置体制改革问题。

图 1-2 显示了本书研究技术路线和内容框架，其中粗箭头表示研究的主要脉络。

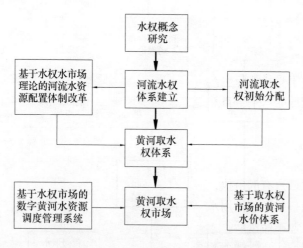

图 1-2　本书研究技术路线和内容框架

第二章　　河流水权体系

本章首先研究水权概念和水权体系,然后探讨河流水权体系,最后研究河流取水权体系。

2.1　水权概念和水权体系

2.1.1　水权问题的由来

从哲学和社会学的角度来说[27],水权是古已有之的问题。自从自然界有了人类,有了人类的取用水行为,就相伴产生了水权问题。原始社会的不同部落或个人之间,因为干旱饥渴而发生争水行为,可以说就是典型的原始社会水权问题。

尽管水权问题与人类社会相伴而生,但是,在人类社会发展的早期乃至工业革命以前,在数千年以农业文明为主的社会形态里,由于受科技与生产力的局限,人们对水资源的开发利用处于一种较低的水平。自然界中大量存在的水,相对于人类有限的需要来说非常丰富,在人类生活的有限地域和一年中的大多数时间里,可以任意获取和使用,通常不存在为水而产生争执的可能性。如果说也存在水权冲突的话,更多的是因土地所有权变化而发生的对水域占有的争执,而不是为了单纯的争夺水量。冲突的实质是领地争执而不是用水争执。

工业革命以后,人类社会的发展进入了一个加速进行的飞跃变化时期。科学技术的进步使人们大大增强了改造和影响自然的能力,成千上万倍地提高了劳动生产力,同时也促进了人口的迅速增加和人类活动地域与领域的极度扩大。对水资源的开采、利用和消耗，从较低水平逐渐上升，工程化、机械化、电气化的开发利用方式，极大地提高了全社会的工农业生产能力，提高了人们的社会生活和福利待遇。但与此同时，对水资源利用能力的大幅度提高和利用手段的不断强化，也加剧了对一定地区、一定条件下有限水资源的压力，局部地区甚至是破坏了正常的水资源自然循环，不仅在自然系统中给水资源和环境带来了严重的影响，而且也在社会系统产生尖锐而复杂的用水矛盾，特别是分属不同行政区域管理的同一流域的上下游、左右岸，由于彼此间共同存在的追求生产效益最大化、生活利益最优化的目标与同一流域水资源的有限性形成鲜明对比，因此所形成的用水矛盾和关系就更加突出和错综复杂。工程引水、大功率水泵抽水、深井汲水等多种手段所形成的用水重负，使村落间、地区间乃至国家间都可能陷入矛盾和冲突之中。

随着人口、社会和经济的发展，许多地方不仅缺水的矛盾突出，在降雨强度大的时段里，水灾问题也因经济的发展、人口密集度的增加和行洪区面积的缩小而变得更加突出，不仅小雨也易成大灾，而且在地区间灾害协调上，矛盾重重，错综复杂，难以处理。再者，在同一流域内，由于上游地区大力发展经济、不顾环境保护所造成的水污染问题，也给下游地区人们开发利用水资源带来极大困难和权益方面的挑战。可见，由于人类社会促进经济发展所造成或涉及到的水少、水多、水污染等矛盾，均构成不同意义、不同角度的水权问题。

2.1.2　人权角度的水权

2.1.2.1　人权的概念与性质

人权这一概念在不同的时代，对于不同的定义者，往往有不同的指向，因而也有不同的含义[76]。对于那些以自然法为理论依据，将斗争矛头指向封建垄断权力的都市行会组织、王权和神权的 17 世纪、18 世纪的资产阶级思想家来说，他们倾向于从国家公共权力的对立面的角度来认识人权。"所谓人权，一般来说，仅指人类作为人当然拥有的权利，即人生而具有不可侵夺不可转让的权利。""人权是当人们的那些基于人的尊严的价值、利益受到来自权力的侵害、压迫之际，以权力为对立面而主张的东西。""人权是个人作为一个面对国家的人的一种伦理权利。"

以道德为基础的"人本主义"观点认为："权利就是人的价值，人的地位，人的尊严；只要是人，他就有人的权利，就有人的价值，就具有人的地位。""人权是平等地属于所有人的那种普遍的道德权利。"

那些反对"天赋人权说"的思想家主张区分"作为应然的人权"与"作为实然的人权"，将人权定义在法律的范围内："人权即国家赋予公民在法定范围内行为自由的某种资格"，"人权是国家法律认可并保障其实现的行为可能性。"

还有人根据人的需要定义人权，"人权是人对自己必需的事物的享有资格"，"人权是基于人的一切主要需要的有效道德要求"。

马克思反对抽象的"自然权利"说，认为"权利决不能超出社会的经济结构以及由经济结构制约的社会的文化发展"。基于这一认识，人权可被定义为：在一定生产方式中生活的一切人，基于最低限度的道德准则，通过相应的义务准备而对自己所需要的事物的主张资格。根据这一定义，人权具有以下几点特性：

(1)最低限度的道德性。这里有两层含义：第一，人权是一种道德权利，即人权的存在依据是某些具有普遍性的道德准则，不道德的要求如杀人不能作为人权的内容。第二，人权所依据的道德应该保持在最低限度，挥霍性或浪费性的需要并不作为人权存在。例如，食物是人权的要求，但人权并不把每个人都吃上山珍海味作为内容。当然，有关道德的最低限度，经济发展不同的社会之间会有不同标准,一个时期与另一个时期也有不同。

(2)普遍性。人权的普遍性是它作为一种道德权利所面向的权利主体具有普遍性。所有的人和团体,不管其属性、国籍、文化程度、种族、语言、性别、能力、财产或地位,甚至不管其所在国是否通过法律保护其权利,他们都有人权的主张资格。

(3)历史性。人权是一个历史范畴,与一定的生产方式相联系。

(4)资格性。人权之所以必须以"相应的义务准备"为基础,是因为个人在自身权利受到承认和尊重的同时还必须承认和尊重他人人权、社会道德、公共秩序、福利要求,才有资格以人权的名义享有自己所需要的东西。

人权实现的条件包括:

(1)自然条件,即自然环境提供给人们享有的资料。例如,人具有享有食物以维持生存的权利,这就要求自然提供给人可供开发的自然资源:土地、水、适当的阳光,等等。自然条件作为人权的一个前提,并非一种孤立的存在,它与人类的生产发展水平、生产发展方式有着密切的联系。人权的实现程度与自然条件的给予程度并不完全成正比,当人对自然的利用程度超过自然的承受限度,自然条件便会以报复的形式取消人权的前提。

(2)生产力条件。生产力的发展可以为人权尤其是社会经济权利的实现提供物质基础。

(3)权能条件,即人权拥有者自身生理和心理素质的条件,也就是人的能力。对人权实现的障碍不仅仅来自外界环境的束缚,人的能力有限同样会阻碍一个人实现自己的权利主张。

(4)政治体系中的决策制度、监督系统等是人权得以实现的重要因素。

(5)其他一些因素。

"人权"与"公民权"的关系。公民权是指由国家和法律规定的"法定权利",它有国界,局限于那些属于本国公民或居住在其国界内的人范围内。而人权并不依赖于法律而存在，它是一种普遍权利：所有的人都是拥有人权者，而不管所有者具有何种特殊属性、能力、财产或地位；即使人们的本国政府所强制实行的民事法律可能并不认可或保护这些权利，他们仍拥有这些权利。人权与公民权具有共通性，人权是制定公民权的依据，公民权以实现人权为目标，以人权为价值取向。在有国家和法律的社会里，人权往往通过公民权体现，而公民权又是促成人权实现的标志。

2.1.2.2　作为人权层次的水权

从人权的基本概念可以看出，作为人权的水权首先是指饮水权以及基本生活用水权。人类维持生存必须要饮水，必须要使用适当的水量满足日常的起居生活，但饮水权和基本生活用水权只是基本的权利，即从最低限度的道德性出发，不能无限制取用，仅仅是满足人的生存和基本生活需要。

其次，作为人权的水权，还指维持基本农业生产的权利，人类的生存离不开粮食生产，因此人们有取用适量的水用于基本粮食生产的权利。同样，这种权利也必须是最低限度的，仅仅是能够满足人们生存需要的。

再次，随着时代的进步，作为人权的水权，还可以包含维持基本工业生产的权利，人类的生活必需品的生产也要取用适量的水。

最后，从未来发展看，人类对身边的水环境有一个基本的要求，也可以是人类对水的基本的权利。

人权的特点包括其最低限度的道德性、普遍性、历史性、资格性，作为人权的水权同样具有最低限度的道德性、普遍性、历史性和资格性。最低限度的道德性是指不能挥霍和浪费，能够满足基本需要即可；普遍性是指无论是谁都有主张这种水权的资格；历史性是指它同样与一定的生产方式和社会条件相联系；而资格性是指在要求基本水权时必须首先尊重其他人对水的基本权利。

作为人权的水权，其实现条件与社会的进步和科技的发展相关联。当人类对水资源的开发利用水平较高时，水权的实现就比较容易，水权的内涵就可以更丰富。

2.1.3　产权的经济学和法学理论基础

2.1.3.1　产权的经济学理论基础

1. 产权基本概念

产权，即财产权利，也称财产权，这些都是英语 Property Rights 或 Property Right 的汉语译文的不同用法。它是人们(财产主体)围绕或通过财产(客体)而形成的经济权利关系[77, 78]。

在经济生活中存在着各种各样的主体。不同主体或一个范围较大的主体的不同部分，对财产发挥的职能或作用是不相同的。他们不仅与物质资料有不同的关系，而且通过自己的不同职能、作用，彼此之间通过物质资料结成一定的关系，这就是产权关系。

产权的直接形式虽是人对物的关系，实质上却是产权主体之间的关系。只有当人们之间在财产上发生了一定的关系，如排斥他人侵犯已为某些人占有的财产，或者在财产的支配、使用上进行一定的联系时，人对物的关系才成为权利关系。

产权是一个复杂的体系，有时它指完整的产权体系，有时指一组或一束产权(在这些场合，英语以 Property Rights 表示)，有时它仅仅指单个的产权，有时甚至是由某个产权派生或衍生出来的细小的产权(在这些场合，英语以 Property Right 表示)。例如，所有权就包含了物权、债权。在股份公司出现后，出资者的所有权就体现为股权，而股权又可派生出股票转换权、股票期权、配股权，等等。而无论产权的内涵巨细如何，都可称之为产权。

任何一项产权，都包括了主体的权能和利益两部分内容。所谓权能就是产权主体对财产的权利、职能或作用。所谓利益，则是指财产对主体的具体效用或带来的好处。权能与利益互相依存，不可分割，存在着内在统一关系。

就产权主体而言，首先，利益是取得权能的目的，有权为了得利。其次，财产权力是利益的存在前提和基础，有权才能有利。第三，利益是权能行使的结果，有权就能得利。最后，利益又是使一定权能得以成为产权内容的条件，有利才算有权，否则单纯的权能就不能构成产权。

是否以财产作为客体，是产权区别于其他权利如选举权、政治民主权、人权、生存权等的地方。后面这些权利固然也要建立在一定的物质基础上，但它们却不是由人们对物、对财产的关系而形成的。所以，产权要以财产为对象，要有客体或载体。明确这一点，可以防止无限制地扩大产权的内涵。

2. 产权经济理论

在现代西方经济学中，产权经济学是新制度经济学的一个分支，属于自由主义学派。它产生于20世纪30年代，在50年代末以后有了较大发展，到80年代中期，其理论体系基本成熟，形成了企业性质理论、企业产权结构理论和制度变迁理论三个主要分支。代表人物有科斯(R.Coase)、威廉姆森(O.Williamson)、斯蒂格勒(G.Stigler)、诺思(D.North)、佩乔维奇(S.Pejovich)、张五常(S.Cheung)等。

西方产权经济学家是在批判传统的西方微观经济学和福利经济学的一些根本缺陷的基础上，对新古典理论进行修正、扩展和一般化而逐步形成的。

自亚当·斯密以来，西方经济学在考察经济运行时，一般把私有产权的初始分配作为既定前提，并排斥于经济分析之外。他们认为，在私有制基础上，完全竞争的市场机制能够保证资源配置的最优化。微观经济学就是研究市场主体(个人、家庭和企业)在资源稀缺的条件下，如何在完全竞争的市场机制中寻求各自的效用或利润的最大化。福利经济学针对市场暴露出的种种缺陷，指出由于外部性的存在，市场机制并不是万能的。要解决外部性问题，必须实行国家干预，以政府的部分功能代替市场，弥补市场缺陷。

西方现代产权经济学不同意福利经济学的这种主张。它们的研究思路是：市场机制具有的缺陷主要表现在外部性上，而外部性则根源于产权界定不清，由此造成交易障碍，使资源配置达不到最优化。因此，必须把产权界定引入经济学分析，而不能简单地把产权明晰作为既定前提排斥在外。产权经济学理论的主要内容可以概括为：以交易费用和产权为概念基石，以交易费用为基本分析工具，将交易费用、产权关系、市场运行和资源配置效率四者联系起来，研究产权及其结构和安排对资源配置及其效率的影响。

在产权经济学的产生和发展过程中，一些学者从企业与市场的关系入手，探讨企业的起源、性质与边界及其对企业效率的影响，形成产权经济学的一个分支——企业性质理论。另一些人分别从微观(企业)和宏观(社会)角度对产权与资源配置和社会制度问题进行研究，成为另两个分支——企业产权结构理论和制度变迁理论。

科斯[79, 80]构筑了以科斯定理为核心的产权理论的基本分析框架。由于表达的差异，人们把科斯定理分为科斯第一定理和科斯第二定理。科斯第一定理的基本表述是：如果交易费用为零，无论权利如何界定，都可以通过市场交易达到资源的最优配置。科斯第二定理的基本表述是：只要存在交易费用，权利的界定就会对资源配置产生影响。

科斯认为，企业是市场的可供选择的替代物，并进一步指出，企业不是市场的惟一替代形式，政府对经济生活的直接管制也是一种替代方法。在既定的产权结构下，社会配置资源的组织形式可以有三种，它们分别对应于市场制度、企业制度、政府直接管制三种交易类型，社会选择哪一种组织形式，主要考虑的是组织形式的收益与成本的比较。

一般认为，交易费用是经济制度运行的成本，它包括度量、界定和保证产权(即提供交易条件)的费用；发现交易对象和交易价格的费用；执行交易的费用；监督违约行为并对其制裁的费用；维护交易秩序的费用；等等。影响交易费用的首要因素是市场的不确定性。没有不确定性也就没有风险，从而也不会引起交易成本。影响交易费用的另一个基本因素是分散的产权。分散的产权意味着存在两个以上的交易者，才有交易的必要。

一些学者认为，产权是一组权利，包括财产的所有、占有、使用、支配和受益权。根据所有者拥有产权的完整性或残缺性，可以把产权分为三种形式：①私有产权。就是将资源的使用与转让以及收益的享用权界定给一个特定的人，他可以将这些权利同其他附着了类似权利的物品相交换，也可以通过自由合约把这些权利转让给其他人。阿尔钦指出："私有产权的强度由实施它的可能性与成本来衡量，这些又依赖于政府、非正规的社会行动以及通行的伦理和道德规范。简而言之，如果没有你的赞许或补偿，就没有人能合法地使用或影响你拥有私产的物品的物质环境。在假定的完全是私有产权的情况下，我对我的资源所采取的行动，不会对任何其他人的私产的物质属性产生影响。"②共有产权。就是将产权界定给一个特定的共同体，其中的每一个成员都有权分享这些权利。它排除了共同体外的成员对共同体内的任何成员行使这些权利的干扰。同时，共同体内的成员只有在得到其他成员或他们的代理人的许可后才能将他所分享的权利转让给其他人。③国有产权。就是由国家拥有产权，国家再按可接受的政治程序来决定谁可以或不能使用这些权利。

西方产权经济学的理论认为，通过产权与外部性的关系可以衡量一种产权安排的效率，能提供较大的激励促使人们将外部性较大地内在化的产权安排就是有效率的。从这个观点出发，西方的产权经济学家通常认为共有产权和国有产权的外部性较大，因而是缺乏效率的。在共有产权下，共同体内每一成员都有权平均地分享共同体所拥有的权利。由于谈判和监督费用的存在，一个成员偷懒造成的损失可能部分地由共同体内其他成员来分担，或他努力的果实可能被其他成员分享。因此，共有产权导致了很大的外部性。在国有产权下，国家拥有的权利是由国家所选择的代理人来行使的。代理人作为权利的使用者，对资源的使用与转让以及成果的分配都不具有充分的权能，这就降低了他追求经济绩效和对其他成员进行监督的激励。而且，国家的代理人可能偏离经济目标，在选择代理人时具有从政治利益而非经济利益考虑的倾向。因此，国有产权的外部性也较大。

交易费用理论指出，由于资源的稀缺，任何社会都会发生争夺资源的竞争，为降低社会交易费用，需要特别制定指导竞争的规则。但是协商、订立和履行这些规则要付出相当的代价，即交易费用。这样社会就面临选择。产权制度的发明和创新旨在降低社会经济体制运行的交易费用，然而，只有当建立私有产权的交易费用足够低时，它才会产生并保留下来。否则，社会可能走上另一条道路，选择用管制来约束对共有资源的使用。

新制度经济学家认为，制度变迁旨在寻找一个更有利于提高经济绩效的激励机制。他们要探讨的中心问题是制度变迁与激励和经济绩效的关系。产权不仅是制度变量体系中的核心，而且它的基本功能是界定人们在经济活动中如何受益、如何受损，以及他们之间如何补偿，以此帮助人们实现交易的预期、降低交易成本、提高资源配置效率。所以，产权制度是经济效率的至关重要的解释变量，人们进行制度变迁，主要在于寻找更有激励效应的产权制度。

诺思、托马斯等结合经济史的分析，从宏观层次上论述了制度变迁主要体现在修正产权规则，认为制度、制度结构和制度变迁是经济史的主线。诺思强调，制度提供人类相互影响的框架，确立竞争规则，从而构成一种经济秩序。制度结构或制度框架在静态上决定了经济绩效，而制度变迁则构成长期经济增长的源泉。他们还认为，产权是制度中的核心，制度变迁是以产权为中心展开的。诺思在《西方世界的兴起》一书中提出了一个中心论点，即有效率的经济组织在西欧的发展正是西方兴起的原因所在，而有效率的组织的产生需要在产权确立上作出安排，以便对人的经济活动造成一种经济效应，根据对交易费用大小的权衡，使私人收益接近社会收益。一个社会如果没有实现经济增长，那就是因为该社会没有为经济方面的创新活动提供激励，也没有从制度方面尤其是从产权制度方面去保证创新活动的主体得到最低限度的报偿或好处。

2.1.3.2 产权的法学理论基础

1. 物权的概念

物权主要是大陆法系民法所采纳的概念，它是指公民、法人依法享有的直接支配特定物的财产权利[81~84]。所谓直接支配，是指权利人无须借助于他人的帮助，就能够依据自己的意志依法直接占有、使用其物，或采取其他的支配方式。如房屋所有人有权占有、使用其房屋，并有权将房屋出售。国有土地使用权人有权依法使用土地，或转让其土地使用权。所有人和使用权人在依法行使其权利时，一般不需要取得义务人的同意，也不需要义务人的辅助，就可以实现其权利。这就是所谓的直接支配，这一点和合同债权是不同的，合同债权必须要通过债务人履行债务才能实现。

物权一般分为三类，即财产所有权、用益物权和担保物权。财产所有权是指所有人依法对其财产享有的占有、使用、收益、处分的权利，如国家所有权、集体所有权、个人所有权等。用益物权是指以物的使用、收益为目的的物权，包括国有土地使用权、宅基地使用权等。担保物权是指以担保债权为目的，即以担保债务的履行为目的的物权，包括抵押权、质权、留置权等。

在民法中，物权是和债权相对应的权利，这两种权利是市场经济社会两项基本的财产权利。我们通常讲的产权是指财产权，其中就包括物权、债权和其他财产权(如知识产权等)。所以，产权既包括物权，但也不限于物权。

2. 关于物权的基本原则

关于物权的基本原则如下：

(1)物权法定原则。所谓物权法定，是指物权的种类、内容、效力和公示方法都应由法律明确规定，而不能由当事人通过合同任意设定。

(2)一物一权原则。一物一权原则是指一物之上不得设立两个和两个以上的在内容上相互冲突的物权。

(3)公示、公信原则。

公示原则是指将物权设立、移转的事实通过一定的公示方法向社会公开，从而使第三人知道物权变动的情况。

与公示联系在一起的是公信制度。公信的内容主要包括两个方面：一是登记记载的权利人，在法律上只能推定其为真正的权利人；二是任何人因为相信登记记载的权利而与权利人从事了移转该权利的交易，该项交易应当受到保护。

3. 关于所有权

所有权是物权体系中的重要内容。所有权是指所有人依法可以对自己的物进行占有、使用、收益和处分的权利。它是物权中最完整、最充分的权利。相对于权利内容受到限制的其他物权而言(如土地使用权等)，所有权是完全物权，而其他物权只在一定程度上具有所有权的权能，没有法律的依据和所有人的授权，其他物权人不能行使处分权。

4. 关于他物权

按照近、现代民法观念，他物权是物权的有机组成部分，与自物权即所有权相对应，二者共同构成完整的物权体系。

我国民法学界对于他物权概念的界定，没有原则的分歧，但依其强调的侧重点不同，可以分为以下三种不同的定义：

(1)强调他物权是对所有权人的财产所享有的物权，认为他物权是根据法律规定或当事人的约定，由他人对所有权人的财产所享有的占有、使用、收益和处分的权利，或者认为是权利人根据法律或合同的具体规定，对他人所有之物享有的物权。

(2)强调他物权相对于所有权所具有的派生性，认为他物权是指在他人之物上设定的，即由所有权所派生出来的物权。

(3)强调他物权的限制性物权属性，认为此等权利，以所有权的一定权能为内容，为所有权上之负担，而限制所有权，故称为限制物权。又均系在所有人之物上所设定之权利，故又称他物权。

为他物权下一个准确、科学的定义，并非易事。上述各种对他物权概念的界定，均各有其特点，但均有不尽人意之处。

一般认为，他物权是指权利人根据法律规定或者合同约定，对他人所有之物享有的，以所有权的一定权能为内容，并与所有权相分离的限制性法定物权。这样一个定义，较好地概括了他物权的如下法律特征：

(1)他物权是在他人所有之物上设定的物权。这是他物权与自物权的最本质区别。他物权不能在自己所有之物上设定，因为自己所有之物，是所有权的客体，而所有权是最完备的物权，所有人享有最完全的支配权，无须也不能为自己设定他物权。离开他人所有之物，他物权无从设定。

(2)他物权是派生于所有权而又与所有权相分离的物权。他物权是所有权的派生之权，并非是完全独立的民事权利。它是根据对所有权所设定的债权而形成的，而且来源于所有权，因而将所有权称之为母权，而将他物权称之为子权。他物权虽然与所有权具有如此密切的关系，但它是在所有权权能与所有权发生分离的基础上产生的民事权利，即指非所有人在所有人的财产上享有占有、使用或收益权，以及在特殊情况下依法享有一定的处分权。因而，这种物权具有相对独立的性质。

(3)他物权是受限制的物权。所有权是最完备的物权，不受任何限制。他物权则属于限制物权。他物权的受限制表现在两个方面：①他物权受所有权的限制。在一般情况下，他物权只是以所有权的一定权能为内容，因而仍受所有权的支配，不能完全任意行使；即使是以所有权的占有、使用、收益和处分四项权能为内容的他物权，也必须受所有权的支配。②他物权也限制所有权的行使。在所有权的客体物上又设置他物权，其结果是使所有权的行使受到限制，不再是完全不受限制的自物权。依所有权的权能分离的内容不同，亦即他物权的内容不同，所有权所受限制的程度也不相同。

(4)他物权是依法律规定或合同约定而发生的物权。他物权并非自由发生。其发生的途径或称方法有两种：一是依照法律规定，如留置权等他物权；二是由合同约定，如抵押权、典权等他物权。他物权无论是由法律规定还是合同约定，其具体内容均由法律所规定，并为强制性规定，因而他物权是法定物权。

5. 关于用益物权

所谓用益物权，是指非所有人所享有的对物的使用和收益的权利，它着眼于财产的使用价值。由于现代各国物权法贯彻效益原则，已经逐渐地放弃了传统的注重对物的实物支配和保护，转而注重财产的价值形态和利用，因而用益物权制度在物权法中占有重要地位。

用益物权体系应当包括以下三个部分：第一，土地役权，包括地上权、农地承包权、宅基地使用权和地役权；第二，建筑物役权，包括典权和居住权；第三，其他役权，包括空间权和特许物权。这三个方面的用益物权，概括了目前中国的全部用益物权。

6. 关于特许物权

特许物权是用益物权体系中的一种役权。 一般认为，特许物权应当规定养殖权、捕捞权、采矿权、探矿权、林业权、取水权、狩猎权、营运权等。特许物权的取得应当通过登记，赋予其对抗第三人的效力。

2.1.4 产权角度的水权概念和水权原则

从产权角度分析，水权就是水产权，我国法律普遍认为水权等自然资源权属是物权范畴，水权是产权或财产权的一种类型。因此，无论将水权称为财产权、物权，还是水资源产权等，本质上并无区别。很多称谓或者术语其实都是约定俗成的结果。水权体系是建立在水资源的自然条件基础上，以满足社会、经济和环境需要为目的，通过立法来确立和保障，并通过行政机制和市场机制来实现的一整套关于水资源的权利体系。它包括水资源所有权以及由所有权派生出的其他权利的总和。

水权原则包括法定原则、权力专享原则和公示公信原则等。

2.1.4.1 法定原则

水权的种类、内容、效力和公示方法都应由法律明确规定，而不能由当事人通过合同任意设定。这是因为，一方面水权直接反映水资源的社会所有制关系，对社会经济关系影响重大，不能允许当事人随意创设水权。另一方面，由于水文规律的复杂性，水权行使直接关系到第三人的利益和交易安全，不能允许当事人通过合同方法自由创设。但法律可以规定创设水权的原则、范围和程序。

2.1.4.2　权力专享原则

根据一物一权的物权原则，在水资源之上不得设立两个和两个以上的在内容上相互冲突的物权。

在水资源之上只能设定一个所有权，即一物之上只能有一个主人，不能说一项财产既可能属于某一人所有，又同时属于另一个人所有。即使是共有，也只是数人对共有财产享有一个所有权，而不是由数人对共有财产分别享有所有权。水资源所有权属于国家，是指全民共同享有一个所有权，而不是全民分别享有所有权，代表国家行使水资源所有权的是中央人民政府即国务院。但是根据法律规定，水资源所有权还可以通过授予等方式形成区域水权等。

在水资源之上不得设立两个和两个以上的在内容上相冲突的使用权。由于水资源使用权可以细分为不同的权种，因此并不禁止在水资源上设立数个使用权，如水资源水能使用权和水资源水量使用权等。但不允许当事人设立在内容上相互矛盾的使用权。例如，上游水资源水量使用权的设立将影响下游水资源水能使用权的行使，因此必须明确界定水资源水量使用权和水能使用权，明确限制条件、优先顺序、权利义务，使之在内容上不冲突。

2.1.4.3　公示公信原则

公示原则是指将水资源产权的设立、移转的事实通过一定的公示方法向社会公开，从而使第三人知道水权变动的情况。任何当事人设立、移转水权，都会涉及第三人的利益，因此，水权的设立、移转必须公开、透明，以利于保护第三人的利益，维护交易的安全和秩序。水权包括水资源所有权的授予和使用权分配、移转的公示方法必须要由法律明确规定，而不能由当事人随意创设。物权的公示方法原则上应当采用不动产登记、动产交付的规则。水权公示的原则应当以当前取水许可制度为基础，重点完善登记备案制度。水资源不同于动产，它的交易转移不能采用交付制度，水资源产权的设立转移必须通过水资源的管理调度者。登记目的在于将权利设立和变动的信息向社会公开，使第三人了解有关水权的信息，这对于建立水市场经济秩序是十分重要的。因为，如果第三人能够通过登记了解权利的状况以及权利上是否存在负担等信息，就为水权交易的当事人提供一种风险的警示，从而可决定是否与登记的权利人从事各种交易和投资，也能够避免上当受骗。

更重要的是水资源产权通过公示，可以达到管理、调度之目的。

因此水权登记备案既是水权设定的条件，又是水权有秩序移转的基础。

公信的内容主要包括两个方面：一是水权登记记载的权利人，在法律上只能推定其为真正的权利人；二是任何人因为相信水权登记记载的权利而与权利人从事了移转该权利的交易，该项交易应当受到保护。

公信原则对于鼓励水权交易也具有重要作用。由于交易当事人不必要因为过多地担心处分人是否为真正的权利人而对交易犹豫不决，特别是交易当事人不需要花费更多的时间和精力去调查了解水权的权利状态，从而可以节省交易成本，迅速地达成交易。

2.1.5　水权客体界定

水权作为水资源产权范畴，其客体是指水资源，而不是水产品。严格说来，水资源是水作为资源存在的状态，应与水产品区分开来。水产品是以水资源为原料生产的产品。但水资源与水产品的区分也不能截然分开，因为根据水资源价值运动规律，对天然水资源进行开发、加工，附加人类劳动，使水资源最终成为水产品发挥其使用价值，是一个不易区分的过程，如黄河水资源，黄河形成天然径流，应该属于天然水资源范畴，但长期以来，人们在黄河上修建了大批水利工程，使得黄河水资源开发利用率大大增加，黄河水资源已经被附加了大量人类劳动，黄河的天然径流也成为被人为控制的径流，黄河水资源已经在很大程度上变化为黄河水产品。这种水产品与居民使用的自来水、纯净水等虽然都是水产品，但二者存在很大的区别，区别主要在于：黄河水产品还只是初级产品，其资源属性仍然占主要地位，它的主要作用仍然是作为资源满足国民经济的需要。因此，本书在研究水权时一般指水资源水权和水资源性质水产品的水权。

本书在研究黄河取水权时，针对黄河水资源和水资源性质的黄河水产品，不研究利用黄河水加工制作成的自来水等水产品。

2.1.6　作为产权的水权体系

2.1.6.1　水权体系分类

水权体系可以按照多种划分标准进行分类。划分标准总体上看，分为两种，纵向分类和横向分类。如图 2-1 所示。

纵向分类主要是按照水权内涵对水权进行权利束分解，可以分为水资源所有权、水资源使用权以及设施相关权。

需要特别指出的是，由于水文规律的复杂性，水作为流体特别具有的属性，研究水权不能不研究与水紧密相关的天然设施的相应权利，这些天然设施包括河道、湖盆等。因此，在整个水权体系中应包括相关设施的与实现水资源功能直接相关的权利，如河道管理权、河道泄洪能力使用权等。

在更广义的层次上，水权体系还应包括水利工程的相关权利，如水利工程的壅水权、供水权等。

横向分类是对水权的属性进行限定。如按照水体类型，可以分为地表水水权和地下水水权，地表水水权又可以分为河流水权、湖泊水权等；按照水权主体的地域范围属性划分可以分为国家层水权、区域层水权、流域层水权；按照水权主体的行业或部门属性划分可以分为农业水权、工业水权、市政水权、生态水权。

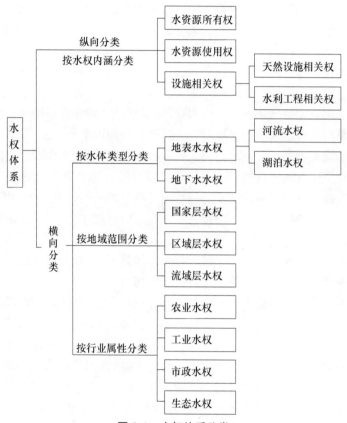

图 2-1 水权体系分类

2.1.6.2 水资源所有权

广义上，水资源的所有权是指所有者对水资源的占有、使用和收益处分的权利，是对水资源的全面、直接的支配权。

所有权制度是物权制度中的核心内容。所有权是最全面、最充分的物权，是他物权得以产生的前提和基础。所以在物权法中首先规定所有权，然后规定他物权。我国法律对水资源所有权有明确的规定，《中华人民共和国宪法》第九条、《中华人民共和国民法通则》第八十一条规定：水流等自然资源属于国家所有，即全民所有。《水法》第三条规定：水资源属于国家所有。水资源的所有权由国务院代表国家行使。农村集体经济组织的水塘和由农村集体经济组织修建管理的水库中的水，归各该农村集体经济组织使用。

水资源的国家所有是由水资源的特殊作用和地位所决定的，也是世界普遍采取的管理制度。强调水资源国家所有权，具有重要的现实意义。水资源的国家所有权是指国家为了全体人民的利益对全民共同所有的水资源享有占有、使用、收益和处分的权利。水资源所有权只能由国家统一行使，具有惟一性和统一性，其法律特征包括两方面：一是独占性，国家所有权在法律上是由国家独占的垄断的支配权，国家以外的任何组织和个人都不能分享所有权；二是排他性，国家所有权的主体是特定的、单一的，国家对所有权的享有和行使，可以排除任何组织和个人的干涉。

我国的水资源为国家所有，所有权是一种公共权力而不是共有权力，不能由平等主体协商分割，而必须由能代表全民意志的机构来授予。我国的单一制体制决定了地方公共权力由中央授予，国务院是水资源所有权的代表，地方各级人民政府不是水资源所有权的代表，无权擅自处分其境内的水资源，而只能依法负责本行政区域内水资源的统一管理和监督，并服从国家对水资源的统一规划、统一管理和统一调配的宏观管理。区域对水资源的支配权的大小以及权能的内容是来自于法律或中央人民政府的授权，同样，省级以下地方人民政府的有关权利也来自于上一级的授权[85]。一旦授予区域对一定份额的水资源行使直接支配权，区域公共利益的代表即可通过合法程序可对水资源实施占有、使用、收益和处分。由于权利主体的国家不能做到事必躬亲，因此，法律规定可通过使用权的社会化使水资源的开发利用主体分散化，以适应社会发展要求。

水资源所有权是其他水权利的起点，集中体现了权利、义务和责任的统一。它既具有占有、使用、收益和处分的四项权能，同时也兼备保证社会公平、维护国家权益、保证用水安全、消除外部性的义务和责任。国家把水资源的使用权通过制度安排授予社会，同时保留了与履行债务相适应的在宏观上调控、监管等权力，这也就成为国家对水资源的开发利用进行全面管理的合法性基础。主要的管理职能有：超脱区域和流域界限从整体上规划和调配水资源，确定水资源配置顺序并按照相关原则配置水资源，按照生活、工业、农业、生态环境的需要确定可配置水资源量，订立水权运作规则和开发利用水资源的规则并对规则的实施进行全面的监管，为公益目的保证用水安全的措施的实施等。

当水权按照所有权和使用权进行划分时，这里讨论的所有权是狭义上的所有权，即指将使用权分离之后的所有权。根据所有者不同的管理需要，水资源所有权可以衍生出水资源的分配权、调度权、收益权、监督权、处罚权等。如图 2-2 所示。根据所有者——中央政府的需要，上述权力可以由一个主体统一行使，也可以授权给多个主体行使，以相互监督，增加效率，杜绝腐败产生。

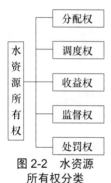

图 2-2　水资源所有权分类

2.1.6.3　水资源使用权

水资源使用权是指水资源使用者在法律规定范围内，对所使用的水资源的占有、使用、收益和依法处分的权利。水资源使用权与水资源所有权适当分离，是通过权利转让和特许方式从水资源所有者那里获得的用益物权。作为用益物权这一类型的使用权，水资源使用权既包括对水资源的使用权，也包括对水资源占有、收益以及有限处分的权利。占有是行使使用权和收益权的基础与前提；收益是使用的结果，是通过对财产的占有使用而取得的经济利益。

根据水资源所有权人的授权，水资源使用权可以包括一定的对水资源的处分权。处分权能是所有权的核心内容，是所有权中最基本的权能，但仍可以依法律规定与所有权适当分离。

处分权根据处分的形式可以细分为必然处分权和需特许处分权两种。必然处分权是水资源使用权的必然内涵，如市政供水、灌溉用水必然要消耗水量，形成了对水量的必然处分；水力发电必然要消耗水能，形成对水能的必然处分；排污权必然要消耗水的纳污能力，形成对水体纳污能力的必然处分。需特许处分权是指该类处分必须依法得到授权，或得到法律保护，该权一般发生在水权主体改变的情形下，是水资源使用权本身的处分权，如转让、出售、租赁等。

一般认为，水资源使用权具有如下特性：

(1)水资源使用权是派生于水资源所有权但又区别于水资源所有权的一种独立的物权，水资源使用权不等同于水资源所有权中单纯的使用权能。二者的区别在于水资源使用权的内涵要广，如上段所述，包含必要的处分权。

(2)水资源使用权的主体具有广泛性。一切单位和个人均可以成为水资源使用权的主体。另外，水资源使用权还可以包括一些特殊的主体，如水环境和水生态，从可持续发展的角度出发，生态环境也有水资源使用权。

(3)水资源使用权的客体是水资源以及水资源性质的水产品。

(4)水资源使用权最终使用的是水资源的各项功能，包括用于灌溉、供水、发电、航运、渔业养殖、商业旅游、景观、生态等。

按照所有者授予处分权的性质和程度不同，水资源使用权可以分为直接使用权和开发经营权(见图 2-3)。

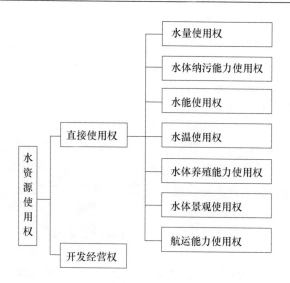

图 2-3　水资源使用权分类

　　直接使用权是对水资源功能的直接使用，主要体现了必然处分权。按照功能属性的不同，直接使用权可以分为水量使用权、水体纳污能力使用权、水能使用权、水温使用权、水体养殖能力使用权、水体景观使用权、航运能力使用权等。

　　开发经营权是指开发或利用水资源用于商业经营以谋取利益的权利，其直接目标一般不是最终使用，而是经营营利。开发经营权包含了适度的需特许处分权，如转让、租赁、出售等。

2.1.6.4　水利工程供水权

　　水利工程供水权是上文提到的设施相关权的一种。水利工程供水权的实质是水资源开发经营权。

　　由于水利工程的存在，天然水资源附加了人类的劳动，因而逐步具备了水产品的属性。水利工程作为一项资产、一项财产，其本身并不存在供水权问题，但水利工程的建造目的必然是为水资源的利用(这里暂不讨论为防洪、除涝等除水害目的兴建的水利工程以及综合水利枢纽的除水害作用)，因此，水利工程必然与各类水权的实现发生联系。例如，渠道是灌区取水权实现的必然物质基础；标准化航道是航运权实现的必然物质基础；水库是各类灌溉、供水、发电等水权实现的必然物质基础。

　　水利工程只是水权实现的物质基础，水利工程供水权的实质是水资源开发经营权，是水资源所有权和水资源使用权的复杂表现形式。以黄河为例，黄河小浪底水库是黄河下游各取水口水权实现的必要条件，建设小浪底水库，首先必须得到黄河水资源所有者——中央人民政府的授权(黄河水资源开发权、黄河水资源经营权)，然后小浪底工程的业主才能建设水库壅水，水库建成后，才能分配、出售取水权。小浪底工程的供水权可以分以下三种情况：

　　(1)如果小浪底工程的业主本身就是代行中央人民政府的所有者职能，那么水库经营所得必须上缴中央财政。

　　(2)如果小浪底工程的业主作为商业运营单位只是取得了中央人民政府的有限授权，那么水库经营必须遵照国家有关黄河水资源水权分配和交易的有关规定，并按照有关规定缴纳水资源税(费)以及其他有关税费。

　　(3)如果小浪底工程只是作为黄河水量调度和水权交易系统的一个部分，具有交易中介的性质，那么该工程业主按照有关运行取费标准获得经营收入。

2.1.6.5　水权主体的权利义务

　　产权主体在行使权能的过程中，都要受到一定的约束和限制，有时还要尽一定的义务。这是因为：

　　(1)社会上存在着许许多多的产权主体，他们在行使各自的权利时必然互相影响。如果配合得好，可能使大家都得到利益；如果配合不好，就可能互相损害对方利益。

　　(2)人们之间通过一定的财产建立产权关系时是有条件的。例如，人们租地、借钱都要承担一定的义务，如保证土地不受破坏，到期归还土地和全部债务、按期偿付地租和利息等，而地主不能在租期届满之前任意收回。

(3)产权不是单个的权利，而是由许许多多的权利组成的权利体系。它既可结合在一起，归一个主体去行使，也可能互相分离、分割。以同一客体为对象的各种产权进行分离、分割时，必须严格规定各自的边界，否则就会出现互相侵犯权利的行为，引起产权关系的混乱。这就有必要为某些产权的实施作出一定的约束和限制。

(4)除了产权以外，每个人都有生存和生活的权利，这是人们更为重要的权利。当人们的基本生存权利受到威胁或损害时，他们有权作出反应，维护自己的权利。为了避免由此引起的纠纷影响到社会的基本秩序，国家需要制定有关的法律、规定，对某些产权的行使作出一定的约束和限制。

总之，产权包括了主体的责任、权利和利益。所谓明确产权，不仅要明确规定产权主体对财产能做什么，还应包括他们不能做什么；明确他们可以做什么的同时，还要规定他们必须尽哪些义务和责任。因此，可以说产权就是人们围绕一定财产发生和形成的责、权、利关系。

在明确水权主体时，同样需要确定水权主体的权利和义务，不同的水权种类必须要界定相应的权利义务，避免出现各单个水权相互矛盾的现象[49]。这里以取水权和排污权为例，介绍水权主体的权利和义务。

取水权

取水权是从水域或地下取水并对水资源行使使用、收益和处分的权利，它是一种特许物权。它的配置是水资源所有权的代表根据水资源可供给量、用水优先顺序、水资源的调控条件等多因素来确定的。取水权的拥有者有权要求得到稳定、安全、公平的用水权益,这是水资源所有者即中央政府或其授权人的责任、义务;相对应地,作为义务,取水权的拥有者必须缴纳与其权利相对应的水资源使用费并办理特许手续,如取水许可、水权转让备案,接受有权部门的监管并遵守诸如不得改变用水目的、节约用水、达标排污等要求,还要遵守在特殊情况下削减取水量等要求。一旦违反约定,要接受相应处罚。对于违反公共利益的用水行为,政府有权限制甚至剥夺取水权。

利用市场机制进行取水权权利转移运作时,须对取水权创设相应的处分权及其监管权,交易过程中体现价格与权、责、义相一致的原则。作为政府的水资源所有权人,应通过程序性规范、组织法规范、实体法规范,对取水权的获得和流转程序、主体、条件等实施全面有效的管理,以保障公共利益、第三方利益的安全和水资源市场秩序稳定。

排污权

排污是用水的必然结果,排污权也是一种用益物权和特许物权,其量是由水环境容量和排污者的污水成分、单位性质等确定的,它具有对排污额度的使用、收益和处分的权利。排污者首先要获得排污许可并缴纳一定费用作为排污管理的成本补偿,超过额度的排污要缴纳费用作为超标排污造成的外部性的补偿。但是,水环境容量是受到总量限制的,因此,排污者不能无限制地使用排污权,而必须通过限污、购买排污权等措施来平衡排污的需求与供给。排污权拥有者也可把多余排污权进行有偿转让。

其他水使用权是对水资源的单一功能进行利用并获得收益的权利,这些使用权的获得也必须缴纳与其所享受的权益相对应的权益转让费并办理特许手续,接受相应监管。

2.1.7　区域水权

区域水权是水权体系中独特的水权概念。它将水权限定在区域的范围之内，主要内容是区域对于水资源的权利。

2.1.7.1 区域水权的重要性

由于人类社会区域(包括行政区域和非行政区域)的客观存在，区域对于水资源的权属问题就成了重要问题，当水资源稀缺时，往往还产生许多水事纠纷。区域水权问题已经在水利界引起广泛重视。区域水权之所以重要，是因为无论过去、现在和将来，区域作为相对独立的行政区、自然形成的流域区或其他具有共同特征的经济区、生态区、民族区等，在国民经济和社会生活中发挥着非常巨大的作用。在我国，由于水资源国家所有，各区域(包括省、市、县等行政区)不拥有水资源的所有权，为了尊重区域利益客观存在的事实，适应"国家对水资源实行流域管理与行政区域管理相结合的管理体制"的需要，设立区域水权概念是非常必要的。区域水权是区域参与水资源管理的具体方式之一。

2.1.7.2 区域水权的定义

区域水权是指区域对于本区域内主水和客水资源所拥有的权利，它主要是针对于其他区域而言的，是地区利益在水资源权利中的反映。

区域水权具有独特的特征，原因在于区域水权属于宏观范畴，其主体是地方政府等非具体用水户，区域水权的实现必然存在进一步的授权和分配，因此区域水权兼有所有权的部分性质和使用权的部分性质。当中央政府赋予区域以代行所有权部分权能时，区域水权可以归属所有权系列。当区域仅以使用者的身份或者使用者代表的身份出现时，区域水权属于使用权的性质。

区域水权也包括取水权、污染权、排水权、渔业权、航运权、发电权、壅水权、开发经营权、生态权等，但和上一级有权部门授权程度有关。

根据区域的性质不同，区域取水权可以分为流域水权行政区水权和其他性质区域水权。本文为讨论方便，以后如无特别说明，区域水权均指行政区水权。

2.1.7.3　区域水权的授予

区域对水资源的支配权的大小以及权能的内容来自于法律或中央人民政府的授权，同样省级以下地方人民政府的有关权力也来自于上一级的授权[85]。

根据上一级政府授权程度、范围不同，区域水权的内涵也不同，当一旦授予给区域对一定份额的水资源行使直接支配权(所有权)，区域公共利益的代表通过合法程序可对水资源实施占有、使用、收益和处分(包括事实处分如加工，法律处分如转让)。当只授予给区域对一定份额的水资源行使特许的使用权时，区域公共利益的代表通过合法程序可对水资源实施使用、收益和一定的处分权能。但区域水权的存在只是中央政府或上一级政府的授权，从权力、责任、利益对等的原则，中央或上一级授权给下一级政府，下一级政府还必须接受中央政府或上一级政府的管制，最终决定权在中央政府。

2.1.7.4　区域水权分析

1. 区域对本区域内主水资源享有优先使用和优先开发经营权

水资源所有权因其属于国家所有，不取决于其所处的位置。但水权分配存在许多的优先权因素，因自然禀赋、资源优势而带来的地区利益问题可以使用优先用水原则和优先开发经营原则来分析其合理性。

优先用水原则是指在同等条件下，区域对本区域内水资源具有优先使用的权力；优先开发经营原则是指在同等的条件下，区域对于本区域内水资源具有优先开发并经营收益的权力。为了公共利益，国家可以具有特殊的优先开发经营权(可以认为国家在行使所有权人的权能)。对于大江大河，因其开发牵涉面过于宽泛，影响因素太复杂，必须由国家专门授权或直接行使开发经营权。

优先权原则符合社会伦理观念，是区域水权的理论基础之一。对于区域内的主水资源而言，由于其牵涉面窄，利用优先用水原则和优先开发经营原则能够成功阐释区域水权现象。

2. 区域对客水资源的权利必须得到合理界定

对于流经区域的客水资源，由于河流往往流经多个区域，对河流水资源的使用或者说径流资源在流域内上下游、左右岸如何配置是比较复杂的问题，其牵涉面广，外界约束增加，在流域统一管理的前提下，水权在各个区域之间的界定必须考虑更多的因素。

从形式上看，区域水权是在水资源国家所有基础上由中央政府或上一级政府授权形成的，但从实质上看，区域水权的实质是水权在区域之间的分配。由于自然地理的禀赋不同，各区域对水资源的控制能力不同，国民经济发展程度也不同，社会历史制度、道德伦理等也有差异，因此区域水权的确定也将是复杂的过程。在第三章讨论河流取水权分配时，将对确定区域取水权的各类影响因素深入分析。

2.2 河流水权体系

2.2.1 河流水资源

2.2.1.1 河流及流域

河流是陆地表面宣泄径流、泥沙、盐类等物质进入湖泊、海洋的通道，是溪、川、江、河的总称[86]。河流由干流和一系列支流组成。由干流、支流和流域内的湖泊、沼泽或地下暗河彼此连接组成的大系统称水系。水系汇集全流域的地表水和地下水，最终注入湖泊、海洋或消失于荒原。大气降水为河流提供了水量，当降水降落到地面后，从高处往低处流动，由坡地汇集到河床。

河流与人类文化和社会发展有着密切的关系。黄河、尼罗河、幼发拉底河和恒河都是人类古代文化的发源地。古往今来，世界上一些经济、文化发达的城镇都靠近河流。

流域是河口以上汇集地表和地下水流的区域[87]。河流的流域是河川径流的补给源地并与输水路径的分布和走向有关。因此，河流的态势与流域的几何特征和自然地理特征有非常密切的关系。流域几何特征包括流域面积、流域形状和流域内的地形；流域自然地理特征包括流域的地理位置、流域内的地质与土壤、植被和水系状况，等等。无论是前者还是后者，都不同程度地影响着流域内的河流特性。

2.2.1.2　径流资源

河流是最活跃的地表水体。它水量更替快，水质良好，便于取用，历来就是人类开发利用的主要对象，在农业灌溉、城镇供水、水力发电和航运等方面为促进社会经济发展起到了巨大的作用。但由于河川径流的年际年内变化大，多水季节容易发生洪涝灾害，所以在开发利用河水时要注意兴利与除害并重。淡水湖和水库具有存储、调节径流的作用，能缓解来水与用水的矛盾，提高河川径流的利用程度。

陆地上的各种水体都处于全球水循环过程中，不断得到大气降水的补给，又通过径流、蒸发而排泄，在长时期内保持水量的收支平衡。河川径流是更替周期短的水体，取用后容易恢复，是人类开发利用的主要对象。

2.2.2　河流水权概念及其在整个水权体系中的地位

2.2.2.1　河流水权概念

河流水权是指针对河川径流水资源的权利，包括河流水资源的所有权、使用权等各项权利。

作为水循环的一部分，地下水和地表水可以相互转化。因此界定河流水权必须首先明确河流水权与地下水水权的关系。

在计算水资源量时,水资源总量指评价区内当地降水形成的地表、地下产水总量,由地表水资源量与地下水资源量相加、扣除两者之间互相转化的重复计算量而得。地表水资源量指河流、湖泊、冰川等地表水体的动态水量,用天然河川径流量表示。地下水资源量指降水、地表水体(含河道、湖库、渠系和渠灌田间)入渗补给地下含水层的动态水量。

因此,在计算河流水权时,其总量应扣除河川径流量中转化为地下水资源的合理部分,同时在分配河流水权时,也应该考虑用户当地地下水的使用情况。

2.2.2.2 河流水权在整个水权体系中的地位

本章第一节已经详细论述了水权概念和作为产权的水权体系,河流水权作为水权的一类,它是针对不同的水体类型进行分类的。按照该分类方法,水权体系可以分为地表水水权和地下水水权,地表水水权又可以分为河流水权和湖泊水权。如图2-1所示。本书建立的河流水权体系中的"河流"是指地表水中的河流,暂不讨论地下水中的河流。另外,河流上建立的水库等"人工湖泊"和作为河流组成部分的天然湖泊一并纳入河流水权体系讨论的范畴。

2.2.3 建立河流水权体系的意义

建立河流水权的主要目的在于规范河流水资源的有序利用和可持续利用。

河流水资源是水资源的重要存在形式。河川径流是更替周期短的水体,取用后容易恢复,是人类开发利用的主要对象。因此,河流水权是整个水权体系的重要组成部分。

与地下水、湖泊水等不同,河流有其自身独有的特点。河流在灌溉、发电、航运、水产养殖和旅游等国民经济的发展方面,对人类有着极为重要的意义。但是，河流的洪水泛滥、泥沙淤积、冰凌灾害、水体污染、河道断流亦给人类带来了危害。因此，人类必须通过对河流的开发与管理，如修建防洪、发电、灌溉、调水等工程措施和加强水旱灾情的预报及需用水的综合管理，防止和减少河水污染，为人类创造良好的生存条件和社会发展的可靠环境而不断努力。针对河流建立专门的水权体系是加强河流开发和管理的重大措施。

从可持续发展的角度看，可持续发展必须以流域为基本单元。我国的可持续发展是由各大流域的可持续发展来完成，大流域的可持续发展是由各支流域的可持续发展来实现。在这样的前提下才有可能讨论一个地区、一个城市的可持续发展。而流域的可持续发展要以流域水资源的可持续利用为基础，流域水资源的可持续利用包括流域内地表水和流域内地下水的可持续利用，河流水资源的可持续利用是关键内容之一。以黄河为例，即使山东省的可持续发展规划再好，如果黄河总在山东境内断流或下游水质严重污染，也不能保障山东省的可持续发展。流域的可持续发展要求流域人口、资源、环境、生态、经济协调发展，它要求通过水利工程建设充分发挥水的资源功能、环境功能和生态功能，使流域的安全度、舒适度及富裕度都不断得到提高，而建立河流水权体系是向着该目标进军的具体措施之一。

2.2.4　河流水权体系

2.2.4.1　河流水权的特点

河流水权的特点有两点。

1. 河流水权与河道紧密相关

河流主要由河道和水流构成，关于河流水资源的权利也必然与河道有着天然的联系。河流水权体系包括河道的使用权，如排水权、壅水权等。河道是国土的一类，按照防洪法等法规规定，河道由河道管理部门依法管理。

2. 河流水权与水利工程紧密相关

河流水权的实现与河川水利工程紧密相关,如取水权的实现,不但需要修建引水设施,而且有时需要修建壅水工程;发电权的实现则必须修建壅水或引水设施。水利工程的产权主体比较分散,根据本章第一节的分析,水利工程供水权的实质在于水资源的开发经营权。

2.2.4.2　河流水权体系的分类

按照水权的内涵划分,河流水权体系可以分为河流所有权体系和使用权体系。河流所有权体系和使用权体系不同于河流水资源的所有权体系和使用权体系,前者不仅包括后者,还包括与河道有关的权利。

按照水权主体的类别划分,河流水权体系可以分为区域水权体系和行业水权体系。前者是按照区域性质、后者是按照行业性质划分的。

河流水权体系的分类如图 2-4 所示。

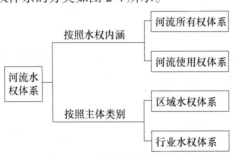

图 2-4　河流水权体系的分类

本书着重从所有权和使用权体系的角度研究河流水权体系。

2.2.4.3　河流所有权体系

根据我国宪法规定和水法规定,河流内水资源归国家所有。国务院作为水资源所有者的代表行使所有权的各项权能。广义上,水资源的所有权是指所有者对水资源的占有、使用和收益处分的权利。这里讨论的是狭义上的所有权，即指将使用权分离之后的所有权。包括分配权、调度权、收益权、监督权、处罚权和河道管理权。

1. 分配权

分配权也可称为配置权，该权是所有权人行使处分的权力。该权保证了所有人——国家可以进行水权的初始分配，对某些国家紧急需要或公益事业实施水权分配。

2. 调度权

调度权指国家对河流水资源具有调度配置的权力。这是出于公共利益的需要，为有效防洪、防凌、减淤等目的，国家调度各水利工程以满足上述需要。另外水权在河流内的转移也需要调度权的行使。

3. 收益权

收益权也称收费(税)权，该权是所有权人行使收益的权力。国家可以以收费或者收税形式，对水资源的使用实施调控，并筹集开发、管理等资金。

4. 监督权

监督权是所有权人行使监督的权力。从国家的角度，也是国家为保护全体公民的利益行使强制力的表现。监督权意味着被监督者有主动接受监督的责任。

5. 处罚权

处罚权一般与监督权相伴，该权也是所有权人行使权力的一种方式。

6. 河道管理权

河道管理权是河流所有权体系中直接与河道有关的权力。根据法律法规规定，河道管理的权力在河道管理部门，依据河道的不同特点，河道管理部门的所属也不同，但均代表国家行使权力。

2.2.4.4 河流使用权体系

使用权是从所有权中派生并分离出来的一项权利。河流使用权体系按照使用者的性质不同，可以分为三大类，分别是直接使用权、开发经营权和生态水权。

1. 直接使用权

直接使用权是指其水权主体是直接使用河流水资源或河道基本功能的用户，该类使用权包括取水权、排污权、排水权、航运权、渔业权、发电权等。

(1)取水权。河流取水权是河流水资源使用权权利束中的一个，它是针对河流的水资源量规定的权利。关于取水权的深入研究请见本章第三节。

(2)排污权。这里的排污权是指污水排放权，是针对河流水体自净能力或者纳污能力规定的权利。排污权规定的背景是我国水污染的严重性。

据水利部对全国700余条河流约10万km河长开展的水资源质量评价结果，46.5%的河长受到污染(相当于Ⅳ、Ⅴ类)；10.6%的河长严重污染(已超Ⅴ类)，水体已丧失使用价值。从地区分布来看，支流水质一般劣于干流，干流下游水质一般劣于上游，城市工矿区河段水质最差。南方河流水质整体上优于北方河流，中西部地区水质整体上优于东部发达地区。在全国七大流域中，太湖、淮河、黄河流域均有70%以上的河段受到污染；海河、松辽流域污染也相当严重，污染河段占60%以上。全国有1/4的人口饮用不符合卫生标准的水。

防治污染必须认真分析水环境承载能力，水环境承载能力指的是在一定的水域，其水体能够被继续使用并仍保持良好生态系统时，所能够容纳污水及污染物的最大能力。水环境承载能力体现在污水排放权，排放在承载能力之内才可能是持续发展的[88~90]。

(3)排水权。排水权是指往河道内排泄水的权利，是对河道泄洪能力的使用权。排水权主要是反映当水多时，使用河道排泄洪水的权利。一般而言，降水形成径流，通过河道宣泄洪水，是非常自然的。但在特殊情况下，河道排水权也是客观存在的，一种情况是其他流域的洪水希望通过本河道泄洪；另外一种情况发生在防洪调度过程中，当下游出现洪峰时，上游的干流或支流水库不能随意下排洪水，需要遵从防洪指挥部门的统一调度指挥，此时，从水权的角度看，属于排水权问题。

(4)航运权。航运权主要是针对河流水体承载船只能力规定的权利。航运权与河流的功能定位有关。当国家规定或者依据历史沿袭状况，某河流具有航运的功能，则对于船只而言拥有航运权。

航运权与取水权、壅水权有关，当取水过多时，航运的条件将受到限制，航运权受到损害甚至取消。同样对于建设大坝壅水权的行使，则必然与航运权发生联系。

(5)渔业权。渔业权主要针对河流水体适宜养殖水产品的能力规定的权利。渔业权与排污权关系紧密，因为排污过多，水体将不适宜于水产品生长，渔业权将受到损害。渔业权与取水权也有一定的关系，当取水严重时将影响到渔业权的正常行使。

(6)发电权。发电权主要是针对河流水能规定的权利。由于河流落差蕴藏着丰富的水能资源，利用水能可以发电。发电权与取水权有一定的冲突，与壅水权相一致。当取水过多时，水头将减小，影响发电。

2. 开发经营权

开发经营权是指其水权主体是专门开发经营水资源及河道以获取利益但并不直接使用其基本功能的用户。包括壅水权、供水权和其他经营权。

(1)壅水权。壅水权是开发经营权的一种形式，是指在河道中建设大坝壅水成水库的权利。一般而言，壅水的目的在于除害兴利，如防洪、供水、发电、航运、减淤等。就兴利而言，壅水权与取水权、航运权、发电权、排水权有关。由于壅水，可以获得更多的取水权、发电权，会改变航运权的现状，壅水权行使后，还产生了相应的排水权问题，即应当服从防洪调度指挥，正确行使排水权。

(2)供水权。供水权是开发经营权的具体体现形式之一。水权主体并不直接使用水资源及河道之功能，而是直接向用户转让、出售。该权是壅水权行使的必然后果之一。

3．生态水权

生态水权是指其水权主体是河道自身及河道内外生态，是一类特殊的河流水资源的使用权。关于生态水权的深入讨论见本章第三节。

综合以上两小节所述，从所有权和使用权体系角度分析河流水权体系，详细分类如图 2-5 所示。

2.2.4.5　河流水权体系中的区域水权

关于区域水权已经在本章第一节论述。正如所述，区域水权兼有所有权的部分性质和使用权的部分性质。当中央政府赋予区域以代行所有权部分权能时，区域水权可以归属所有权系列。当区域仅以使用者的身份或者使用者代表的身份出现时，区域水权属于使用权的性质。

河流水权体系中,区域水权是指河流水权在区域之间的分配。该概念具有非常重要的地位，这是由区域在河流水资源管理中的地位所决定的。

2.3　河流取水权体系

2.3.1　河流取水权概念及其分类

2.3.1.1　河流取水权的概念

河流取水权是河流水资源使用权权利束中的一个，它是针对

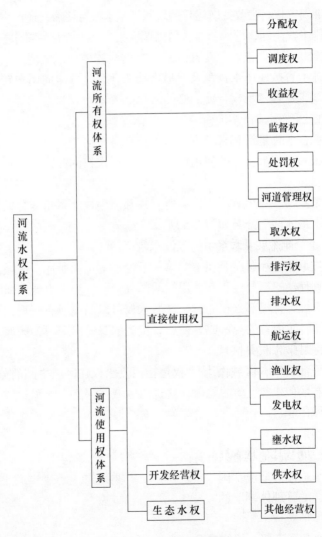

图 2-5　河流水权体系

河流的水资源量规定的权利。取水权是指人们在一定条件下从河流中取水的权利，其主要因素包括时间、地点、数量、取用方式、取水强度、退水方式等，在特殊情况下，还有质量规定性等。在分配取水权时，必须考虑取水之后的退水问题，即取水权应该明确取水权规定的量是取水量还是扣除了退回河道的量，即耗水量。

当前，由于灌区的大量发展和城市取水规模以及工业企业取水规模的扩大，许多河流水资源出现短缺，尤其是北方河流如黄河、黑河、海河等河流甚至出现较严重的断流现象。严格控制河流取水权是维系河流生态的主要措施。因此取水权是河流水权体系中最重要的权利规定之一。本书在建立了河流水权体系之后，将主要探讨河流的取水权问题，如不特别指明，讨论的水权一般是指"取水权"。

2.3.1.2　河流取水权的分类

按取水权主体的属性对河流取水权进行分类，可以分为宏观和微观两个层次。宏观层次不针对具体用水户，可以分为区域取水权和行业取水权；微观层次针对具体用户，可以分为个人取水权、集体取水权和特别取水权。

区域取水权是区域水权的一个分支，是指在整个河流水资源的分配活动中，区域作为一组具有共同区域特征的用水户的代表所拥有的取水权。区域取水权的主体是某一区域，区域代表着一个区域内所有个人、集体、单位等用水户，是具有共同地域特征的一些取水单位(或个人)的总称，如省、市、县、乡等行政区域取水权以及其他具有共同地域特征的非行政区域取水权。设立区域取水权能够适应"国家对水资源实行流域管理与行政区域管理相结合的管理体制"的需要，是河流水资源配置时区域参与管理的具体形式。由于研究河流取水权的需要，在以后章节的研究中区域水权一般指区域取水权。关于区域水权已经在本章第一节讨论过。

行业取水权是指取水权主体是某一行业，行业代表着一个行业内所有个人、集体、单位等用水户，是具有共同行业特征的一些取水单位(或个人)的总称，如农业(取)水权、工矿业(取)水权、市政(取)水权、生态(取)水权等。

个人取水权是指取水权主体是个人。

集体取水权是指取水权主体是某集体或某单位，如灌区、工矿企业、市政自来水厂(注：市政自来水厂虽属企业单位，但与直接用水企业不同)。

特别取水权是指取水权主体是某些特殊用户，如国家通常为某些公益用途而设置专门的取水权，如生态用水，这些特别取水权主体一般也是中央政府或地方政府依法授权委托的具体机构。

河流取水权的分类如图 2-6 所示。

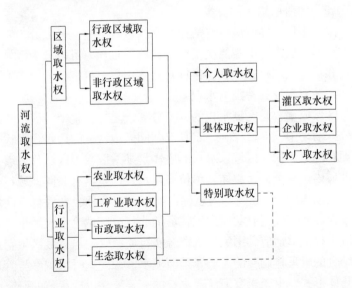

图 2-6　河流取水权的分类

2.3.2　河流取水权体系中的农业水权

河流取水权体系中的农业水权即农业取水权，在以后的讨论中，农业水权即指农业取水权。

2.3.2.1　农业水权的概念及必要性

农业水权是相对于非农业水权而言的，是指农业生产应该拥有的水权。

在河流取水权体系中设立农业水权是必要的，原因在于以下几个方面。

1. 农业是弱质产业，农业用水易受侵犯

农业是弱质产业，比较效益低；农民是弱势群体，经济承受能力低，农业用水易受侵犯。近年来，随着经济的飞速发展，工业和城市生活用水急剧增加，大量农业用水通过不同途径转为非农用途；同时工业的发展还引起了水污染，使得越来越多的河流不适用于灌溉，这些都加剧了农业水资源的短缺状况。

设立农业水权，有利于保护农业的发展。另外，国外许多发达国家都采取对农业进行补贴的政策(包括对农业用水)，设立农业水权有利于国家农业补贴政策的贯彻实施。

2. 农业用水牵涉到粮食安全

水利是农业的命脉，水和土地是粮食生产的战略资源，在我国尤其如此。因近80%的粮食产于灌溉农田[36]，灌溉面积上的生产在农作物生产中占有举足轻重的地位。根据联合国粮农组织发布的《生产年鉴》分析，虽然中国耕地面积只占世界总耕地的7%，人均耕地也不足世界平均水平的 1/3，但是中国灌溉面积却占了全球灌溉面积的21%，人均灌溉面积与世界平均水准相平。由此可见，中国农业发展很大程度上依赖于灌溉面积的发展，而粮食安全则与水资源的利用紧密相关。

3. 农业是河流取水权体系中占用水权份额最多的部门

农业用水一直是用水大户。黄河流域及沿黄地区农业灌溉用水约占总耗水量的 92%，塔里木河流域约占 99%，黑河流域约占98.2%。因此，应鼓励水资源从低效农业向高效农业配置，促进农业节水。设立农业水权将为合理规范从农业到非农业的水权转让提供条件。

2.3.2.2　农业水权的特点

农业水权的特点主要有：

(1)时令性，用水时间高度集中，上下游农业部门用水的矛盾突出。如黄河灌区用水主要集中在 4~6 月份。

(2)灌溉用水与当地降水密切相关，当当地降水多时，对河流供水要求较少；当降水较少时，对河流供水要求较多。

(3)农业存在巨大的节水潜力，主要是当前农业灌溉方式还比较落后；农业部门用水在一定区间对水价是敏感的。

(4)由于农业部门是相对弱势产业，农业水权要求成本较低，加之粮食安全问题在我国具有独特的重要地位，所以对粮食生产的保护也是建立水权体系需要考虑的。

(5)农业是历史上占用水权份额最多的部门。

(6)农业水权要求供水保证率最低，如果不考虑其他因素，如比较因素、技术经济因素，当然是供水保证率越高越好；但是与工业供水、城镇生活用水等相比较而言，要求的供水保证率相对较低，主要是因为依赖程度、比较效益都比较低的缘故。

2.3.2.3　农业水权的确定

农业水权可以通过建立两套指标体系来确定：一套是水资源的宏观控制体系，一套是水资源的微观定额体系[41]。

宏观控制体系用来明确农业水权的宏观总量和宏观控制原则，如各地区之间农业水权如何划分，农业与其他行业之间水权如何界定。对于河流水权体系而言，明确流域各区域之间水权划分原则和划分办法，明确农业水权与工业、城镇生活等水权的划分原则和划分办法。分到各区域的农业水权还可以再进一步细分到更小的区域，直到村、组、农户或灌区的用水者协会。

微观定额体系主要是从微观角度出发，规定每一项具体产品或工作的具体用水量。所谓定额就是规定的数量标准，一般是指在当前科技水平、一般外在条件下相同产品或工作的社会平均的用水量。在河流水权体系中，农业水权微观指标体系的建立主要考虑科学的农作物灌溉制度。

水资源的微观定额体系是宏观控制体系的基础，宏观控制体系可以通过采取适当措施改变农业种植结构或者加强科技投入，改变微观定额体系。二者都是动态的。

2.3.2.4　保护和规范农业水权的措施

明确农业水权的目的主要在于保护农业，促进农业节水。主要措施有：

(1)建立农业用水基本水权制度。所谓基本水权，是指农业发展最起码的或者说基本的用水权利，它主要与上述微观定额体系相对应，根据农业作物灌溉制度和农田面积确定农业用水基本水权；尤其是保证农田关键时期的基本用水。在考虑到国家粮食安全因素，确定河流水权体系中农业基本水权时，农田的种类还要与国家有关基本农田制度相联系。

(2)建立农业水权转让补偿机制。确立农业水权后，建立相应的农业水权转让机制，其目的在于通过规定相应的水权转让机制，规范当前存在的农业水权农转非现象。确立农业水权转让补偿机制，一是为农田水利发展积累发展基金，二是抑制过度的农转非需求。同时，由于水权转让能够获得转让收益，因此农业用水主体获得节水激励，有动力实施节水以获得相应利益，从而达到促进农业节水的目的。

(3)以对农业节水投资换农业水权。这其实是水权转让的一种方式，是规范农转非的一种方式。由市政部门或工业部门直接投资节水农业建设，或者投资滴灌等节水设施，或者投资修建管道或输水渠，从而使农业用水利用率提高，节约下来的水供投资单位使用。此过程应该有标准的程序和制度支持来实施水权的转移，应该有标准的立法制度来保证向灌溉设施投资以产生充足的水权供转移[36]。

2.3.3 河流取水权体系中的生态水权

本书将从取水权的角度来研究生态水权问题。

2.3.3.1 生态水权的研究背景

"可持续发展"作为一种全新的发展理论，与生物多样性、全球变化问题一起成为当代生态环境科学的三大前沿领域[91, 92]。自1962 年美国海洋生物学家 R·卡尔森发表划时代的著作《寂静的春天》，到1992 年联合国环境与发展大会，"可持续发展"理论经历了漫长的发展过程，并逐渐走向成熟。可持续发展就是"不以破坏子孙后代资源为代价的发展"，该定义被广泛认可和引用。它是从世代伦理方面进行界定，要求在伦理上应遵循"只有一个地球"、"善待自然"、"平等发展权利"、"共建共享"等原则，在资源利用上，强调当世与后代公平享用共有的资源，留给后代同样或更好的资源基础。由于该理论的产生和发展，逐渐导致了人类原有的认识论和价值观的转变，出现了由人类中心论向物种共同进化论转变、由现世代主义向世代伦理主义转变、由效益至上向公平和合理至上转变的趋势。

生态水权正是基于可持续发展理论基础上的新事物，它强调生态与人类的生产、生活一样具有同等的用水权利。

在美国，20 世纪中叶随着水库的建设和水资源开发利用程度的提高，资源管理部门开始注意和关心渔场的减少。并逐步开展了许多关于鱼类生长繁殖和产量与河流流量关系的研究，从而提出了河流最小环境(或生物)流量的概念。以后，随着人们对景观旅游业和生物多样性保护的重视，又提出了景观河流流量和湿地环境用水，以及海湾——三角洲出流的概念。美国官方一般把生态环境用水的概念界定在：能被管理并且可以定量化的用水。生态环境用水就是上述所说的四个部分，在特别需要的地方，也包括维持季节性河流两岸植被生长的浅层地下水。

2.3.3.2　生态水权的概念及分类

生态水权就是指满足生态持续发展需要的基本水权。河流水权体系中的生态水权是指生态环境可持续发展对河流水资源所主张的基本权利，是一种特殊的水资源使用权；再进一步从河流取水权的角度分析，生态水权其实是生态取水权，是特殊的河流取水权。所谓"取"其实是河道"留"水的权利以及河道外生态"取"水的权利。具体地说，生态水权包括以下四类(见图2-7)。

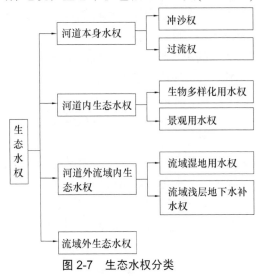

图 2-7　生态水权分类

1. 河道本身的基本权利

(1)冲沙权。也称减淤权，是河流现行河道"自身生存"的需要。如黄河是多泥沙河流，其下游是世界上著名的"悬河"，维持现行河道不抬高需要进行"调水调沙"，对河道进行减淤，这就需要一定的流量。

(2)过流权。河流之所以称为河流，基本的要求是有水流过。经常断流是河流丧失形象、丧失功能的表现。过流权是河流的基本权利，包括河道不断流和河口入海保持最小流量。

2. 河道内生态的基本权利

(1)生物多样化用水权。是指为了维持河道内生物的多样化生存而必须具备的流量。

(2)景观用水权。是指河流维持基本景观存在而必须的基本水权，在风景游览区内河流的景观用水权较突出。随着社会的发展，人类对生存环境的要求将越来越高，"有水才有灵气"，因此，景观用水也是需要加以考虑的。景观用水权比过流权的要求更高，更体现人文精神。有时景观用水也可能是在河道外。

3. 河道外流域内生态的基本权利

(1)流域湿地的用水权。是指流域内由河流补给水源的湿地所具有的维持湿地生态环境的基本用水权。湿地被誉为地球的肾，对地区生物多样化、地区小气候、生态环境都具有重要作用。流域湿地必须保证基本的用水权。当流域湿地位于河道内时，该权利与生物多样化用水权有交叉。

(2)流域浅层地下水的补水权。是指维持最低浅层地下水位的用水权利。浅层地下水是流域植被生长的基本条件。

4. 流域外生态环境对河流水资源的基本权利

流域外生态水权包括流域外湿地、景观、其他河流、湖泊用水。

一般而言，河流生态权是指本流域内维持河流系统自身功能的权利，它没有维持河流外生态安全的义务。因此，当河流外生态系统需要本河流水权时，应该纳入水权转让体系。

2.3.3.3　生态水权的界定

生态水权有水质与水量两个方面[93~97]。

1. 水质

生态水权的水质方面是指生态需水要求有必要的质量，它与排污权有直接相关的关系。当排污权能够合理分配并没有受到侵犯时，生态水权的水质要求能够得到满足。因为排污权的制定已经考虑了环境纳污能力、生态承受能力或者说是环境承载能力。从这个角度看，排污权与生态水权是一致的，存在交叉包涵关系。

不同用途的生态水权对水质的要求也不同，如冲沙用水、河口入海用水对水质要求较低；维持浅层地下水位、湿地用水、景观用水水质要求较高。

2. 水量

一定的质也离不开一定的量，生态需水量是生态水权的另一重要方面。

一般认为，生态需水量应该是指一个特定区域内的生态系统的需水量。它不但与生态区的生物群体结构等有关系，更重要的它还与生态区的气候、土壤、地质，以及地表、地下水文条件及水质等都有关系。

生态需水量的量化是当前科学家面临的重大课题，显然它是难以精确确定的，但可以通过科学推理、演绎，通过经验的、预测的、模拟的等方法，制定相应模型，确定大致准确的生态需水量。可以肯定，这是一个变动的、逐渐接近真实值的过程。

生态水权不是指一个恒定的量，同样存在时间、空间等不同要素，如河流的最小生物流量根据生物栖息规律在一年中也有不同变化。生态水权需要测定的生态流量包括河流最小生物流量、景观河流流量、湿地环境用水量、河口入海最小流量、维持最低浅层地下水位用水量、河流冲沙流量等。

2.3.4　建立河流取水权体系的意义

建立河流取水权体系的主要目的在于规范取水行为，实现河流水资源的有序利用和可持续利用。

由于可供水量不足、水质达不到用水标准或工程调蓄能力限制所导致，各类用水在用水目的上、时间上、地域上存在冲突。

用水目的上的竞争性体现在两个层次。主要表现在：①防洪与兴利以及兴利诸目标间的用水矛盾。如防洪需要在汛前尽量多预留一些防洪库容，而兴利诸目标均希望水库在汛期多蓄水，以备汛后"均匀"地利用。②在宏观层次上，用水竞争性体现在各经济部门之间。在有限的水资源已成为区域可持续发展的制约因素时，若满足迅速增长的城市与工业用水，则势必影响农业灌溉。

用水竞争性在时间上的冲突主要体现在发电与灌溉、城市供水与灌溉、通航与发电的用水矛盾上。对于水力发电、城市与工业供水等，一般需要在各时段有稳定的水库泄水量，而灌溉用水则有较强的季节性，因而产生了年内均匀用水与灌溉期集中用水的冲突。

用水竞争性在地域上的冲突主要体现在上下游、左右岸的可用水量及水质上。往往是上游多用水，下游可用量不足。

用水目的的竞争在决策上属于多目标问题，用水时间上的竞争通常涉及到不同用水部门间利益的协调，用水地域上的竞争则涉及到代表不同地区多个决策者的分水问题。此外，用水竞争性在更深层次上还体现了投资的竞争性。因此，用水竞争性不仅使水资源开发利用决策成为一个复杂的多层次、多目标的群决策问题，而且已成为水资源可持续利用的本质特征。

用水竞争必须做到竞争有序。合理建立河流取水权体系，是规范用水竞争的主要措施之一。

2.3.5 两个典型案例对建立河流取水权体系的启示

下面通过研究东阳—义乌水权转让案及漳河水事纠纷案，探讨建立河流取水权体系的现实意义。

2.3.5.1 东阳—义乌水权转让案

1. 概况

东阳和义乌两市相邻，共同隶属于浙江省金华市；两市同属钱塘江流域，同在钱塘江重要支流金华江一带[57]。改革开放以来，两市的经济发展较快。目前，义乌的小商品市场、东阳的建筑业在全国都有较高的知名度，两市经济发展势头很好，经济水平在全省已处于领先地位。东阳市境内水资源总量 16.08 亿 m³，人均水资源量 2 126 m³，在金华江流域内，东阳市的水资源相对较为丰富，拥有横锦和南江两座大型水库，每年除了满足东阳市正常用水外，还要向金华江白白弃水 3 000 多万吨，可供水潜力较大。义乌市多年平均水资源总量 7.19 亿 m³，人均水资源量 1 132 m³，在金华江流域，义乌市水资源相对紧缺。近年来，义乌市常住人口接近 35 万人，随着经济社会的发展，将继续以较快的速度向 50 万人口的大城市目标迈进，浙江中部的一个新型商贸名城已具雏形。义乌市区现有供水能力为 9 万 t／d，供水严重不足；城市供水水源主要引自 60 km 外的八都水库，年供水量 2 300 万 m³，水库供水潜力有限。水源不足将成为制约义乌市经济社会发展的瓶颈，迫切需要从境外开辟新的水源。

"共饮一江水"，同居金华江上下游的东阳、义乌两市，一方有供水的客观条件，一方有引水的迫切需求。近几年来，两市进行了积极接触，并取得了一定进展。但单纯依靠行政协调的手段，其结果是久议不决，前四轮谈判都没有达成最终协议。2000年 10 月份，水利部领导关于"水权、水价、水市场"的理论发表以后，使供需双方找到了共同的理论指导和思想基础。在政府宏观调控的指导下，利用市场机制进行运作，通过双方水电局及其主管市长的友好协商，政府办、司法局参与，在一定范围内征求意见，经两市五套班子的集体决策，最终形成共识。根据资源共享、优势互补、共同发展的思路，义乌市人民政府(乙方)向东阳市人民政府(甲方)提出了从所有权属甲方的横锦水库购买部分用水权的要求。甲乙双方达成如下协议：

甲方同意以人民币 2 亿元的价格一次性把东阳横锦水库的每年 4 999.9 万 m^3 水的永久用水权转让给乙方。水质达到国家现行一类饮用水标准。

义乌市从横锦水库一级电站尾水处接水计量，其计量设备、计量室由义乌方投资建设，双方共同管理。横锦水库的正常运行管理、工程维护等由甲方负责。乙方负责向供水方支付当年实际供水 0.1 元 / m^3 的综合管理费(含水资源费、工程运行维护费、折旧费、大修理费、环保费、税收、利润等所有费用)。整个管道工程由乙方投资建设，并负责统一规划设计。

除不可抗因素外，甲方应保证每年为乙方留足 4 999.9 万 m^3 水量。甲方应按乙方提供的月供水计划和日供水量的要求进行供水，其供水计划要做到每月基本平衡，高低峰供水量原则上在 2 倍左右。双方应积极协助对方做好停供检修等工作。

2. 个案启示

该水权转让案实质上是一次重大改革实践，这次事件至少有以下三大重要意义[63]：

(1)打破了行政手段垄断水权分配的传统。长期以来，我国的水权分配被行政垄断，在市场经济条件下，无论是流域内上下游水事管理，还是跨流域调水，运用行政手段难度越来越大，协调利益冲突的有效性越来越差。在东阳—义乌水权交易中，运用市场机制购买获得用水权，这不同于以往所有的跨区域调水，打破了行政手段进行水权分配的传统。

(2)标志着我国水权市场的正式诞生。东阳—义乌水权交易打破了水权市场的空白，率先以平等、自愿的协商方式达成交易，第一次形成一个跨城市的水权流转市场。

(3)证明了市场机制是水资源配置的有效手段。东阳和义乌运用市场机制交易水权，双方的利益都得到了增加。东阳通过节水工程和新的开源工程得到的丰余水，其每立方米的成本尚不足 1 元钱，转让给义乌后却得到每立方米 4 元钱的收益，而义乌购买 1 m³ 水权虽然付出 4 元钱的代价，但如果自己建水库至少要花 6 元。东阳和义乌通过水交易，将促使双方都更加节约用水和保护水资源，市场起到了优化资源配置的作用。

但该水权交易案仍存在一些尚未明确的问题，一是东阳转让的水权是否合法，这个问题的实质是水权的初始分配问题，东阳江的水权分配并未进行；二是东阳—义乌政府出面是否合适，实质是水权交易主体的身份问题；三是东阳水权转让后，对本地群众的补偿问题。但上述问题由于是深层次的问题，并没有影响到该水权交易。

2.3.5.2　漳河水事纠纷案

1. 概况

漳河水事纠纷[98]发生在晋、冀、豫 3 省交界地区的浊漳河、清漳河与漳河干流上，涉及山西省长治市平顺县，河南省安阳市、林州市、安阳县，河北省邯郸市涉县、磁县。

漳河水事纠纷始于 20 世纪 50 年代。由于自然条件差，人多、水少、地少(流域人均占有水资源量 400 m³，沿河村庄人均河滩地 2~3 分)，又缺乏统一的规划和管理，地区之间竞相开发，河道径流不断减少。为保护和多占河滩地，两岸群众争相修建护村护地坝和挑流工程；用水紧张时，争相引水，矛盾日益突出。地区之间为争夺水源和河滩地，多次发生群众械斗、爆炸、炮击事件，造成人员伤亡和重大经济损失。1976 年，因围河造地，河北、河南两个沿河村庄发生大规模的群众持枪械斗事件。20 世纪 80 年代以来，纠纷逐步升级，先后发生了河南红旗渠、河北大跃峰渠与白芝渠被炸，沿河村庄遭炮击及械斗流血事件 30 余起。1999 年春节期间，河南的古城村与河北的黄龙口村发生了爆炸、炮击事件，近百名村民受伤，民房遭破坏，生产、生活设施被毁，直接经济损失 800 余万元。

漳河水事纠纷的解决工作大致可以分为三个阶段：

行政协调阶段：从 20 世纪 50 年代到 1999 年炮击事件前，主要利用行政手段调处水事纠纷。

集中整治阶段：1999 年春节期间爆炸、炮击事件后的近两年时间，利用法制和行政手段集中整治。水利部、公安部派出联合调查组协调、指导两省的落实工作，河北、河南两省各级党委和政府态度坚决，措施有力，水事纠纷调处工作取得了明显成效。

创新突破阶段：2000 年后，创造性地运用水权水市场理论，综合利用行政、经济手段和工程措施解决水事纠纷，探索了利用市场机制解决水事纠纷的新思路和途径，在过去协调治理和集中整治的基础上取得新突破，为从根本上解决漳河水事纠纷开了一个好局。主要做法包括：

(1)加强了漳河上游统一规划、统一管理、统一调度、统一治理。

(2)转变思路，运用水权水市场理论实施跨省有偿调水，探索解决纠纷的新举措、新途径。2001 年春季，华北地区干旱少雨，浊漳河的基流锐减到 $3m^3/s$ 左右，沿河村庄和四大灌区用水十分困难，上游山西省境内水库存有汛限水位以上蓄水。海委漳河上游局以水权水市场理论为指导，转变观念，由过去坐等来水、被动分水，转变为主动运用市场机制合理配置水资源，提出了跨省有偿调水的思路。在三省各级政府和水利部门的支持下，成功实施调水，探索了一条解决漳河上游水事纠纷的新路子。

2. 个案启示

解决漳河地区水事纠纷的做法和经验，主要启示有[98]：

调整治水思路、合理配置水资源是解决水事纠纷新的重要途径。新的治水思路强调充分认识水资源的自然属性和商品属性，自觉按照自然规律和市场经济规律办事，明晰水权，培育和发展水市场，发挥市场在水资源配置中的基础性作用。海委漳河上游局以新的治水思路为指导，根据漳河自然条件的变化和经济社会发展的要求，从水资源的双重属性出发，以水权水市场理论为指导，根据上下游用水特点，不再坐等来水，而是主动到上游有偿调水给下游使用，既保证了上游利益，又满足了下游用水需要，实现了水资源的合理配置。水事纠纷实质上是利益之争，因此，解决水事纠纷，必须把政府调控与市场机制结合起来，认识到水是资源、是商品，按经济规律办事，利用市场机制，通过调整上下游经济利益关系来调整水资源供需关系，促进水资源优化配置和高效利用，满足经济社会发展需要。

强化流域水资源统一管理是解决水事纠纷重要的体制保障。流域水资源是有机整体，上下游、左右岸、干支流之间的开发利用相互影响，对水的问题必须统筹考虑、全面安排。解决漳河水事矛盾的实践说明：只有实行流域水资源统一管理，统筹考虑上下游、左右岸的关系，合理规划和配置水资源，才能有效地防止水事纠纷。

2.3.5.3　两案对建立河流取水权体系的启示

1. 河流水资源配置必须建立河流取水权体系

无论是东阳—义乌水权转让，还是漳河水事纠纷案，都表明河流水资源的优化配置亟待建立河流水权体系，最主要的是河流取水权的分配体系，只有取水权明晰了，才可能避免或减少水事纠纷，才可能进行取水权的市场交易。取水权不明晰，现有体制下，部门之间、地区之间自发地协商取水权分配将产生非常高昂的交易费用，甚至达不成协议。东阳、义乌对东阳江的取水权并没有明确划分，但由于地理区位以及水利工程的独特性质，使得水权的协商难度小。在漳河，合理配置水资源的前提也是对漳河取水权进行分配，建立漳河取水权体系。

2. **必须明确区域水权**

在我国传统的单一制行政体制下，区域尤其是行政区具有独特、非常重要的作用，任何人类活动都受到行政区的约束和影响。水资源的配置作为人类社会极为重要的活动，必然受到区域的影响，离开行政区的参与，水资源的配置不可能是有效的，甚至是不可行的。因此建立区域水权是配置河流水资源的前提之一。东阳—义乌水权转让案中，双方当事人(市场主体)都是地方政府；而漳河水事纠纷案中，没有三省相关各县的地方政府的参与，合理配置水资源是不可能的。

3. **取水权分配和流转必须有河流水资源的统一管理**

水权不同于其他物权，是属于用益物权。水文现象的复杂，水量水质的测定，河流丰枯轮回等都决定了水权的不确定性，对于水权的分配和流转，尤其是河流取水权的分配和流转，更加需要专业部门的统一管理。漳河水事纠纷案中，正是由于设立了海委漳河上游局统一管理漳河水资源，才为利用水权理论跨省调水实施成功打下基础。而东阳—义乌水权转让案中，没有统一的流域水资源管理单位。该案没有代表性，原因在于：由于流域地理位置的特殊性，东阳、义乌位于金华江支流上下游，是流域较为封闭的环境，主要涉及两个市，主体关系明确，牵涉面小，需要调整的关系简单，进行协商谈判的交易费用小，即关于取水权的争议较少。

2.4　本章小结

本章第一节分别从人权角度和产权角度研究了水权概念和水

权体系。

从人权角度出发，水权是指：①饮水权以及基本生活用水权；②维持基本农业生产的权利；③维持基本工业生产的权利；④人类对身边的水环境有一个基本的要求。作为人权的水权具有最低限度的道德性、普遍性、历史性和资格性。

研究了产权的经济学和法学基础，深入研究了产权角度的水权概念、水权原则。指出水权客体是水资源和具有资源性质的水产品。对水权体系进行分类，分别研究了水资源所有权和使用权。指出水利工程供水权的实质是水资源开发经营权，讨论了水权主体的权利义务问题。提出并研究了区域水权概念及其实质。

本章第二节研究河流水权体系。

提出了河流水权概念并分析了在整个水权体系中的地位；分析了建立河流水权体系的必要性和意义。初步建立了河流水权体系，研究了河流所有权体系和使用权体系，将河流使用权体系分为直接使用权、开发经营权和生态水权三大类。

本章第三节研究河流取水权体系。

提出河流取水权概念并对其进行分类；研究了农业水权问题，分析了农业水权的特点、农业水权的确定方法，提出保护和规范农业水权的措施。提出了生态水权概念，将其分为河道本身、河道内生态、河道外流域内生态和流域外生态四类进行讨论。

分析了建立河流取水权体系的意义，对东阳—义乌水权转让案、漳河水事纠纷案进行案例研究，分析了两案对建立河流取水权体系的启示。

第三章　河流取水权区域间
初始分配

第二章研究了河流水权体系和河流取水权体系，本章将着眼于河流取水权的初始分配问题的研究。结合本书整体的研究需要，重点讨论河流取水权在区域间的初始分配，将建立流域内区域间河流取水权的初始分配模型。在此之前，出于模型建立的需要，首先探讨河流取水权分配中的公平和效率观。

3.1　河流取水权分配中的公平与效率观

水资源配置关系到人们的切身利益，研究水权分配体制，必须首先解决公平与效率观的问题。即怎样配置水资源才是公平的，才是有效率的；公平与效率是怎样的关系。公平与效率问题是如此的复杂，如此的受人关注，如此的重要，以致千百年来，人们都在不断探讨二者的关系[99~105]。

3.1.1　公平与效率

3.1.1.1　公平

公平既是一种分配、裁判规则，也是一种主观体验。作为分配规则，它决定着不同主体应当享有什么样的权益；作为裁判规则，用于处理不同主体的权益关系；作为主观体验，用以反映个人对权益配置关系的满意或认同程度。在所有社会资源(社会权益，如物质财富、声望、权力和权利、教育、职业选择乃至人本身的生存方式等)的配置中，都存在是否公平的问题。

从马克思主义的辩证唯物主义和历史唯物主义原理出发，公平的内涵在于：

首先，公平是一定社会经济关系的反映。公平虽然是一种道德观念，却不是由人们的主观意志凭空产生的。它是一定的社会经济关系的产物，不仅是客观存在的特定经济关系的必然反映，而且还是这种经济关系得以维持和发展的条件。在奴隶社会，再伟大的思想家也不可能提出人类地位平等的观念；在资本主义社会，资本和劳动力的等价交换则是资本主义制度存在所不可缺少的前提条件。

其次，公平是历史的、发展的和相对的范畴，而不是永恒的、绝对的。随生产方式的变化，公平的标准必然随之发生变化。因此，不能笼统地谈论公平原则和公平要求，抽象地比较哪一种公平比另一种公平更合理、正确，而应在深刻理解与正确把握社会阶段的特点和生产关系本质的前提下，根据历史的发展去理解公平原则，认识适合特定社会经济关系的公平尺度。

第三，公平观念存在于社会的各种领域，应从社会、经济各个领域全面地分析人们之间的关系，看他们是否符合制度所要求的公平原则。至于收入分配领域的公平，应该看分配尺度、分配过程、分配规则的公平。如果只看收入分配结果状态是否平均，是平均主义，恰恰是不公平的。但从整个社会的稳定、可持续发展等角度出发，收入分配的过度悬殊，将导致社会的价值判断失衡，引起社会动乱，收入分配的结果的公平也是需要考虑的。但概念上需要分清的是：收入分配结果的公平不是平均，是否公平，主要看结果是否反映了分配尺度、分配过程、分配规则的公平，结果是对过程、规则、尺度的验证。

3.1.1.2 效率

效率反映的是人的行为投入与其行为目标实现程度的比例关系，即人所投入的行为成本对实现其行为目标有多大帮助。所以，效率不只是一个经济范畴，各种社会行为都存在是否有效率的问题。

判定一种行为是否有效率，主要就是看它是不是用最小的行为投入(智力、体力、精力、资金乃至生命等)来最大地帮助它实现既定目标。在经济领域，人的行为目标自然就是经济收益，所以，效率就是经济收益与"投入"的比率。在其他行为领域(诸如宣传、治安、扶贫、竞选乃至革命等)，假如行为目标依然是"经济收益"，那么，效益将仍然是经济收益与"投入"的比率；否则，就是其他什么"收益"与"投入"的比例。

帕累托效率是最被广泛接受和应用的效率。它的定义是[77]：对于某种经济的资源配置，如果不存在其他可行的配置，使得该经济中的所有个人至少和他们在初始时情况一样良好，而且至少有一个人的情况比初始时严格地说更好，那么这个资源配置就是最优的，也是有效率的。帕累托最优条件包括：①交换的最优条件，任何两种产品的边际替代率对所有的消费者都相等；②生产的最优条件，任何两种要素替代率对所有的生产者都相等；③生产与交换的条件，任何两种产品的边际转换率等于它们的边际替代率。当上述三个边际条件均得到满足时，就称为整个经济达到帕累托最优状态。帕累托效率的定义是在"完全竞争市场"的条件下作出的，只有在竞争的一般均衡下才会出现。

制度经济学从交易成本角度提出了产权制度效率的思想。科斯指出，在交易成本为零时，不管权利初始安排怎样，当事人的谈判都能导致财富最大化安排。在存在交易成本的情况下，合法权利的初始界定对经济制度的运行效率产生影响。一种权利的调整会比其他安排产生更多的产值。产权制度效率就是制度成本与制度收益的比较。科斯主张从产权制度成本角度去评价制度效率的高低。这种评价包括三种含义：①对现存的不同产权制度的交易成本高低进行比较，从而作出效率高低的评价；②通过对不同产权制度的交易成本进行比较，从而对不同产权制度进行取舍；③对不同的产权制度的变革方案进行交易成本的比较，从而作出是否变革、怎样变革的选择。

诺思从制度变迁的角度，提出了制度效率，即指在一种约束机制下，参与者的最大化行为将导致产出的增加；而无效率则是指参与者的最大化行为将不能导致产出的增长。实际上，制度效率的最根本特征在于，制度能够提供一组有关权利、责任、利益的规则，为人们制定一套行为的规范，为人类的一切创造性活动和生产性活动提供最大的空间，以最小的投入取得最大的产出，并让生产、交换和消费获得帕累托最优效率。

在行为目标既定的条件下，要想使人的行为更有效率，要解决两个问题：一是行为主体的能动性问题，它用以给行为提供动力，只有主体全心全意地投入到他的行为中，才能给效率提供前提。二是行为主体的科学性问题，它用以给行为提供方向，只有行为主体将他的能动投放到正确合理的方向并采取科学的方式，才能给效率提供保障。只有解决好主体的能动性和科学性这两大问题，才能最大限度地实现效率；而且，只要解决好这两大问题，则肯定能最大限度地实现效率。

3.1.1.3　公平和效率的辩证关系

公平和效率并不是相互排斥，而是相辅相成的。公平必然带来效率，效率必然要求公平机制的建立、维持和变革。

一方面，公平是效率的惟一合法来源。社会效率的根本前提，在于社会成员能否被激发出足够强度和质量的能动。而就其主观感受而言，社会公平恰恰是社会成员对资源(权益)配置的满意或认同程度。如果一个社会推崇的公平观以及由此而来的资源配置的现实不能让它的成员感到足够的满意或认同，就不能产生足够的能动。所以，就其合法性和持久性来讲，社会效率只能来自社会公平机制；任何不公平的途径所形成的效率都是不能长久维持的，也是现代社会所不容许的。

另一方面，效率又是推动公平观不断发展的历史动力。只有效率，才能促进社会的发展，带来社会存在水平的不断提高以及由此决定的人性现实内容之不断更新，从而带来公平观的变化。奴隶主不杀奴隶是因为奴隶能给他们创造财富；封建领主把奴隶变为农民是因为更能调动他们的能动性；资本主义提倡那样的公平观是因为它可以给资本提供广阔的施展空间。

3.1.1.4 产权与公平和效率

1. 产权安排将影响财富分配的公平[77]

一方面，由于产权安排实质上是财产权利的配置，不同的产权安排就是不同的分配格局。因此，不同社会成员在产权初始安排中所拥有的财产存量，以及在产权调整中所发生的财产增量的差异，决定了他们的经济地位和谈判中讨价还价的力量，而这种谈判的能力则影响到人们在社会财富中所得份额的差异，即影响收入分配的公平度。可见，产权的安排必然影响到财富分配的公平状况。另一方面，在交易费用为正的条件下，不同的产权安排不仅界定了不同的分配格局，其本身所发生的交易成本也会导致分配格局的变化。同样，产权调整即制度变迁的成本也会导致财富分配的变化。所以，由于交易费用的存在，不同的产权安排不仅导致财富分配的公平状况不同，反过来还必然影响效率。

2. 产权安排也将影响经济效率

由于公平问题关系到人的劳动态度与劳动供给，而产权安排又会影响公平，则它一定会通过公平的状态影响到经济效率。这是因为：

(1)因产权安排而产生的不公平，会影响人的生产积极性与生产潜力的发挥。这既会直接降低劳动生产率，又会使劳动者增大偷懒动机与机会主义行为，由此增加交易成本，导致经济效率损失。

(2)如果产权安排产生的不公平严重偏离了人们的价值判断与社会可接受程度，势必出现如下的两难境地：若不调整产权安排，就可能引起社会动荡，这显然会严重地恶化经济效率；若调整产权安排，就得打破原来的利益格局，而任何社会在一定时期的利益格局存在一定的刚性，因而产权调整往往伴随着高昂的交易成本，也将降低经济效率。

(3)各种生产要素若因产权安排而发生分配不公，就会导致要素投入的结构与要素存量结构不吻合，不利于社会资源的优化配置。

(4)产权安排所形成的分配不公，会导致生产与消费、价值生产与价值实现、产品结构与社会需求结构等诸多矛盾，由此产生经济危机，影响经济效率。

3.1.2 河流取水权分配中的公平观

河流水资源是人类生存、生产发展、生态环境保护的重要资源，就公平观而言，河流取水权的分配涉及多个层面的问题，必须考虑基本人权、自然和历史伦理、可持续发展、经济增长等诸多因素。

从人类生存和人权的角度，资源分配要求的公平观是资源配置结果的公平观。从人的本质性存在(一种能动的客观物质实在)意义上讲，人与人之间是没有任何差别的：大家都是人。由此，公平的终极要求就是要实现"绝对平等"：所有资源的配置在所有成员之间一律"平均"，这类公平观一般适用于危及人类生存时的资源分配。但人类生存需要和基本人权的精神必须在河流取水权配置的任何阶段予以体现。

从自然和历史伦理角度来看，由于自然地理位置的不同，人们对资源禀赋的控制能力也不同，如果不考虑人们对资源占有的历史、习惯，社会经济规则的运行成本将较高，因此必须考虑人们的伦理公平观。这种公平观在河流取水权初始分配和流转阶段都必须重视，在制定各类规则时予以体现。

从生态环境和可持续发展的角度，资源分配不但要考虑经济、人类社会自身的需要，还要考虑生态环境的需要，也是人类可持续发展的内在要求。因此，资源配置必须体现生态公平。

从生产发展和经济增长的角度，资源分配要求的公平观是经济规则的效率公平观。它包括两个方面：一是水权的初始分配必须体现产权最初安排的公平，以利效率提高；二是水权市场规则必须体现规则公平，从而促进效率提高。

总之，水资源的分配不能仅体现一种公平观，而要体现多种公平观。即既要反映人类对资源占有的绝对公平观，又要反映因自然差异而表现出来的伦理公平观，还要反映生态对资源需求的生态公平观，更要体现水资源优化配置的效率公平观。但在不同的历史时期对各类公平观的侧重也不同。

3.1.3　河流取水权分配各阶段的公平与效率侧重

根据上文的分析，公平与效率是一致的，公平与效率主要体现在两个方面：一是规则的公平和促进效率的程度；二是结果的公平和对效率的影响。河流取水权分配可以分为初始分配和流转交易两个阶段，每个阶段对效率和公平都有不同的要求。

3.1.3.1　河流取水权初始分配中的公平与效率

由于产权安排将影响财富分配的公平和经济效率，因此河流取水权初始分配将影响水资源的配置公平和配置效率。河流取水权的初始分配阶段主要体现公平优先的原则，更加关注基本人权、自然和历史伦理、生态环境和可持续发展等因素。

在规则方面，建立一个体现各类公平观的取水权初始分配规则，包括指导思想、基本原则、分配方法、程序等，该规则是河流取水权体系的重要组成部分。

在结果方面，根据取水权初始分配规则执行的结果是否公平来对规则进行修正。河流取水权初始分配的结果(即初始产权安排)，必须为流转阶段的高效率配置奠定基础。

3.1.3.2 河流取水权流转阶段的公平与效率

河流取水权初始分配之后，进入流转阶段，该阶段要遵循公平和效率并重、效率优先的原则，更多地考虑生产发展和经济增长等因素。但要防范由于分配结果的两极分化、过分不均，造成社会的不稳定，导致效率的最终丧失。

河流取水权的流转形式可以分为两种，一是行政配置形式，二是市场配置形式。从社会历史的实践看，行政配置在小范围、短期和特殊情况下具有配置高效的优点，规则和结果的公平也容易把握。但由于人为因素较多，管理者受信息量、自身能力等约束因素的限制，长期运转效率较低。同时，由于人为因素较多，使管理者徇私舞弊的几率增加，公平的规则可能被不公平地执行，因此，规则和结果的公平也容易受到损害。市场配置的人为因素较少，管理者处于宏观调控的地位，不直接参与水权流转，水权主体之间根据自己的实际需要开展交易，水资源配置效率较高。同时，由于市场配置主要依靠法规规范，规则被公平执行的几率高，因此，规则和结果的公平能够得到较高程度的保障。但在小范围、短期和特殊情况下，市场配置因其交易的无序、交易壁垒以及其他因素的影响，配置效率可能较低，规则的执行结果可能由于效率低下而丧失公平。

本书将主要研究河流取水权的市场配置形式，即取水权市场，关于初始分配的研究也基于取水权市场的研究需要。

3.2 河流取水权区域间初始分配的指导思想和重要意义

河流取水权分配的问题比较复杂，包括区域之间的分配，行业之间的分配，每一个用水户之间的分配。但河流取水权在区域之间的分配是河流取水权分配的第一步。

本节将探讨河流取水权在区域之间的分配问题，即区域取水权问题。

3.2.1　河流取水权区域间初始分配的指导思想

河流取水权在区域之间的分配是河流取水权分配的第一步。其目的在于通过明晰区域取水权，保护区域对水资源的取用权利，保持地区间的用水公平。

河流取水权区域间初始分配的指导思想是：以取水现状为基础，考虑基本人权、自然和历史伦理、可持续发展、经济增长等诸多因素，体现水资源配置的绝对公平观、伦理公平观、生态公平观和效率公平观，明晰各区域对河流水资源的取用权利，为建立取水权交易市场、促进地区间水资源优化配置奠定基础。

3.2.2　河流取水权区域间初始分配的基本原则

根据上述指导思想，河流取水权区域间初始分配有以下几个基本原则。

1. 尊重现状的原则

尊重现状的原则要求以现状取水为基础。现状是各类因素的综合影响结果，有其存在的必然性，以现状取水为基础，增加了取水权初始分配的可操作性。

2. 理论修正的原则

理论修正的原则是指以理论取水作为现状取水的修正。理论取水主要基于定额等理论用水量因素，以理论取水对现状取水进行修正是确定取水权的主要步骤。

3. 伦理公平原则

伦理公平原则是指要考虑各类优先因素。水权分配中需要考虑的优先权因素包括：水源地和水量贡献、控制能力、投资贡献等。

4. 生态公平原则

生态公平原则要求考虑生态取水因素，体现可持续发展的伦理观念。可以并入伦理公平原则，但为了强调生态取水权问题，将之单列。

生态公平原则适用的领域有二，一是河流内外的水资源分配问题。由于防凌、减淤、生态、环境等也需要用水，因此存在河流内外水资源分配问题。由于河流等自然生态的重要性，在各区域之间分配水之前，需要先进行河道内外的水权分配。国务院1987 年的黄河水资源分配方案，分配的就是扣除黄河自身用水之后的多年平均水量[106]。另一个是河流外生态的取水权问题。河流外生态作为特殊的主体，应赋予基本水权。在取水权的区域间分配时，必须将生态取水权因素考虑在内。

5. 统一优化配置原则

统一优化配置原则要求考虑各类水资源的统一优化配置。在分配河流水资源时，要综合考虑地表水和地下水、河川水和湖泊水等资源情况。应考虑区域对于该河流水资源的依赖程度。

6. 政策指导原则

政策指导原则要求考虑国家关于水资源的各项方针政策以及经济政治发展的特殊因素。政策倾斜因素包括：地区开发、水土保持、粮食安全和重要灌区的保护与发展、贫困地区的投资承受和公众支付能力等因素。

3.2.3　河流取水权区域间初始分配的重要意义

河流取水权是河流水权体系中最重要的权利规定之一。这主要是取水权不同于其他非消耗性水权，取水权在水资源使用权权利束中，是针对河流的水资源量规定的权利。取水权是指人们从河流中取水的权利。取水之后，河流水量减少，河流的其他功能相应受到影响。

从人们当前对河流水资源的需求上看，引取水量是第一位的需求(当然，对水质也有要求)。河道断流、湿地退化、灌区萎缩、城镇缺水首先是水量的问题。

河流取水权在区域间的初始分配具有重要的意义，具体表现在以下方面。

1. 河流取水权初始分配是取水权交易的前提

由于日益增加的用水需求和相对稳定的河流水量供给之间的矛盾，对于河流的水资源分配问题，尤其是干旱地区的河流水资源分配问题，已经引起了各方的关注。运用市场机制配置河流水资源，客观上要求首先明确各用水主体最初的河流的取水权，然后才能按照制定的水权交易规则利用水权市场进行水资源的优化配置，因此必须对河流取水权进行初始分配。

2. 河流取水权初始分配是利益分配

由于水权初始配置是利益的配置，是隐性利益的显化或者重新分配。因此，对各利益相关者，尤其是对水权利益既得者产生极大的影响，利益的转出将使他们充满抵触情绪，甚至拒绝，以致政治稳定性受到影响。因此取水权的初始分配，一方面必须充分体现政治公平，分配的原则应该通过各方政治协商确定；另一方面，初始分配行为必须要求由具有国家强制力的政府出面主持。

取水权在区域间的初始分配是地区间政治经济平衡的组成部分，也是贯彻国家宏观调控政策的重要工具。国家可以根据国民经济布局和发展的整体态势，按照水资源分布调整区域经济发展战略，并利用取水权的初始分配对区域经济发展实行宏观调控。

3. 河流取水权初始分配影响水资源市场配置效率

科斯第二定理指出：只要存在交易费用，权利的界定就会对资源配置产生影响。科斯认为，在存在交易费用的条件下，"合法权利的初始界定会对经济制度运行的效率产生影响。权利的一种调整会比其他的调整产生更多的产值。但除非这是法律制度确认的权利安排，否则通过转移和合并权利达到同样后果的市场费用会如此之高，以至最佳的权利配置，以及由此带来的更高的产值也许永远也不会实现"。

科斯从三个层次对其第二定理进行了论证：

(1)在存在交易费用的情况下，初始的法律权利配置是重要的；如果它是合理的，就可以避免许多权利调整过程，从而节约调整的交易费用。

(2)由于通过交易调整权利配置需要费用，只有预期收益大于预期成本时，调整才会发生。这就使某些能够优化资源配置的权利调整不能发生。

(3)在这种情况下，如果由法律确定的权利调整能降低通过市场进行权利调整的费用，那么显然法律对经济运行具有积极的影响。

利用市场配置水资源，由于交易费用的存在，显然水权的初始分配将对水资源的配置效率产生重大影响。

3.3　流域内区域间河流取水权初始分配模型研究

3.3.1　河流取水权的表示方法

由于水量的不可预知性，如果确定水量型水权，一般不能保证这些水量都能够得到满足。如果确定比例型水权，操作上将有困难，只有水文年度结束后，才能确知具体的水权量。比例型水权的事后性增加了取水权的不确定性，优点在于增加了用户多用水的风险成本，利于节水；缺点在于由于水权所有人并不能确知自己有多少水权，对水权的临时转让不能根据需求自发地进行。但根据长期的经验来看，水权的长期转让是可以进行的。

因此，取水权的初始分配，应采取水量和比例结合的方法来确定。即在具体操作时，可以使用保证率高的干旱年型的水量作为基本水权，丰余水采用多年平均水量作为控制水量，年后根据比例和来水进行结算。

由于水的流动性，取水权所指的水量应该考虑回归水因素，将取水量扣除回归水后的耗水量作为指标。

3.3.2　模型建立的技术路线

模型建立的技术路线(见图 3-1)：首先确定取水权分配的影响因素；然后确定在每一影响因素下各地区的指标值，对指标值进行归一化处理，得出在每一因素条件下各地区取水权比例；第三步，确定各取水权分配影响因素在取水权分配中的权重；最后计算各地区取水权分配比例。

3.3.3　取水权分配影响因素分析和指标确定

根据区域间河流取水权初始分配的指导思想和基本原则，取水权分配影响因素可以分为取水量情况因素、优先权因素、政策倾斜因素、其他修正因素等[107~110]。

3.3.3.1　取水量情况

1. 现状取水量(Water-using Quantity Status Quo.——WQSQ)

现状取水量基于目前的用水户和实际的取水量。现状取水量因素是最重要的因素，因为现状是历史上各种复杂用水因素联合作用形成的结果，一定程度上反映了各种力量的平衡。

现状取水量可以使用多年平均取水量指标(Years-Average Water-taking Quantity——YAWQ)表示。各地区的多年平均取水量，可以采用移动平均法等方法确定。

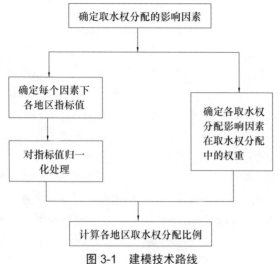

图 3-1　建模技术路线

2. 理论取水量(Theoretical Water-using Quantity——TWQ)

理论取水量基于目前的用水户和理论的取水量。理论取水量主要是从用水定额的角度来反映水权，体现了节水原则、科学原则和实事求是原则。

理论取水量可以采用多年平均理论取水量指标(Years-Average Theoretical Water-use Quantity——YATWQ)表示，多年平均理论取水量可通过修正多年平均取水量指标获得，即将用水户的实际取水量代之以用水定额。需要注意的是，采用用水定额的取水量，必须按照现状用水取用该河流水的比例进行折算。各类用水定额的制定是非常复杂的，各类终端用水户的确定工作更是困难。在具体模型运用时，可以采用概化方法，将用水户分为农业、工业、农村人畜用水、城市(镇)生活、河道外生态环境用水等5类，根据多年统计的用水效率和理论用水效率确定理论取水量。

3.3.3.2　优先权因素

优先权因素主要包括水源依赖程度、水量贡献、投资贡献、上游优先等优先因素。

1. 水源依赖程度(Water Resource Relying Degree——WRRD)

由于各地区水资源禀赋的不同，对河流水资源的依赖程度也不同。主要包括地区流域内地下水丰富程度、降水丰富程度、地区内其他流域水资源、地区内现有主水资源的开发程度、其他水源的开发利用难度等因素。水源依赖程度可以采用其他水源稀缺指数指标(Other Water Resource Scarcity Index——OWRSI) 来表示。其他水源稀缺指数主要通过多年平均现状用水量与区域多年平均可利用其他水资源量的比值反映。区域多年平均可利用其他水资源量数据的获取主要通过地区水资源评价，并根据水资源开发难度进行折算。

水源依赖程度因素反映了要实事求是地分配水权。我国境内的水资源归国家所有，地表水和地下水、流域间水资源都要得到合理配置，防止发生实际上水权分配不公平现象。

2. 水量贡献(Water Quantity Contribution——WQC)

水量贡献主要是考虑水源地优先原则。水量贡献较多的地区拥有较多的取水权，这符合人们的伦理标准。水量的计算，按照水文统计确定，主要是该区域的多年平均径流水资源量(Region Years Average Runoff Quantity——RYARQ)。

3. 投资贡献(Investment Contribution——IC)

投资贡献主要是考虑历史上各地区对河流的各种投入，主要是指形成的水利工程投资、水库淹没损失和安置移民另外增加的投资等，可以采用历史累计投资额指标(Historical Accumulated Investment——HAI)表示。

投资贡献必须按照投资的不同功能进行分摊，一般而言，只有增加河流有效可利用水量的投资才能考虑。但由于本书的水量分配针对的是河流的多年来水量，因此这里的投资可以是所有针对河流的投入，但须分清投资受益对象，受益人为非区域本身的投资才能计入投资贡献。

4. 上游优先(Upper Reach Priority——URP)

上游优先主要是考虑由于地理位置的不同,上游地区自然拥有较强的对水源的控制能力,上游优先原则尊重了人们的伦理观念。

针对上游优先因素可以建立上游优先指数指标(Upper Reach Priority Index——URPI),指数可以以河流最下游的区域为基础,对上游区域进行赋值,赋值大小主要参照上游区域对水资源的控制能力。

3.3.3.3　政策倾斜

政策倾斜(Policy Preference——PP)因素主要是考虑国家对地区开发的大政方针,包括地区开发水资源政策倾斜、水土保持政策倾斜(Water and Soil Protection Policy——WSPP)、重要灌区的保护和发展(Irrigation Areas Developing Poliey——IADP)、贫困地区的投资承受和公众支付能力(Poverty Region Policy——PRP)等因素。针对上述因素可以建立相应指标:

(1)地区开发倾斜指数(Region-Developing Policy Index——RDPI);

(2)水土保持倾斜指数(Water and Soil Protection Policy Index——WSPPI);

(3)灌区发展指数(Irrigation Areas Developing Policy Index——IADPI);

(4)贫困地区倾斜指数(Poverty Region Policy Index——PRPI)。

这些指标可以以某一区域为基础,根据各区域特征显著程度进行评分赋值。

政策倾斜因素可以根据具体河流的不同特点,设计不同的政策因素。

3.3.3.4　其他修正

其他修正(Other Modification——OM)因素是指除上述优先权因素和政策倾斜因素之外的一些修正因素。包括:

(1)现状用水公平(Actual Water–using Equity——AWE)因素。是指对用水定额因素以外的用水不公平进行修正，主要是灌区发展面积等水用户规模。可以采用现状用水公平修正因子(Actual Water-using Equity Modification——AWEM)指标表示。

(2)地区重要性(Region Importance——RI)因素。包括政治经济在国家中的地位等。可以采用地区重要性修正因子(Region Importance Modification——RIM)指标表示。

这些指标可以以某一区域为基础，根据各区域实际情况进行评分赋值。

各影响因素和指标如表 3-1 所示。

表 3-1　水权分配影响因素及相应指标

准则层	因素层	指标层
用水情况	现状取水量	多年平均取水量
	理论取水量	多年平均理论取水量
优先权因素	水源依赖	其他水源稀缺指数
	水量贡献	多年平均径流水资源量
	投资贡献	历史累计投资额
	上游优先	上游优先指数
政策倾斜因素	地区开发政策倾斜	地区开发倾斜指数
	水土保持政策倾斜	水土保持倾斜指数
	灌区发展政策倾斜	灌区发展倾斜指数
	贫困地区政策倾斜	贫困地区倾斜指数
其他修正因素	现状用水公平	现状用水公平修正因子
	地区重要性	地区重要性修正因子

3.3.4　各因素条件下各区域取水权比例

在一确定因素下，首先求出该因素下各地区的指标值，然后将这些指标值归一化，即为该因素条件下各区域取水权分配比例。计算公式为

$$p_{ik} = \frac{v_{ik}}{\sum\limits_{i=1}^{m} v_{ik}} \tag{3-1}$$

式中　p_{ik}——第 k 因素条件下 i 地区指标值在全河流所占比重，
　　　满足公式(3-2)，

$$\sum_{i=1}^{m} p_{ik} = 1 \tag{3-2}$$

　　　$k=1$，2，$\cdots$，n；$i=1$，2，$\cdots$，m。

　　　v_{ik}——第 k 因素条件下 i 地区指标值。

3.3.5　各因素权重

　　流域内各地区的水资源分配，是一个政策性较强的行为。因此国家宏观调控政策及政治协商方式是确定各因素权重的重要方式。在管理技术上可以采用特尔菲法或者层次分析法。特尔菲法是一种以邮寄函件方式向专家咨询以获取思想成果的方法，属专家集合法，具有匿名性、控制性反馈、专家意见统计分析等特点，是国际上制定不确定性决策的通行办法，应用范围包括自然科学和社会科学许多重大研究领域。层次分析法(AHP)是另一种成熟的权重确定方法。本文采用层次分析法确定各因素权重。

3.3.6　取水权分配比例公式

　　某地区取水权比例是关于各因素的函数即：

$p_i = f$ (WQSQ，TWQ，WRRD，WQC，IC，URP，RDPI，
　　　WSPP，IADP，PRP，AWE，RI) $\tag{3-3}$

式中　p_i——i 地区取水权比例。

　　取水权分配公式为

$$p_i = \sum_{k=1}^{n} w_k p_{ik} \tag{3-4}$$

式中　p_i——i 地区取水权比例，i=1，2，…，m；

　　　w_k——第 k 因素的权重，其中 k=1，2，…，n；w_k 满足公式(3-5)

$$\sum_{k=1}^{n} w_k = 1 \tag{3-5}$$

3.3.7　层次分析法

3.3.7.1　层次分析法概要

美国著名运筹学家、匹兹堡大学教授 T.L.Satty 于 20 世纪 70 年代中期提出了层次分析法(The Analytic Hierarchy Process，以下简称 AHP)[111~113]。

尽管 AHP 的应用需要掌握简单的数学工具，尽管 AHP 有深刻的数学原理，但它本质上是一种决策思维方式。AHP 把复杂的问题分解为各个组成因素，将这些因素按照支配关系分组形成有序的递阶层次结构，通过两两比较的方式确定层次中诸因素的相对重要性，然后综合人的判断以决定决策诸因素相对重要性总的顺序。AHP 体现了人们的决策思维的基本特征，即分解、判断、综合。

1. AHP 的优点

AHP 作为一种有用的决策工具有着明显优点：

(1)适用性。用 AHP 进行决策，输入的信息主要是决策者的选择与判断，决策过程充分反映了决策者对决策问题的认识，加之很容易掌握这种方法，这就使以往决策者与决策分析者难以互相沟通的状况得到改变。在多数情况下，决策者直接使用 AHP 进行决策，这就大大增加了决策的有效性。

(2)简洁性。了解 AHP 的基本原理，掌握它的基本步骤，不需要很高深的专业知识，用 AHP 进行决策分析甚至可以不用计算机，也可以完成全部运算，所得结果简单明确，一目了然。

(3)实用性。AHP 不仅能进行定量分析，也可以进行定性分析。

它把决策过程中定性与定量因素有机地结合起来，用一种统一方式进行处理。AHP也是一种最优化技术，从学科的隶属关系看，人们往往把AHP归为多目标决策的一个分支。但是AHP改变了最优化技术只能处理定量分析问题的传统观念，使它的应用范围大大扩展。许多决策问题如资源分配、冲突分析、方案评比、计划等均可使用AHP，对某些预测、系统分析、规划问题来说，AHP也不失为一种有效方法。

(4)系统性。人们的决策大体有三种方式。第一种是因果推断方式，在相当多的简单决策中，因果推断是基本方式，它形成了人们日常生活中判断与选择的思维基础。事实上，对于简单问题的决策，因果推断是够用的。当决策总是包含了不确定因素，则需要第二种推断方式，即概率方式。此时决策过程可视为一种随机过程。人们需要根据各种影响决策的因素出现的概率，结合因果推断进行决策。近年来发展起来的系统方式是第三种决策思维方式。它的特点是把问题看成一个系统，在研究系统各组成部分相互关系以及系统所处环境的基础上进行决策。对于复杂问题，系统方式是有效的决策思维方式。相当广泛的一类系统具有递阶层次的形式。AHP恰恰反映了这类系统的决策特点。当然，由递阶层次可以进而研究更复杂的系统，如反馈系统。AHP还可以加以扩展。

一般来说，越深刻的科学理论越有着简单的表现形式，AHP正是如此。如前所述，很容易了解和掌握AHP的基本原理和方法，这是AHP的一个方面；另一方面AHP有着深刻的数学背景。真正搞清AHP的原理需要弄懂AHP的公理体系，它的递阶层次结构的数学形式、排序理论以及一般系统理论，需要涉及模糊(Fuzzy)数学、数理逻辑、统计推断、度量理论等多个数学分支。

2. AHP的局限性

AHP在应用上有其局限性，这主要表现在以下三个方面：

(1)AHP的应用一般来说只能从已有方案中选优，而不能生成方案。也就是说，应用 AHP 时，事先对决策的各种方案要有比较明确的规定。

(2)AHP 得出的结果是粗略的方案排序。对于那种有较高定量要求的决策问题，单纯运用 AHP 是不适合的。当然，并不排斥把AHP 与其他决策方法结合起来。

(3)在 AHP 的使用过程中，无论建立层次结构还是构造判断矩阵，人的主观判断、选择、偏好对结果的影响极大，判断失误即可能造成决策失误，这就使得用 AHP 进行决策的主观成分很大。规划论采用比较严格的数学计算，以期把人们主观判断降到最低程度，但得出的结果有时往往难以被决策者所接受。AHP 的本质是试图使人的判断条理化，但所得到的结果基本上依据人的主观判断。当决策者的判断过多地受其主观偏好影响，而产生某种对客观规律的歪曲时，AHP 的结果显然就靠不住了。要使 AHP 的决策结论尽可能符合客观规律，决策者必须对所面临的问题有比较深入和全面的认识。此外，在运用 AHP 时采用群组判断方式也不失为克服主观偏见的一个好办法。

无论是理论上的不完善，还是应用中的缺陷，都不会影响AHP 在决策中的地位和作用。目前 AHP 已经被运筹学界视为简单有效的多目标决策方法。AHP 的应用范围在逐渐扩大，以它为基本方法的决策支持系统——"专家选择"已经商品化。

3.3.7.2　AHP 的基本模型

运用 AHP 解决问题，大体可以分为四个步骤：①建立问题的递阶层次结构；②构造两两比较判断矩阵；③由判断矩阵计算被比较元素相对权重；④计算各层元素的组合权重。

1. 建立递阶层次结构

这是 AHP 中最重要的一步。首先，把复杂问题分解为称之为元素的各组成部分，把这些元素按属性不同分成若干组，以形成不同层次。同一层次的元素作为准则，对下一层次的某些元素起支配作用，同时它又受上一层次元素的支配。这种从上至下的支配关系形成了一个递阶层次。处于最上面的层次通常只有一个元素，一般是分析总的预定目标或最终结果。中间的层次一般是准则、子准则。最低一层包括决策的方案。层次之间元素的支配关系不一定是完全的，即可以存在这样的元素，它并不支配下一层次的所有元素。一个典型的层次可以用图 3-2 表示。

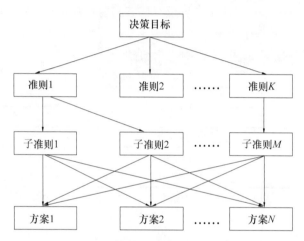

图 3-2　决策问题递阶层次结构

层次数与问题的复杂程度和所需要分析的详尽程度有关。每一层次中的元素一般不超过 9 个，因为一层中包含数目过多的元素会给两两比较判断带来困难。一个好的层次结构对于解决问题是极为重要的。层次结构建立在决策者对所面临的问题具有全面深入的认识基础上，如果在层次的划分和确定层次之间的支配关系上举棋不定，最好重新分析问题，弄清总体各部分相互之间的关系，有时一个复杂问题仅仅用递阶层次形式表示是不够的，需要使用更复杂的结构形式，如循环层次结构、反馈层次结构等，这些结构是在递阶结构基础上的扩展形式。

2. 构造两两比较判断矩阵

在建立递阶层次结构以后，上下层次之间元素的隶属关系就被确定了。假定上一层次的元素作为准则，对下一层次的元素 A_1，A_2，…，A_n 有支配关系，我们的目的是在某准则之下按照它们相对重要性赋予 A_1，A_2，…，A_n 相对应的权重。AHP 所用的是两两比较的方法。

在这一步中，决策者要反复回答问题：针对某准则，两个元素 A_i 和 A_j 哪一个更重要些，重要多少。需要对重要多少赋予一定值。这里使用 1～9 的比例标度，它们的意义见表 3-2。例如准则

表 3-2　AHP 的标度

标度	含义
1	表示两个元素相比，具有同样重要性
3	表示两个元素相比，一个元素比另一个元素稍微重要
5	表示两个元素相比，一个元素比另一个元素重要
7	表示两个元素相比，一个元素比另一个元素很重要
9	表示两个元素相比，一个元素比另一个元素极端重要
2，4，6，8	分别表示上述相邻判断的中值
倒数	元素 i 与 j 比较得 a_{ij}，则因素 j 与 i 比较的判断为 $1/a_{ij}$

是水资源开发、配置和保护。如果认为保护比开发重要，则保护的比例标度取 5，而开发对于保护的比例标度则取 $1/5$。对于 n 个元素来说，得到两两比较判断矩阵 A：

$$A=(a_{ij})_{n\times n} \tag{3-6}$$

判断矩阵具有如下性质：

(1) $a_{ij} > 0$

(2) $a_{ij} = 1/a_{ji}$

(3) $a_{ii} = 1$

A 为正的互反矩阵。由于性质 (2)、(3)，对于 n 阶判断矩阵仅需要对其上(下)三角元素共 $n(n-1)/2$ 个给出判断。A 的元素不

一定具有传递性，即未必成立等式

$$a_{ij} \times a_{jk} = a_{ik} \tag{3-7}$$

但若上式成立，则称 A 为一致性矩阵。在说明由判断矩阵导出元素排序权值时，一致性矩阵有重要意义。

$1 \sim 9$ 的标度方法是将思维判断数量化的一种基本方法。

3. 计算单一准则下元素的相对权重

这一步要解决在某准则下，n 个元素 A_1，A_2，…，A_n 排序权重的计算问题，并进行一致性检验。对于 A_1，A_2，…，A_n 通过两两比较得到判断矩阵 A，解特征问题

$$A\,W = \lambda_{\max}\,W \tag{3-8}$$

所得到 W 经正规化后作为元素 A_1，A_2，…，A_n 在某准则下排序权重，这种方法称为排序权向量计算的特征根方法。$\lambda_{\max}$ 存在且惟一，W 可以是惟一的。$\lambda_{\max}$ 和 W 的计算一般采用幂法。但在精度要求不高的情况下，可以用近似方法计算 $\lambda_{\max}$ 和 W，比较简单的方法有和法和方根法两种。在本文的研究中，采用较简单的方根法。

(1)和法

第一步，A 的元素按照列归一化；

第二步，将 A 的元素按行相加；

第三步，所得到的行和向量归一化得排序权向量 W；

第四步，按公式(3-9)计算 $\lambda_{\max}$

$$\lambda_{\max} = \sum_{i=1}^{n} \frac{(AW)_i}{nW_i} \tag{3-9}$$

式中　$(AW)_i$——AW 的第 i 个元素。

(2)方根法

第一步，A 的元素按行相乘；

第二步，所得到的乘积分别开 n 次方；

第三步，将方根向量归一化得排序权向量 W；

第四步，按公式(3-9)计算 $\lambda_{\max}$。

特征根方法是 AHP 中最早提出的排序权向量计算方法，使用广泛。近年来，不少学者研究了排序权向量计算的非特征根方法，如最小二乘法、对数最小二乘法、上三角元素法，等等。这些方法在不同场合下运用各有优点。

在判断矩阵的构造中，并不要求判断具有一致性，这是由客观事物的复杂性与人的认识多样性所决定的。但要求判断有大体的一致性却是应该的，出现甲比乙极端重要，乙比丙极端重要，而丙比甲极端重要的情况一般是违反常识的。而且，当判断偏离一致性过大时，排序权向量计算结果作为决策依据将出现某些问题。因此在得到 λ_{max} 后，需要进行一致性检验，其步骤如下：

第一步，计算一致性指标 C.I.

$$C.I. = (\lambda_{max} - n) / (n - 1) \tag{3-10}$$

式中　　n——判断矩阵的阶数。

第二步，计算平均随机一致性指标 R.I.

平均随机一致性指标是多次(500 次以上)重复进行随机判断矩阵特征值的计算之后取算术平均数得到的。表 3-3 给出的是重复计算 1 000 次的 R.I.值。

表 3-3　重复计算 1 000 次的 R.I.值

阶数	1	2	3	4	5	6	7	8	9	10
R.I.	0	0	0.52	0.89	1.12	1.26	1.36	1.41	1.46	1.49

第三步，计算一致性比例 C.R.

$$C.R. = C.I. / R.I. \tag{3-11}$$

当 C.R.< 0.10 时，一般认为层次单排序结果有满意的一致性；否则，需要重新调整判断矩阵的元素取值，直到获得满意一致性时为止。

4. 计算各层元素的组合权重

为了得到递阶层次结构中每一层次的所有元素相对于总目标的相对权重，需要把单一准则下元素的相对权重计算结果进行适当组合，并进行总的判断一致性检验。

假定已经计算出第 $k-1$ 层元素相对于总目标的组合排序向量 $a^{k-1} = (a_1^{k-1}, a_2^{k-1}, \cdots, a_m^{k-1})^T$，第 k 层在第 $k-1$ 层第 j 个元素作为准则下元素的排序权向量为 $b_j^k = (b_{1j}^k, b_{2j}^k, \cdots, b_{mj}^k)^T$，其中不受支配的元素(即与 $k-1$ 层元素无关)权重为 0。令 $B^k = (b_1^k, b_2^k, \cdots, b_m^k)^T$，则第 k 层 n 个元素相对于总目标的组合排序向量由下式给出

$$a^k = B^k a^{k-1} \tag{3-12}$$

一般地，排序的组合权重公式为

$$a^k = B^k \cdots B^3 a^2 \tag{3-13}$$

式中，a^2 为第二层次元素的排序向量，$3 \leqslant k \leqslant h$，$h$ 为层次数。

对于递阶层次组合判断的一致性检验，需要类似地逐层计算 C.I.。若分别得到了第 $k-1$ 层次是计算结果 C.I.$_{k-1}$，R.I.$_{k-1}$ 和 C.R.$_{k-1}$，则第 k 层的相应指标为

$$C.I._k = (C.I._k^1, C.I._k^2, \cdots, C.I._k^m) a^{k-1} \tag{3-14}$$

$$R.I._k = (R.I._k^1, R.I._k^2, \cdots, R.I._k^m) a^{k-1} \tag{3-15}$$

$$C.R._k = C.R._{k-1} + C.I._k / R.I._k \tag{3-16}$$

这里 C.I.$_k^I$ 和 R.I.$_k^I$ 分别为在 $k-1$ 层第 I 个准则下判断矩阵的一致性指标和平均随机一致性指标。当 C.R.$_k < 0.10$，认为递阶层次在 k 层水平上整个判断有满意的一致性。

3.3.8 用 AHP 法确定模型指标权重

根据层次分析法，首先选定若干有代表性的专家，为了减少工作量，便于计算，本文选择 3 位专家。首先以准则层为例，介绍权重的确定过程。

针对准则层的 4 个指标，通过专家评议其两两相对重要性如表 3-4。

将专家评定的标度值求其平均值，得判断矩阵各元素，则构造判断矩阵如表 3-5。

表 3-4　模型指标权重计算(1)

准则层	取水量	优先权	政策倾斜	其他修正
取水量	1 1 1	2 2 3	3 3 4	4 5 6
优先权	1 / 2 1 / 2 1 / 3	1 1 1	2 2 2	2 3 3
政策倾斜	1 / 3 1 / 3 1 / 4	1 / 2 1 / 2 1 / 2	1 1 1	1 1 2
其他修正	1 / 4 1 / 5 1 / 6	1 / 2 1 / 3 1 / 3	1 1 1 / 2	1 1 1

表 3-5　模型指标权重计算(2)

准则层	取水量	优先权	政策倾斜	其他修正
取水量	1	2.33	3.33	5
优先权	0.44	1	2	2.67
政策倾斜	0.31	0.5	1	1.33
其他修正	0.21	0.39	0.83	1

根据上节介绍的方根法，得出如表 3-6 的结果。

表 3-6　模型指标权重计算(3)

项目	A				第一步： 按行相乘	第二步： 开 n 次方	第三步： 归一化 W_i	$(AW)_i$	$(AW)_i / W_i$
取水量	1	2.33	3.33	5	38.89	2.50	0.51	2.068	4.073
优先权	0.44	1	2	2.67	2.37	1.24	0.25	1.027	4.069
政策 倾斜	0.31	0.5	1	1.33	0.20	0.67	0.14	0.556	4.068
其他 修正	0.21	0.39	0.83	1	0.07	0.51	0.10	0.420	4.062

第四步，按公式 3-9 计算 λ_{max}

$$\lambda_{max} = (4.073 + 4.069 + 4.068 + 4.062) / 4 = 4.068$$

第五步，按公式 3-10 计算一致性指标 C.I.

C.I. = (4.068 – 4) / (4 – 1) = 0.023

第六步，按表 3-3，当 n=4 时，查

R.I.=0.89

第七步，按公式 3-11 计算一致性比例 C.R.

C.R. = 0.023 / 0.89 = 0.026<0.10

满足一致性要求。

按照上述计算步骤，对各个准则、子准则、基础指标进行权重分析，经过大量计算，取水权初始分配模型指标体系权重见表 3-7。

表 3-7　模型指标权重计算结果

准则层	权重	指标层	指标权重
用水情况	51%	多年平均取水量	35%
		多年平均理论取水量	16%
优先权因素	25%	其他水源稀缺指数	5%
		多年平均径流水资源量	5%
		历史累计投资额	10%
		上游优先指数	5%
政策倾斜因素	14%	地区开发倾斜指数	5%
		水土保持倾斜指数	5%
		灌区发展倾斜指数	2%
		贫困地区倾斜指数	2%
其他修正因素	10%	现状用水公平修正因子	9%
		地区重要性修正因子	1%
合计	100%		100%

3.3.9　河流取水权初始分配模型运用

A 河流，流域涉及甲、乙、丙 3 个地区，各种指标值以及计算过程和结果如表 3-8 所示。

从表3-8可以看出，A 河流现状水权分配是甲：乙：丙= 0.698：0.232：0.070，上游地区甲依靠地理区位优势，实际取水权占整个河流的 69.8%，而下游地区丙尽管多年平均理论取水量要求达到

河流取水权的 21.1%，但是由于上游取水过多导致下游地区丙实际取水权只有 7%。下游的缺水已经导致了粮食减产、生态退化。按照本书提出的模型进行计算，通过各种指标进行修正，最终得出甲：乙：丙=0.532：0.246：0.222 的水权分配比例，甲的取水权受到削减，取水权比例下降，接近理论用水水平；下游丙的取水权得到大幅度增加，取水权比例增加到 22.2%，略超过理论用水水平。

表 3-8　A 河流水权初始分配模型计算

指标	单位	权重	指标值			归一化			水权比例		
			甲	乙	丙	甲	乙	丙	甲	乙	丙
多年平均取水量	$10^8 m^3$	35%	30	10	3	0.698	0.232	0.070	0.244	0.081	0.025
多年平均理论取水量	$10^8 m^3$	16%	20	10	8	0.526	0.263	0.211	0.084	0.042	0.034
其他水源稀缺指数		5%	10	2	0.3	0.813	0.163	0.024	0.041	0.008	0.001
多年平均径流水资源量	$10^8 m^3$	5%	38	5	0	0.884	0.116	0.000	0.044	0.006	0.000
历史累计投资额	10^9 元	10%	30	20	10	0.500	0.333	0.167	0.050	0.033	0.017
上游优先指数		5%	3	1.5	1	0.545	0.273	0.182	0.027	0.014	0.009
地区开发倾斜指数		5%	1	1.2	1.6	0.263	0.316	0.421	0.013	0.016	0.021
水土保持倾斜指数		5%	1	3	8	0.083	0.250	0.667	0.004	0.013	0.033
灌区发展倾斜指数		2%	1	1	1	0.333	0.333	0.334	0.006	0.007	0.007
贫困地区倾斜指数		2%	1	1.8	3	0.173	0.310	0.517	0.004	0.006	0.010
地区重要性修正因子		1%	3	1.2	1	0.577	0.231	0.192	0.006	0.002	0.002
现状用水公平修正因子		9%	1	2	7	0.100	0.200	0.700	0.009	0.018	0.063
合计									0.532	0.246	0.222

3.4　本章小结

本章着重研究河流取水权的初始分配，尤其是在区域间的初始分配问题。

首先研究了取水权分配中的公平与效率观。公平和效率是辩证统一的，河流取水权的分配要体现多种公平观，包括绝对公平观、生态公平观、伦理公平观和效率公平观。探讨了河流取水权分配各阶段的公平与效率侧重。

提出了河流取水权区域间初始分配的指导思想和基本原则，分析了其重大意义。

着重研究建立了流域内区域间河流取水权初始分配模型。确定了河流取水权的表示方法；提出了建模的技术路线；分析了取水权初始分配影响因素并确定了相应指标；采用 AHP 法确定因素权重；给出了取水权初始分配比例公式。最后对模型进行应用示例并予以分析。

第四章 基于水权水市场理论的
河流水资源配置体制改革

上一章已经论及,河流取水权在初始分配之后进入流转阶段,流转的形式可以分为行政配置和市场配置两种形式。当前河流水资源配置形式主要是行政配置形式,弊端较多。因此,进行河流水资源配置体制改革的呼声很高。本章将探讨基于水权水市场理论的河流水资源配置体制改革问题。首先结合东阳—义乌案例剖析,探讨改革的方向和措施;接下来尝试运用博弈理论对河流取水权分配体制进行演绎分析。为了更有针对性,以黄河为例。

4.1 河流水资源配置体制改革

4.1.1 当前河流水资源配置体制存在的问题

在从计划经济体制到市场经济体制转轨时期,随着经济的发展和水资源供求矛盾的突出,现行的河流水资源配置体制的弊端逐步显露。

一是尽管我国沿用的是行政配水的体制,但是长期以来,水资源管理体制却是相当混乱,"多龙管水"使得行政配水应该具备的高效率大打折扣,取水权的分配和交易更是无法实施。

二是在行政配水的传统体制下,尽管推行了取水许可制度和水资源有偿使用制度,但取水许可并非水权确定,水权并没有明晰,水价远低于成本价更低于市场价,利益主体主要着眼于争水,争得越多获得的利益越大。

三是由于没有明确的水权制度，水利工程的产权改革和水利投融资体制改革难以有效推进。

4.1.2　河流水资源配置体制改革的社会背景

改革开放 20 多年来，随着经济体制的逐步转型，社会主义市场经济体制已经初步建立。市场经济原则在社会生活中已经成为调节人们消费行为的主要原则，市场经济等价交换意识已经深入人心。

水资源问题日益严峻，水危机已经出现，无论是资源型缺水、工程型缺水还是水质型缺水，其背后都隐藏着深刻的经济规律，即水资源的开发、利用、治理、保护，都要受到投入产出、成本效益关系的约束。

河流水资源日益成为区域间、行业间相互争夺的主要资源。围绕黄河、黑河、塔里木河等华北和西北主要水源发生的水事纠纷逐渐增多，部分区域水环境逐步恶化。

应该说，在这种社会背景下，建立取水权及其交易制度，推进水资源配置体制改革的社会基础已经具备。

4.1.3　河流水权市场的萌芽——东阳—义乌水权交易案分析

关于东阳—义乌水权交易案中的"水权"，不同专家有不同的认识，有的认为是水商品，根本不是什么水权；有的认为是水资源的使用权。笔者认为，东阳—义乌交易的水权可能表现为横锦水库的水商品的买卖，但其实质是承认了取水权的初始分配及其在分配之后的市场交易。因此，本小节所提及的水权是指东阳江的取水权。

4.1.3.1　东阳—义乌水权交易发生的独特条件

第二章第三节已经专门讨论了东阳—义乌水权案，那么为什么水权交易首先自发出现在浙江省而不是在水资源稀缺的西北或华北？通过分析可以发现，浙江省东阳—义乌水权交易满足了以下独特条件：

(1)意识超前。浙江一带自明清以来就是经济繁荣、市场经济较发达的地区，群众具有浓厚的市场经济意识，因此发生水权交易具有广泛的社会意识基础。

(2)一方水资源充足，即水权转出方转出的水权(姑且不论水权的合法性)主要是水库(东阳横锦水库)潜在蓄水能力，而不是主要通过节水获得的多余水权，因此由于不需要过多地投资于节水设施，使得水权转让成本较小，遇到的内部阻力小。

(3)地理位置的特殊性。东阳、义乌位于金华江支流上下游，是流域较为封闭的环境，主要涉及两个市，主体关系明确，牵涉面小，需要调整的关系简单，进行协商谈判的交易费用小，关于水权的争议较小。

(4)地区经济发达，交易主体经济实力强大。义乌是闻名全国的小商品城，正在加速进行城市化，强大的经济实力使得义乌具有购买水权和建设水利基础设施的能力。

(5)水权交易的标的水权主要是义乌城市用水。城市用水的特点是用水要求保证率高、水质好，同时城市用水价格高、水费征收稳定，因此义乌有能力将购买水权的成本按时回收。

(6)导火索是水利部领导倡导的水权理论，在原来的行政手段配水思路下，两地多方协商未能达成协议，水利部部长汪恕诚关于《水权和水市场——谈水资源优化配置的经济手段》的讲话，启发了东阳、义乌双方的思路，终于采用水权交易的方式实现了水资源的优化配置。由于上述特征的存在，东阳—义乌水权交易才有了自发产生的基础。

4.1.3.2　东阳—义乌水权交易模式还不具备推广的条件

基于我国水资源配置体制存在的问题，从市场经济的角度分析，我国在广泛意义上还不能形成水权市场的有效供给和有效需求。因此，东阳—义乌水权交易模式还不具备推广的条件。

(1)水权理论和法律依据的缺乏。目前，水权理论还不完善，在水权的分配、确认、价格、交易、管理等方面缺少成熟的理论基础，当然，更缺少相应的法律来规范水权及其交易活动。因此，理论和法律是大范围进行水权交易的最大制约因素。

(2)由于初始水权不明晰，现有体制下，部门之间、地区之间自发地协商水权分配将产生非常高昂的交易费用，甚至达不成协议。初始水权的不明晰以及难以自发协商成功的现状决定了水权市场难以形成有效的市场供给和市场需求。东阳、义乌对东阳江的水权并没有明确划分，但由于地理区位以及水利工程的独特性质，使得水权的协商难度小。

(3)在水资源贫乏地区，水权转让需要转出方付出较大的成本，如牺牲自己用水利益，或者需要较多的水资源开发和水资源节约的投资，在无稳定的体制保障条件下，水权转让风险大，客观上抑制了水权市场供给。东阳—义乌水权交易案中，东阳主要依托横锦水库的未达设计标准的水库库容和"白白弃水"，因此自己的投资有限。

(4)在传统配水体制下，城市用水增加的需求不通过水权交易，往往是通过行政调配、水权"农转非"解决。在很多情况下，农业受到了损失而并未得到合理补偿。行政配水体制削弱了水权的市场需求。另外农业之间水权转让潜在利益差别小，同样受到了配水体制的影响，不能形成有效需求。

(5)经济实力弱，不能形成有效需求或有效需求不足。有效需求是指有购买能力的需求。在经济欠发达地区，经济实力差导致地区购买力差。东阳—义乌水权交易案中义乌的经济实力强大，在我国并不具有普遍性。

4.1.4　河流水资源配置体制改革的方向和措施

1. 改革的方向

目前的河流水资源配置体制已经不适应社会经济发展的需

要，必须对其进行改革和创新。东阳—义乌水权交易案是我国河流水资源配置体制改革的一个序幕，并揭示了河流水资源配置体制改革的方向。

运用好"计划"和"市场"两种手段是河流水资源配置体制改革的基本方向。是计划多一些还是市场多一些，这要根据具体的、历史的国情来决定。目前，我国的水资源配置虽以计划手段行政配置为主，但缺乏统一的高效的管理，计划手段没有用好；使用了价格手段，但缺乏水权的有效流转，市场手段也没有用好。因此，水资源的配置效率低下，水资源的可持续利用遭到破坏。

2. 改革的措施

首先，要强化河流水资源的统一管理。2002 年新颁布的《水法》为流域统一管理奠定了法律基础。水利部门正在加紧研究实施流域水资源统一管理的措施，其中 2000 年"三河"(黄河、黑河、塔里木河)调水的成功实践，使人们已经看到水资源统一管理对提高用水效率和增进水资源可持续利用的重大意义。被国家领导人赞为"一曲绿色的颂歌"。

其次，积极研究和推行取水权制度，建立适应于取水权制度下的河流水资源管理体制，用好市场手段，通过取水权的市场流转，促进河流水资源的优化配置。

目前主要任务是建立取水权初始分配体制和建立取水权流转的激励和保护机制。要引进市场配置机制，运用好市场，就必须搞好分权，即明晰水权和水利工程产权，这是起点也是难点。

水资源统一管理的实施为引进市场机制创造了前提。取水权是一种财产权利，因此所有者可以依法转让。但是，取水权也是一种政治权利，取水权的初始分配没有政府的参与是不可能的。政府出面可以将取水权明晰的成本降到最低，并且稳定的体制保障——政府统一水资源管理可以有效降低水权交易成本，规避水权转让的高风险。当水权管理体制产生稳定的收益驱动时，水权供给转化为有效供给，需求转化为有效需求。

水资源统一管理与水权管理体制是相辅相成的。水资源统一管理从宏观上理顺了水资源的开发、利用、治理、配置、节约、保护等之间的关系，为水权运作构建了适宜的运作空间，而水权的市场流转将使水资源用户更多地参加到水资源的配置中，在利益驱动下，实现水资源的优化配置。

再次，通过水权制度的建立，促进水利工程的产权改革、水利工程管理体制改革和水利投融资体制改革。

长期以来，我国水利工程产权改革、水利工程管理体制改革、水利投融资体制改革的绩效并不理想，原因在于水利工程的经营问题、投资建设问题都与水资源的开发利用有着直接的关系。水权制度的建立，客观上要求水利工程的产权明晰，这将极大地促进用水户和水利经营公司建设、经营水利工程的积极性，从而促进水利工程的产权改革、水利工程管理体制改革和水利投融资体制改革。由于水权的明晰，节水设施的建设也将受到激励。

4.2 河流取水权分配体制的博弈演绎分析(以黄河为例)

本节运用经济学的基本分析工具——博弈论[114]对黄河取水权分配体制进行演绎分析，目的在于从最基本假设出发，逐步增加约束，探索适宜于当前情势的黄河取水权分配体制。所谓演绎就是从前提必然地得出结论的推理，从一些假设的命题出发，运用逻辑的规则，导出另一命题的过程。假定的经济学前提是两个原则[115]：其一，是约束条件下的极大化；其二，是在一般情况下需求曲线斜率为负。

4.2.1 "公地"情况下的取水权博弈

"公地"一词来源于"公地悲剧"案例[116]，该案例是阐释产权重要性的一个经典案例。假定在原始状态下，黄河水资源没有被明确为国家全民所有，任何人都有机会和权利获取黄河取水权。

4.2.1.1 取水权博弈简单模型

首先假设一个取水权博弈的简单模型。上游甲、下游乙作为局中人，他们的策略是根据支付情况进行取水，他们的支付函数都是凸型，即效用 B 随取水量 Q 增加而增加，但边际递减，可用公式简单地表示为

$$B=F(Q) \tag{4-1}$$

由于甲位于上游，甲具有取水的地理位置便利条件，因此甲便事实上拥有了取水优先权(注："公地悲剧"中各参与人被假定不存在优先权，但并不影响本书"公地"概念的使用)。在没有其他约束的条件下，甲以取水最大化(获得最大支付时的取水)为自己的行动策略。假定最大化引水量为 10，此时它获得的利益为 10。

乙位于河流下游，只有甲取水之后乙才能取水，当水量足够多时，甲的取水并不影响乙的取水，乙同样可以以取水最大化作为自己的行动策略，假定乙的生产效率高，它最大化引水量为 10，获得的利益为 20。当总来水量(15)不能满足二者最大总需求量(20)时，在无补偿策略的条件下，乙只能取用甲取水后剩余的水量 5，这样乙只能获得比最大利益小的利益 13，如表 4-1 所示。

表 4-1　无补偿策略下两人博弈矩阵

		取水权矩阵 乙		效益矩阵 乙	
		多取	少取	多取	少取
甲	多取	10, 5	10, 5	10, 13	10, 13
	少取	5, 10	5, 5	5, 20	5, 13

这时，根据各自利益最大化的准则，甲将最大化取水，乙只能获得剩余的水，社会总收益是 23。此时的均衡是纳什均衡(如果局中人在其他局中人不改变当前战略的前提下获取最高的支付，则称博弈达到了一个纳什均衡)。

由于乙的生产率高，如果甲少引一定量水(如表 4-2)，由乙引用用于生产，则乙收益增加，甲收益减少，社会总收益增加。但是该行为不会发生，甲在有优先权的条件下，它的最优策略是最大化取水，个人理性掩盖了集体理性[117]。

为了获取更大利益，乙有动力提出"以补偿换水权"，从其因多引水增加的收益中拿出不少于甲因少引水而损失的收益补偿给甲(补偿单价为 C)。如表 4-2 中的有补偿收益矩阵。甲、乙的总收益均有增加，博弈达到纳什均衡。这时甲的支付函数为 $B_甲 = F_甲(Q) + CQ_让$，乙的支付函数 $B_z = F_z(Q) - CQ_让$。动态博弈均衡时转移补偿的取水权数量是根据二者的边际净收益相等且为 0，或者是边际生产率相等时的转移数量。

表 4-2 有水权转让情况下的两人博弈矩阵

		取水量矩阵 乙		无补偿收益矩阵 乙		有补偿收益矩阵 乙	
		多取	少取	多取	少取	多取	少取
甲	多取	10, 5	10, 5	10, 13	10, 13	10, 13	10, 13
	少取	6, 9	6, 5	8, 18	8, 13	11, 15	8, 13

4.2.1.2 取水权博弈复杂模型

在分析简单的两人博弈模型之后，引入多人博弈。正如黄河水资源共有 11 个省、市(区)取水一样，多人博弈是黄河水资源分配的基本模型。为简明起见，本书以三人博弈为例。

三人博弈模型中，甲、乙、丙分别位于上中下游，分别具有事实上差别的优先权。具体博弈过程简述如表 4-3。

表 4-3　三人取水博弈过程

博弈过程	引水量	收益	补偿后收益
	甲，乙，丙	甲，乙，丙	甲，乙，丙
最大取水量及相应收益	10，10，10	10，20，30	
实际取水(一)	10，5，0	10，13，0	10，13，0
实际取水(二)	6，9，0	8，18，0	11，15，0
实际取水(三)	6，7，2	8，14，10	11，18，3
…	…	…	…
实际取水(N)	3，5，7	6，13，24	14，20，9

通过不断的动态博弈，讨价还价，当三人的边际生产率相等时，博弈达到最优均衡，实现水资源的有效配置，达到帕累托最优，社会总福利总收益达到最大。

4.2.1.3 取水权博弈成本分析

(1)交易成本。博弈过程是动态的讨价还价过程，上述探讨的博弈均衡是否能够达到取决于交易成本的高低。所谓交易成本是指一系列制度成本，包括信息成本、谈判成本、拟定和实施契约的成本、界定和控制产权的成本、监督管理的成本和制度结构变化的成本[118]。取水权博弈时，甲、乙、丙以及更多的用户之间互相讨价还价，连锁协商，个体之间的支付函数的信息沟通障碍，水文情势和个体经营情况的不断变化，使各参与人难以全面了解别人的信息和正确把握自己的策略(包括确定补偿价格)，信息成本、谈判成本、水权确定和控制成本等极大。交易成本随着参与人的增加而呈几何级数倍增的态势。

(2)社会机会成本。在平等主体之间，上游的优先权，其实是一种垄断权。甲为了能获取更多转移补偿，可能通过故意浪费水，即超最大值地取水，利用不完全信息障碍，迫使乙和丙提高补偿价格，获取超额收益，从而导致社会总福利受到损失。

(3)政治成本。由于形成的事实上的上游优先权(垄断权)导致了社会不公，在矛盾激化后容易造成社会不稳定，因水发生暴力冲突甚至发生战争。

从博弈成本角度分析，上述3个方面构成了博弈的主要成本，在博弈成本超过预期的收益时，取水最大化仍然是参与人倾向采取的主要行动策略。公地悲剧便发生了，黄河水资源将被过度引取。

在长期的博弈中，多个参与人有可能就取水权达成分水协议。但在没有统一管理的情况下，拟定和实施契约的成本、界定和控制产权的成本、监督管理的成本将很大。由于违反协议的行为不能被及时发现、合理界定并受到惩罚，出于获得超额利益的需求，参与人没有动力遵守协议。

4.2.2　统一产权情况下的取水权博弈

公地情况下的黄河取水权博弈，理论上可以成立，但博弈成本巨大，事实上难以形成理想均衡。这时有必要引入统一产权约束，实现帕累托改进。统一产权约束有两种情况，一是政府计划管理辅以福利水价制度；二是公司化运作。

4.2.2.1　统一产权情况下引入水价参数后的支付函数

引入了取水成本主要是水价参数后，参与人的支付函数改变为

$$B=F(Q) - PQ \tag{4-2}$$

水价 P 可以对支付函数起到调节的作用，改变凸函数的图形形状，减小其最大值和最大引水量。

4.2.2.2　政府计划管理低(福利)水价或零水价下的博弈模型

计划管理的形式是：取水许可，水权分配。基本前提是黄河水资源的流域统一管理[119]。

在福利水背景下，因为 P 较小，参与人的支付函数没有受到实质性约束。此情况下，上下游博弈形式同公地情况下的博弈没有实质区别。从利益最大化的角度他们倾向于多取水即获得尽量

多的取水许可，采取的措施包括虚报需求、盲目扩大灌区等。对国家制定的水权分配份额(属于指导性意见，没有实质性约束措施)，没有动力遵守，缺乏节水激励。

与公地情况下的博弈不同甚至情况更糟糕的是，由于用水完全通过行政计划分配，即便上下游参与人有动力进行水权转让谈判，制度也不允许。由于事实上存在的优先权，以及体制杜绝了水权转让，参与人惟一的行动策略就是取水最大化——利益最大化的策略。

在计划管理比较松散时，国家对水资源的控制力弱，难以按照实际需水和效率原则进行分配，地方利益膨胀，形成了事实上的公地情况下的取水权博弈，取水最大化策略导致了沿黄各省的"取水竞赛"。

单一计划管理体制下，不但不能实现博弈均衡，而且与帕累托改进的方向相悖，社会总福利受到损害。上述情形在计划管理不到位时尤其。

4.2.2.3 私人经营高水价下的博弈模型

另一种思路是"经营黄河"的思路，即黄河水资源统一由一家公司进行市场化运作，沿黄各地作为用水户向公司购买。由于公司的支付函数遵循利润最大化准则，公司最先采用的策略是提高水价。

提高水价对博弈参与人支付函数的影响较大。随水价增高，参与人的最大取水量减少，如果水价提高到一定程度，所有参与人最大取水量的总和小于或等于黄河可供水量时，水量约束就不存在了，参与人都能根据自己最新的支付函数获得相应的取水权。这时，应该说，市场达到了均衡出清，实现了帕累托最优，社会总福利达到最大。

但是由于公司的准则是利润最大化，因此，将水价提高到市场出清时的价格水平一般不能使其利润达到最大化。根据垄断市场的特点[120]，垄断者是惟一提供该商品的厂商，而且该商品具有不可替代性，厂商不是价格的接受者而是价格的制定者。厂商将选择再提高水价，根据各参与人的支付函数的弹性，直到提高水价获得的额外收益(注意：提高水价后各参与人根据修改的支付函数将减少取水)为零。

由于黄河水的公共资源性质，公司行为必然受到各种社会和政治约束。但有一点是正确的：公司将着眼于利润最大化，在各种社会和政治约束条件下，千方百计地提高水价以获取超额利润。

4.2.2.4　不同经济形式下取水权博弈的福利损失

计划管理由于限制了参与人之间的博弈，博弈只存在于计划管理者与参与人之间。正如上文所述，参与人将根据自己的支付函数最大化自己的利益，采取各种各样的手段扩大取水。而计划管理者通过调查评价采取限制其取水的手段，如不批准取水许可，行政要求节水，甚至国家投资建设节水设施等。计划管理者的信息有限(或信息成本高)，它不可能全面及时了解各用户的真实需水信息，因为根据市场的变化和自然降水过程的变化，用户的用水需求也在不断变化。二者博弈的结果因为取水许可的非最优性，导致博弈不能达到帕累托最优。另外，由于计划管理者拥有权力，寻租现象不可避免。当计划管理不能有效实施时，即当黄河水资源不能统一管理时，各地拥有批准取水许可的权利(无论名义上还是事实上)，统一产权有名无实，就形成了公地悲剧。

公司统一经营所形成的高水价将带来较大的福利损失。由于垄断市场共同的弊端，公司统一经营采用高于市场出清的水价，甚至歧视性价格，消费者剩余被剥削，社会福利损失增大。由于上下游经济发达程度、购买力不同，因此对水的消费能力不同，高价格将有可能形成贫困陷阱。

综上分析，统一产权条件下的两种经济形式的取水权分配体制都不是最优的体制安排。改善上述分配体制的缺陷是建立新型黄河取水权分配体制的主要方向。

4.2.3　建立混合经济形式下的黄河取水权分配体制

以上体制的缺陷主要在于:

(1)计划管理中的低效率问题, 政府失败; 名义计划管理下的分散管理导致事实上的地方保护主义盛行, 导致公地悲剧。

(2)公司经营中的垄断导致社会福利损失, 市场失灵[121]; 公司经营中的社会不公平问题, 带来社会不稳定和发展鸿沟、贫困陷阱。

如果不涉及国家其他制度的改革问题, 只在取水权体制下进行讨论, 那么建立混合经济形式下的黄河取水权分配体制是主要对策, 它的主要内容是两层次黄河取水权体系和统一的黄河取水权市场[122]。

两层次水权体系的内容是: 将黄河取水权分为基本水权和丰余水权, 基本水权主要考虑各参与人基本的生存、生活、生产需要和生态需水; 丰余水权可以供各参与人根据各自的支付函数自由竞争用水。基本水权更多地体现公平原则; 丰余水权更多地体现效率原则。

统一的黄河取水权市场的内容是: 组建黄河水资源经营公司进行市场化运作, 统一进行丰余水权的拍卖等营销行为; 取水权市场又由两级或多级组成。国家或其授权代理机构进行基本水权管理和黄河取水权市场监管包括价格管制。取水权市场规则将充分体现规则公平和效率原则。

上述混合经济形式下的黄河取水权分配体制能够最大限度地完善统一产权情况下两种取水权分配体制的弊端, 而且实施成本较低, 可操作性较强, 既充分考虑了用水效率, 又兼顾了社会公平, 应是近阶段黄河取水权分配体制选择的多目标决策中的"满意"方案。

4.3 本章小结

本章探讨基于水权水市场理论的河流水资源配置体制改革。

分析了当前河流水资源配置体制存在的问题和体制改革的社会背景；然后对东阳—义乌水权交易案进行研究，分析了该水权交易发生的独特条件，指出东阳—义乌水权交易模式还不具备推广的条件；提出了河流水资源配置体制改革的方向和措施。指出运用好计划和市场两种手段是水资源配置体制改革的基本方向。首先，要强化流域水资源的统一管理；其次，积极研究和推行取水权制度，建立适应于取水权市场的水资源管理体制；再次，通过取水权制度的建立，促进水利工程的产权改革、水利工程管理体制改革和水利投融资体制改革。

本章还从理论角度研究了河流水资源配置体制的改革问题。以黄河为背景,运用博弈论对黄河取水权分配体制进行演绎分析。首先讨论了"公地"情况下的取水权博弈，分别建立了取水权博弈简单模型、取水权博弈复杂模型，并对取水权博弈成本进行分析，指出在博弈成本超过预期的收益时，取水最大化仍然是参与人倾向采取的主要行动策略。然后引入统一产权约束，分析了政府计划管理低(福利)水价或零水价下的博弈模型和私人经营高水价下的博弈模型，发现不同经济形式下取水权博弈的福利损失较大，都不是最优的体制安排。最后得出建立混合经济形式下的黄河取水权分配体制的结论，为以后对黄河取水权市场的研究打下基础。

第五章　黄河取水权体系

黄河水资源在我国整个国民经济布局中具有重要的基础作用。黄河水资源配置体制中深层次矛盾在经济发展、环境变化等外界条件变化下逐步暴露出来。黄河水资源短缺，下游断流问题日益引起举国关注，反映了黄河水资源的供求矛盾尖锐化。为了解决断流问题，早在1987年国务院就颁布了黄河水量分水方案，但由于多龙管水，地方保护，黄河水量分配方案难以有效实施。1999年开始，黄河水利委员会采取黄河水量统一调度，初步缓解了黄河下游断流问题[123~125]。

但初步解决黄河的不断流，并不意味着黄河水资源已经得到了优化配置。存在的主要问题是，水资源的调配还基本沿用了行政配水的调配模式，从技术上强调对水库的调度和河段配水；虽然使用了水价手段，但并未真正引入市场机制，水用户的主观能动性没有得到充分发挥。运用水权与水市场理论，将市场机制引入黄河水资源配置是当前迫切需要研究的课题。

从本章开始，本书将分五章讨论研究黄河取水权制度。本章主要研究应该建立一个什么样的黄河取水权体系。首先对黄河取水权制度的历史沿革进行简要论述，接下来着重研究黄河取水权体系；最后简要分析黄河取水权的运动过程，为黄河取水权市场的研究打下基础。

5.1　黄河取水权制度的历史沿革

5.1.1　我国取水权制度沿革

5.1.1.1　我国古代取水权制度简述

我国古代取水权制度主要是与引水灌溉制度相伴而生的，取水权制度是引水灌溉制度的主要组成部分。自春秋、战国、秦、汉、唐、宋、元、明、清，一直到民国，历代王朝都比较重视水利事业的发展，修建了大量的水利工程，制定了较为详细的水事法律制度，尤其是取水权制度。我国古代的取水权制度是由国家的正式制度和以乡规民约为主的非正式制度相互补充构成的。它是受我国的政治、经济、技术发展程度和传统文化的影响而形成的，有其独特性。

我国古代取水权制度的基本特点[72]：

(1)古代水的所有权是公有，不存在水的私有，个人所拥有的只是水的使用权。"山、川、湖、沼不能为私人占有之土地，向为公家所有，不允许私有，成为定制。"水权制度变迁，一般只涉及使用权和其他权利的变化，而一般不包括所有权的变化。

(2)古代取水权制度的终极目的是"均平"用水，这种"均平"思想受到传统儒教文化的影响而形成。我国古代的"不患寡而患不均"的思想在古代典籍中随处可见，取水权制度中"均平"思想常见于各种水事法规和地方志中。例如："三县渠民仍旧一律均占水利"、"务使均普，不得偏并"。

(3)我国古代的取水权制度是以国家正式制度为主导，附之以乡规民约等非正式制度。古代颁布的关于取水权的国家正式制度广泛存在于各个朝代的"典"、"律"、"议"、"疏"、"式"等官方文件之中。而非正式制度，特别是明清时期的非正式制度大多以乡规民约的形式出现。

(4)我国古代法律具有诸法合体、民刑不分的特点，其目的主要是为了"绝诉讼"。取水权制度法律概莫能外。如《洪洞县水利志补》中摘录的渠例、渠规、渠册，唐代《水部式》和元代李好文的《长安志图用水则例》等文中能充分体现出这一特点。

(5)古代水使用权取得的原则是：有限度的渠岸权利原则，有限度的先占原则和工役补偿原则。

从我国历史的发展进程和取水权制度本身演进变化的特点来看，取水权制度的变化可分为四个阶段：第一阶段为先秦至汉代，这一时期是我国封建社会的建立、发展时期。国家开始制定正式的取水权法律制度，但比较零碎而不成体系。第二阶段是唐、宋、元时期，这一时期是我国封建社会发展的鼎盛时期，以国家法律为主导的正式制度极为完善和发达。标志是唐代的《水部式》和宋代的《农田水利约束》。第三阶段包括明、清两代，此时是我国封建社会衰落和资本主义开始萌芽时期。这一时期的取水权制度的特点是以乡规民约为主的非正式制度占主导地位。第四阶段为中华民国时期，在这个半封建、半殖民地社会中，外国科学技术和社会科学知识涌入中国，为现代取水权制度的发展打下了基础，取水权制度呈现出现代取水权制度的特点，其标志是 1942年颁布的《中华民国水利法》。该阶段是从古代取水权制度到现代取水权制度的过渡阶段。

5.1.1.2　我国现代取水权制度的形成

1949 年 10 月中华人民共和国成立后，设立了中央人民政府水利部，主管全国水利行政和水利建设工作。同年 11 月，中央水利部在各解放区水利联席会议的总结报告中提出了一些关于取水权制度的基本原则："所有河流湖泊均为国家资源，为人民公有，应由水利部及各级水利行政机关统一管理。不论人民团体或政府机构举办任何水利事业，均须先行向水利机关申请取得取水权——水之使用权和受益权。"表明新中国成立后我国水资源的所有权从一开始就被定为国家所有，也表明人们用水应取得水之使用权，我国对水资源实行统一管理制度。

1978 年党的十一届三中全会以前，国家对水资源的管理倚重于以政策、方针为引导。1978 年后，水资源立法工作提到重要议事日程。1988 年 1 月 21 日第六届全国人民代表大会常务委员会第 24 次会议正式通过《水法》，1988 年 7 月 1 日起施行。2002

年 8 月 29 日，全国人大常委会通过了新修订的《水法》，国家主席江泽民签署第 74 号主席令，公布了这部法律，自 2002 年 10 月 1 日起施行。《水法》是取水权制度中最具有强制力的正式约束。

《水法》全文约 1 万字，共有 8 章、82 条，分为总则，水资源规划，水资源开发利用，水资源、水域和水工程的保护，水资源配置和节约使用，水事纠纷处理与执法监督检查，法律责任，附则。

《水法》第三条规定："水资源属于国家所有。水资源的所有权由国务院代表国家行使。农村集体经济组织的水塘和由农村集体经济组织修建管理的水库中的水，归各该农村集体经济组织使用。"这一条对水资源国家所有作了明确界定，确定了水资源的所有权主体是国家，这是国家对水资源实行统一管理、配置、实施取水许可制度等的基础。

第十二条规定："国家对水资源实行流域管理与行政区域管理相结合的管理体制。国务院水行政主管部门负责全国水资源的统一管理和监督工作。"

第二十条规定："开发、利用水资源，应当坚持兴利与除害相结合，兼顾上下游、左右岸和有关地区之间的利益，充分发挥水资源的综合效益，并服从防洪的总体安排。"

第二十一条规定："开发、利用水资源，应当首先满足城乡居民生活用水，并兼顾农业、工业、生态环境用水以及航运等需要。"规定了用水顺序权或者是用水优先权。

第四十六条规定："县级以上地方人民政府水行政主管部门或者流域管理机构应当根据批准的水量分配方案和年度预测来水量，制定年度水量分配方案和调度计划，实施水量统一调度；有关地方人民政府必须服从。"

第四十七条规定："国家对用水实行总量控制和定额管理相

结合的制度。"

第四十八条规定："直接从江河、湖泊或者地下取用水资源的单位和个人，应当按照国家取水许可制度和水资源有偿使用制度的规定，向水行政主管部门或者流域管理机构申请领取取水许可证，并缴纳水资源费，取得取水权。但是，家庭生活和零星散养、圈养畜禽饮用等少量取水的除外。"此条明确指出了我国实行取水许可制度及取水许可制度的实施范围。

总之，《水法》是我国水的基本法，是我国一个非常重要的正式制度安排。它是政策的规范化、制度化，具有更大的权威性、稳定性和普遍的约束力。它规定了我国的现代取水权制度。

但对取水权的制度安排进行具体、全面规定的是《取水许可制度实施办法》。按照《水法》中取水许可制度的规定，1993年8月，国务院颁布了《取水许可制度实施办法》(以下简称《办法》)。该《办法》规定了取水许可制度实施的范围，取水许可证的申请、审批、发放、失效和吊销等制度安排。《办法》是我国第一部全国性的取水许可方面的正式制度安排，其主要特点之一是取水许可证禁止转让。

1996年水利部发布了《取水许可监督管理办法》，规定实施计划用水管理和节约用水管理，实行取水许可年度审验制度。另外在1994年6月9日，水利部令第4号发布《取水许可申请审批程序规定》，对取水许可实行的分级审批制度进行了详细的规定。1995年12月水利部水政资[1995]485号颁发，1997年12月修正的《取水许可水质管理规定》对取水、退水等水质进行了规定。这些都使取水许可制度进一步完善。

随着新水法的修订，与之配套的各项规章制度将会更新完善。

5.1.2　黄河取水权制度沿革

黄河的取水权制度可以分为两个方面，一是黄河干流取水权分配制度，二是引黄灌区内的取水权制度。对灌区内取水权制度的分析在灌区取水权市场部分探讨，本节只对黄河干流取水权分配制度进行分析。

新中国成立以前的几千年中，由于经济发展水平所限，黄河水资源的供求矛盾并不突出，人们对黄河水资源的引取还基于"取之不尽、用之不竭"的认识，更多关注的是黄河的水患灾害[126]。因此一直没有建立正式的黄河干流的取水权制度。在民国时期的1933 年，虽然成立了黄河水利委员会，但并没有行使统一管理黄河水资源的工作，它的统一管理权力仅仅在于治理河患方面，况且由于时局混乱，该权力也未真正行使。在引水方面，仍然属于各自为政的局面。民国初年《洪洞县水利志补》的序言中有明确的记载，国家没有统一的整个流域的用水管理措施和制度。

新中国成立后，20 世纪 50 年代以来，由于黄河流域各省(区)的工农业迅速发展，沿河修建了很多引水工程，引黄水量大大增加，并出现有些省(区)在关键季节用水难以满足的情况。因此上下游有关省(区)曾就用水问题协商达成协议，原则分配了各省的引水比例。1954 年编制黄河流域综合利用规划时对全河远期水资源利用进行了分配。当时黄河天然年径流量 545 亿 m^3，除去工业及城市生活用水、远期规划的水库蒸发损失等，下余 470 亿 m^3 为灌溉用水。各省分配方案是：青海 40.0 亿 m^3，甘肃 45.0 亿 m^3，内蒙古 57.3 亿 m^3，陕西 47.0 亿 m^3，山西 26.0 亿 m^3，河南 112.0 亿 m^3，山东 101.0 亿 m^3，河北 77.4 亿 m^3。这可以被视为新中国在黄河水资源分配制度上的开端。

1959 年，为了协调黄河下游河南、河北、山东三省的用水问题，黄河水利委员会提出下游枯水季节水量分配的初步意见：以秦厂(相当于现在的花园口)流量 2∶2∶1 的比例由河南、山东、河北三省分别使用。1961 年，在由水利水电部、农业部召集的引黄春灌会议上，对黄河下游水行政管理的领导权、用水顺序权、配水量权分别作了规定：在水源不足时，配水量权维持 1959 年下游枯水季节水量分配的初步意见不变；黄河下游引黄灌区的用水问题由黄河水利委员会负责，冀、鲁、豫三省派代表组成配水小组，进行三省配水工作；用水顺序上首先满足农业用水，并以保麦、保棉为主，然后照顾其他用水，这是新中国成立后首次在用水顺序权方面的制度安排。在当时，黄河上游的水量还基本够用，只是在农田灌溉高峰季节水出现紧缺，若遇枯水年份，宁夏、内蒙古自治区将会出现水量不足。在 1961 年水利电力部召集的黄河上游水资源利用分配座谈会上，对黄河上游宁夏、甘肃、内蒙古三省(区)的用水顺序权和配水量权作了规定：在用水顺序权上，首先满足包头钢铁公司的用水，农业灌溉用水则次之；在配水量权上，维持宁夏、内蒙古自治区党委 1960 年所定的 4：6 的配水比例，包头钢铁公司的用水仍由内蒙古供给。这是黄河上游对黄河取水优先权和配水量权的明确界定。

20 世纪 70 年代开始，随着国民经济的发展和城乡人口的增长，黄河水需求量继续增加，黄河水供求矛盾日益尖锐，从 1972 年开始，下游河道频频断流。沿黄河各省(区)对水资源的需求已经超过当地水资源的实际承受能力，直接危及沿黄地区工农业的发展和人民生活用水，有的本来是为农业服务的水资源工程，正在逐步转向或已经全部转向为城市供水。面对这一严峻形势，重新统一分配全河水量问题就被提上议事日程。

1983 年沿黄各省向黄河水利委员会提出 2000 年水平的需水量，总计共需水 747 亿 m³，超出黄河当时可供分配水量的一倍以上。同年，水利电力部和国务院有关部委召集沿黄各省举行了黄河水资源评价与综合利用审议会，对黄河水量分配提出了初步建议：认为黄河花园口天然年径流量按照 560 亿 m³ 计，扣除下游排沙入海最少需水量 200 亿 m³，最多可供利用的只有 360 亿 m³，再加上花园口以下天然年径流量 20 多亿 m³，也远不能满足各省的需要。此审议会在用水顺序权方面规定：开发利用黄河水要上下游兼顾，统筹考虑，首先保证人民生活用水和国家重点建设项目的用水，同时要保证下游河道最少 200 亿 m^3 的输沙水量。其次是在搞好已有灌区的挖潜配套、节约用水，提高经济效益的基础上，适当扩大高产和缺粮区的灌溉面积，航运和渔业用水采取相机发展的原则，不再单独分配水量。1984 年，国家计委就水利电力部报送的《黄河河川径流量的预测和分配的初步意见》，同有关的省(区)座谈讨论，在调查研究并与沿黄各省(区)协调的基础上提出了在南水北调工程生效之前的《黄河可供水量分配方案》。

1987 年 9 月，国务院向沿黄 11 个省(区)政府和国务院有关部门以国办发[1987]61 号文件的形式批转了《黄河可供水量分配方案》，并提出：要解决黄河流域用水问题，必须做到统筹兼顾，合理安排，实行计划用水，节约用水。希望有关省、市(区)从全局出发，大力推行节水措施，以《黄河可供水量分配方案》为依据，制定各自的用水规划，并把这次规划与各地的国民经济发展计划紧密联系起来，以取得更好的综合经济效益。国家对这一方案的批转引起了沿黄各省(区)的足够重视，历史上真正开始了黄河全流域范围内实施配水，也标志着黄河水资源的统一管理已经进入依照规划进行宏观分配的新阶段。

1994 年 5 月，水利部水政资[1994]197 号发出《关于授予黄河水利委员会取水许可管理权限的通知》。规定了黄河水利委员会在黄河流域实施取水许可管理的 6 项权限，指出："黄河水利委员会是我部的派出机构，国家授权其在黄河流域内行使水行政主管部门职责，在我部授权范围内，负责黄河流域取水许可制度的组织实施和监督管理。""黄河水利委员会对黄河干流及其重要跨省区支流的取水许可实行全额管理或限额管理，并按照国务院批准的黄河可供水量分配方案对沿黄各省区的黄河取水实行总量控制。"规定了由黄河水利委员会实行全额管理，受理、审核取水许可预申请，受理、审批取水许可申请，发放取水许可证的范围；规定了由黄河水利委员会实行限额以上的取水管理，审核取水许可预申请、审批取水许可申请、发放取水许可证的范围。

1994 年 10 月 21 日，黄河水利委员会颁发了《黄河取水许可实施细则》，详细规定了水使用权的获得、审批程序、监督管理以及违反规定的法律责任和惩罚等。加强了黄河水资源使用权方面的计划统一管理。

1998 年 12 月 14 日，国家发展计划委员会、水利部印发计地区[1998]2520 号通知，颁布《黄河水量调度管理办法》，指出黄河流域各地取水许可计划用水管理要服从黄河水利委员会对黄河水量的统一调度，确定了"按比例丰增枯减"的配水原则，即根据黄河年度水量分配计划及落实到本地区的分配指标，按照已批准的许可取水量的各取水户所占的比例，向本辖区取水户下达年度取水计划，枯水年同比例压缩。黄河流域各省(区)即干流各河段用水量按断面进行控制，分别以下河沿、石嘴山、头道拐、花园口、高村和利津水文站作为进入宁夏、内蒙古、黄河中游、黄河下游、山东省和河口地区的水量控制断面。黄河干流各河段水量控制以河段总耗水量和断面下泄流量两项指标进行控制。黄河水量实行年计划月调节的调度方式。制订黄河水量调度方案，要上中下游统筹兼顾，优先安排城乡生活用水和重要工业用水，其次是农业、工业及其他用水，同时还需留有必要的河道输沙用水和环境用水。《黄河水量调度管理办法》还对调度权限、用水申报、用水审批，用水监督等作了规定。《黄河水量调度管理办法》的颁布不仅使黄河水量调度有法可依，而且明确了黄河取水权实现的具体方法。

1999 年 12 月 6 日，水利部以水资源[1999]520 号文发出《关于加强黄河取水许可管理的通知》，指出要"切实加强以实施取水许可制度为中心的黄河水资源统一管理工作，建立健全适应黄河特点的取水许可监督管理制度和水量调整核减机制"。指出要加强黄河取水总量控制管理，按照国务院批准的黄河可供水量分配方案对黄河取水实行总量控制。指出要全面加强节水监督管理。通过核发取水许可证，各级水资源管理机构对取水户的用水要做到"四个明确"，即对取水户的"许可取水权(量)明确、年度取水计划明确、节水治理目标明确、节水治理措施明确"。指出许可取水量是水行政主管部门批准的多年平均水资源状态下用户取水的权利，即所能允许的最大取水量，而年度取水计划是水行政主管部门根据水资源动态变化对用户下达的年度取水控制量。黄河流域各地取水许可计划用水管理要服从黄河水利委员会对黄河水量的统一调度，认真贯彻《黄河水量调度管理办法》所确定的"按比例丰增枯减"的配水原则。指出要制订黄河枯水年份水资源管理应急对策预案，根据《黄河水量调度管理办法》制订黄河枯水年及连续枯水年黄河水量应急调度预案。要通过应急预案的制订，明确实施危机管理的识别指标、危机期间供水优先次序、应急供水措施、行政管制措施以及社会救济动员保障措施。

5.1.3 现行黄河取水权制度简析

现行黄河取水权管理是典型的计划管理。黄河水资源属于国家所有，政府通过设立专门的机构，借助法律和其强大的权威控制了黄河水资源的配置。其主要表现在不可转让的取水许可。

计划作为配置资源的一种重要方式，其内在的要求是能够全面掌握资源各需求方的真实信息。但沿黄各地的黄河水资源用户在提供用水信息时，并不从全局角度出发，而是按照利益最大化的取水量进行申报，黄河管理部门对这种包含不真实信息的水资源需求量进行平衡，决定水资源分配，其配置效率不高，而且难以控制用水需求的膨胀。用行政手段进行逐级压缩用水需求的方式难以实现水资源的高效配置。

　　由于是不可转让的取水许可，用水余缺难以调剂。由于不完全信息，计划配水难以做到及时满足不断变动的现实需求。因此取水权的调剂是水资源配置的内在要求。不可转让的取水许可，限制了取水权的调剂。一方面，拥有取水权的用户低效利用水资源；另一方面，没有取水权的用户因缺水受到损害。

　　从提高黄河水资源配置效率的角度出发，必须调动水资源用户的积极性，获取他们的真实信息，通过一定的手段将取水权流转到更需要水资源的用户。这种手段就是取水权市场。取水权市场是一种配置资源的机制、一种手段，它主要通过市场价格调节供求。一般而言，市场价格是反映供求双方真实信息的载体，黄河水资源用户根据自己的用水需求和市场价格确定自己的具体需求量，从而使黄河水资源能够配置到能更好发挥效益的地方。

5.2　黄河取水权体系

5.2.1　黄河水资源概况和使用情况分析

5.2.1.1　黄河水资源概况

　　黄河是我国第二大河[127]，发源于青藏高原巴颜喀拉山北麓的约古宗列盆地，流经青海、四川、甘肃、宁夏、内蒙古、陕西、山西、河南、山东九省(区)，在山东省垦利县注入渤海，全长 5 464 km。黄河流域位于北纬 32°～42°、东经 96°～119°，流域面积 79.5 万 km² (含内流区面积 4.2 万 km²)。流域地势自西向东大体分为三个阶梯，西部位于青藏高原东侧，海拔 3 000 m 以上；中部黄土高原海拔 1 000～2 000 m；东部是海拔 100 m 以下的平原。黄河流域 1997 年总人口 1.07 亿，耕地 1 193 万 hm²(1.79 亿亩)。

　　根据 1919 年以来水文统计资料，黄河流域天然年径流总量为 580 亿 m³，地下水与河川径流的不重复计算量为 139 亿 m³。黄河流域水资源总量为 719 亿 m^3。

黄河水资源有以下特点。

1. 水少沙多、水沙异源

黄河流域多年平均降水量 452 mm，在全国十大水资源分区中仅高于内陆河居倒数第二；年径流深 73 mm，仅为全国平均的 26%。多年平均天然径流量仅为全国河川径流量的 2%，远低于耕地、人口占全国的比重(分别为 15%和 12%)。1997 年流域内人均水量 543 m^3，分别为全国和世界人均水量的 25%和 6%(约为日本的 12%)；耕地每公顷平均水量 4 605 m^3，分别为全国和世界公顷均水量的 16%和 13%(约为日本的 4%)。黄河多年平均输沙量 16 亿 t，河川径流平均含沙量 35 kg / m^3，干流最高含沙量达 920 kg / m^3。

黄河兰州以上面积占全河的 30%，河川径流占全河的 56%，沙量不足全河的 6%。黄河中游面积占全河的 46%，河川径流占全河的 43%，沙量占全河的 90%以上，其中河口镇至龙门区间面积占全河的 15%，河川径流占全河的 13%，沙量占全河的 56%。

水沙异源的特点要求黄河水资源的开发利用必须统筹兼顾除害与兴利以及上中下游的关系，水库调蓄和工农业用水必须兼顾中下游输沙用水。

2. 年际变化大、年内分配集中、连续枯水段长

黄河干流各水文站年最大径流量一般为年最小径流量的3.1～3.5 倍，支流一般达 5～12 倍；干流及主要支流汛期 7～10 月径流量占全年的 60%以上。黄河自有实测资料以来，出现了三个连续枯水段，其中 1922～1932 年、1990～2000 年都长达 11 年。这一径流特点，要求开发利用黄河河川径流必须加以充分调节，对水资源工程建设提出了较高要求。

3. 水土资源分布不一致

黄河流域及下游引黄灌区具有丰富的土地资源，但大部分耕

地集中在干旱少雨的宁蒙沿黄地区，中游汾河、渭河河谷盆地以及当地河川径流较少的下游平原引黄灌区。

水土资源分布不一致的状况，要求黄河水资源的开发利用必须统筹考虑上中下游和各部门的关系，特别是上游的宁蒙沿黄地区和下游引黄灌区，其用水必须通过全河水量统一调度予以解决。

4. 生态环境用水问题突出

黄河输沙量大，含沙量高，为减缓黄河下游河道的淤积抬高，维持河道的生命力，必须安排一定的输沙水量和生态基流，水土保持也需要耗用一定水量。多方面的生态环境需水要求使用水竞争进一步加剧，水资源合理配置的难度增加。

5.2.1.2 国务院省际分水指标

1987 年《国务院办公厅转发国家计委和水电部关于黄河可供水量分配方案报告的通知》，首次对黄河水资源的省际取水权分配进行行政确定，具体指标如表 5-1 所示。

表 5-1 黄河正常来水年份可供水量各省分配指标 (单位：亿 m³)

地区	青海	四川	甘肃	宁夏	内蒙古	陕西	山西	河南	山东	河北 天津	合计
年耗水量	14.1	0.4	30.4	40.0	58.6	38.0	43.1	55.4	70.0	20.0	370

国家计委和水利部计地区[1998] 2520 号文件颁布的《黄河水量调度管理办法》拟定了正常年份可供水量 370 亿 m³ 的省、市(区)年内各月分配指标。文件同时规定："根据正常来水年份可供水量分配指标与年度可供水量比例，确定各省(区)年度分配控制指标，各月份分配指标原则上同比例压缩。"

5.2.1.3 黄河水资源使用情况分析

黄河水资源的使用情况见表 5-2，图 5-1，表 5-3，图 5-2，图 5-3。从以上数据分析可以得出，黄河水资源利用有以下特点。

表5-2 2000年沿黄各省(区)地表水利用情况(耗水量)统计 (单位：亿m³)

省(区)	合 计	农 业	工 业	城镇生活	农村人畜
青 海	13.24	11.61	0.70	0.29	0.64
四 川	0.23	0.15	0	0.02	0.06
甘 肃	27.37	18.93	5.82	1.21	1.41
宁 夏	37.76	37.26	0.42	0.03	0.05
内蒙古	59.46	57.97	1.07	0.38	0.04
陕 西	21.78	17.7	1.82	1.63	0.63
山 西	9.94	8.49	0.79	0.19	0.47
河 南	31.47	26.31	3.59	1.24	0.33
山 东	63.92	60.05	2.56	1.24	0.07
河 北	0.82	0.82	0	0	0
天 津	6.33	0	3.80	2.53	0
合 计	272.32	239.29	20.57	8.76	3.70

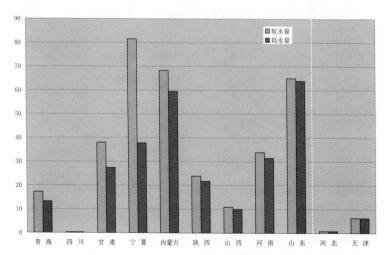

图5-1 沿黄各省2000年取水量和耗水量情况 (单位：亿m³)

表5-3　2000年沿黄各省(区)地表水利用情况(取水量)统计 (单位：亿m³)

省(区)	合　计	农　业	工　业	城镇生活	农村人畜
青　海	17.22	15.25	1.04	0.29	0.64
四　川	0.23	0.15	0	0.02	0.06
甘　肃	37.97	23.19	11.32	2.05	1.41
宁　夏	81.58	80.01	1.49	0.03	0.05
内蒙古	68.29	66.19	1.52	0.54	0.04
陕　西	23.94	19.22	2.46	1.63	0.63
山　西	10.86	8.93	1.15	0.31	0.47
河　南	33.86	27.87	4.42	1.24	0.33
山　东	65.00	61.12	2.57	1.24	0.07
河　北	0.82	0.82	0	0	0
天　津	6.33	0	3.80	2.53	0
合　计	346.1	302.75	29.77	9.88	3.70

资料来源：2000年黄河水资源公报。

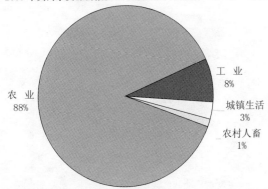

图5-2　2000年黄河耗水量中分类耗用水量

(1)上游宁夏、内蒙古用水较多；下游河南、山东用水较多，4省(区)共占总耗水的71%，总取水的72%。且由于在黄河两岸发展了大规模的灌区，汇入支流较少，主要从干流取水，因此对干流径流量影响较大。水资源管理的重点是宁蒙河段和豫鲁河段。

(2)国务院分水指标较笼统，属于宏观控制指标，可操作性较差。

(3)断流主要是侵占了生态用水的表现。

(4)农业用水比例高，占耗水量的88%。

(5)农业用水时间集中，其中3～6月占55.2%。

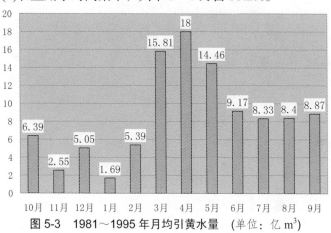

图5-3　1981～1995年月均引黄水量（单位：亿 m³）

5.2.2　建立黄河取水权体系的指导思想和基本原则

5.2.2.1　黄河的基本特点

建立黄河取水权体系，必须适应黄河的以下基本特点：

(1)河道长，流程长，从刘家峡到三门峡一般需要30天。

(2)控制性枢纽和有一定调节能力的枢纽存在，如上游的刘家峡、青铜峡、三盛公，以及正在兴建的沙坡头、大柳树；中游的万家寨、三门峡、小浪底；下游的东平湖等。

(3)农业水权份额重。

(4)生态水权遭侵占。

(5)用水集中在上游河套灌区和下游引黄灌区。

5.2.2.2　建立黄河取水权体系的目标

建立取水权体系的目的是提高黄河水资源的利用效率,促进黄河流域水资源的可持续利用。具体目标可以分为社会目标、经济目标和河流自身目标。

社会目标:人类生存、生态环境保护、政治公平和社会稳定。

经济目标:经济效益,贯彻结构调整、粮食保护,水资源开发、节约、保护等国家经济政策。

河流自身目标:保持河流及流域生态的基本平衡。

5.2.2.3　建立黄河取水权体系的指导思想

建立黄河取水权体系的指导思想:利用基本水权,保障各地区基本生活、生态用水,以及基本的经济用水,体现公平优先原则;丰余用水通过市场竞争配置,体现效率优先原则;在丰水时期能够使基本水权也能发挥相应作用;通过允许取水权转让,结合水价政策,兼顾地区公平,促进水资源的优化配置。

5.2.2.4　建立黄河取水权体系的基本原则

建立黄河取水权体系必须遵守以下原则:

(1)人类基本生活用水优先原则。指在黄河取水权体系的建立时必须首先保障农村人畜吃水和城镇生活基本用水。

(2)生态环境基本用水优先原则。指建立黄河取水权体系时必须考虑河道冲沙、湿地用水、河口生态用水、水土保持用水等基本用水。

(3)灌区基本用水优先原则。指在建立黄河取水权体系时必须充分考虑灌区发展的基本用水,尤其是在庄稼生产的关键时期的"保命水"。

(4)工业和城市基本用水优先原则。要求保证工业生产的基本用水和城市市政基本用水,基本用水是指按照定额的最低要求的用水。

(5)地区间合理分水原则。黄河取水权体系必然建立在区域水权的基础上，尤其是建立在省级区域水权的基础上，因此地区间合理分水非常关键。

(6)现状优先原则。黄河取水权体系的建立必须建立在当前的取水现状基础之上，任何生硬的对现状的改变都增加了实施运作的困难。

(7)用水效益优先原则。黄河取水权体系不但要体现公平，还要体现效率至上的原则，要形成取水权向用水效益高的部门流动的机制。

(8)鼓励节水原则。该原则与用水效益优先原则一脉相承。鼓励节水是黄河取水权体系的精髓之一，要形成节水能够减少支出以及增加收入的机制。

(9)鼓励合理开发水资源原则。开发水资源需要投资，因此黄河水权体系要体现鼓励开发水资源的原则，但开发必须要符合可持续发展的要求，即要有度，做到合理开发。

5.2.3　黄河取水权体系的基本架构

根据黄河取水权体系建立的指导思想和基本原则，黄河取水权体系的基本架构包括两个层次：一是取水权本身的层次；二是黄河取水权体系的区域划分。

5.2.3.1　取水权本身的层次

从取水权本身的层次方面分析，黄河取水权体系的基本架构可以分为基本水权和丰余水权两个层次。

基本水权是指黄河水资源中保证率较高的一部分，其功能是满足最低限度或者较低限度的用水需求。设立基本水权的主要目的是在现状优先原则指导下，结合生活、生态、生产基本用水优先原则，为各地区各行业提供高保证率的基本用水，反映基本的用水公平。

丰余水权是指基本水权以外的黄河取水权。丰余水层次的取水权配置主要反映市场经济的资源配置原则，通过取水权交易市场平衡水资源供求，将水资源配置到经济效益高的用水部门。

5.2.3.2 黄河取水权体系的区域划分

根据黄河流程长、自然地理和社会经济分布相对分段的特点，就黄河干流而言，全河取水权体系可以划分为三个相对独立的取水权分体系，分别是：

(1)从河源到托克托段，主要控制宁蒙河段的用水。该段有龙羊峡、刘家峡、大柳树(在建)、沙坡头、青铜峡、三盛公等控制性或具有调节能力的工程。

(2)从托克托到三门峡，控制中游主要是小北干流河段的用水。该段上部主要是晋陕峡谷，有万家寨、碛口(待建)、古贤(待建)等水利枢纽。

(3)从三门峡到黄河入海河口，主要控制下游河南、山东两省的用水。该段有三门峡、小浪底大型控制性水利枢纽工程，支流水库还有故县水库、陆浑水库，山东境内还有东平湖水库。

划片的原因：一是客观上相对独立，可以自成体系实施水量调度，利于取水权制度实施；二是河情复杂，上中下游管理体制不同，长期以来，黄河下游河道工程由黄委统一管理，利于分步推进取水权制度改革。

5.2.4 黄河基本水权和丰余水权的确定

5.2.4.1 黄河基本水权的确定

1. 基本水权要素界定及种类

取水权具有时间、地点、取水量、取水方式、取水条件等各种要素。由于水文规律的复杂性，取水权的界定比较困难。尤其是当取水权转让时，往往给第三方带来有益或有害的影响。而且水的流程不同，其损失率也不同。因此，配给各用户的取水权应以干流取水口处的水量确定，在确定基本水权时考虑水的沿程损失。根据多年水文监测统计结果，适当考虑回归水。

　　按照水权主体所在的行业或部门划分，基本水权可以分为生态基本水权、农业基本水权、工业基本水权、城乡生活基本水权。其中生态基本水权又可以分为河道内生态基本水权和河道外生态基本水权。如图 5-4 所示。另外，从区域的范围可以分为经济片、省级、市级区域水权，其中省级区域水权是研究的重点。

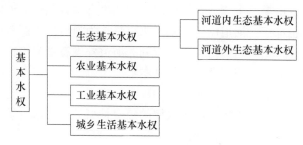

图 5-4　基本水权分类

　　所有基本水权的确定，除了河道内生态水权外，均需要考虑基本水权用户的界定以及其他水源综合利用的问题。基本水权用户的界定应以现状为基础，按照一定的规则如身份限制、规模限制等予以修正。其他水源的综合利用是指必须综合考虑区域内水资源的优化配置的问题，应确定一个引黄水比例。

　　2. 基本水权总供给量确定

　　由于越来越多的控制性水利枢纽工程的建设，黄河水资源的可调节性越来越强。根据典型年来水量可以确定黄河水资源的总供给[128]。

　　可以选用某一枯水年型来水作为基本水权总供给量。该年型来水在控制性枢纽坝下的流量过程线是该坝以下河段基本水权的分配依据，该过程线是结合了防洪防凌调度并尽量拟合需水流量过程线之后优化得到的。

基本水权总供给量的确定必须考虑河道防洪、防凌等功能的实现，水库水位必须遵从防洪和防凌需要，不能将因防洪防凌调度而必须的弃水计入基本水权总供给量。

3. 河道内外的生态基本水权需求

沙尘暴、沙漠化、水土流失、河道断流、湿地退化等生态问题越来越严重，黄河流域的生态建设非常重要；黄河的下游河床不断抬高，直接危及下游两岸人民的生命财产安全，确定黄河的减淤水权也至关重要。黄河取水权中的生态水权包括河道内与河道外生态水权，河道内生态基本水权是认为河道内生态有"取"水的权利，实质是"留"水的权利。河道外生态基本水权是指流域范围内维持生态平衡需要的基本水权。

生态基本水权中减淤水权的确定，主要通过科学研究，确定调水调沙需要的水权。减淤水权的确定是当前黄河水科学研究的难点和热点问题之一，尚没有公认的科学定论。

生态基本水权还包括湿地水权、河口基流水权等，它的确定与当前技术研究的热点——生态需水量研究紧密相关。在完全科学的研究结果出台之前，可以通过经验的方法确定。

4. 农业基本水权需求

黄河引水以农业引水为主，处理好农业水权问题，是建立黄河取水权体系的关键。在黄河上，农业引水以引黄灌区为主，因此农业水权问题突出表现为灌区水权。农业基本水权的主体主要是灌区，表现为灌区取水口水权。

农业基本水权确定主要按照作物耗水定额和农业种植面积。进行各灌区灌溉需水分析时，还要考虑以下参数：①灌溉面积；②降水量、有效降水量及气象资料；③作物种植结构；④地下水开采利用量；⑤作物根系利用的地下水量；⑥灌溉水利用系数；⑦土壤容重与田间持水率；⑧作物适宜土壤水分下限；⑨次灌水定额；⑩稻田渗漏量；⑪当地地表水资源等[129]。

5. 工业基本水权需求

工业取水权是指专门取水用于工业生产的用水，不包括购买自来水厂的商品水。工业用水基本水权需求按照工业用水定额和取用黄河水比例确定。工业基本水权的主体是工矿企业，表现为工业用水取水口水权。

6. 城乡生活基本水权需求

城镇生活基本水权按照人均用水指标和城镇规模、取用黄河水比例等因素确定。城镇生活基本水权的主体是供给城镇用水的自来水厂等城镇供水企业，表现为水厂取水口水权。

农村人畜基本水权按照人均用水指标和人畜数量确定，由于较为分散，数量较少，可以与灌区取水口水权相结合。

7. 取水口基本水权

所有的取水最终要通过取水口，对于单一功能取水口，如仅仅是灌区、城镇自来水厂、重要工业等取水口，则取水口基本水权的确定按照该类基本水权确定方法确定。如果是具有多功能(如既有农业也有工业等)的混合取水口，则按照各项基本水权相加，确定取水口的基本水权。

8. 基本水权总需求量

汇总各取水口基本水权，考虑水流传播时间和沿程损失，汇总确定控制性枢纽坝下的需水流量过程线。水流传播时间和水流沿程损失的精确计算需要科学技术的进一步发展。

9. 取水口基本水权确定

根据优化后的水量供给曲线和水量需求曲线，确定有效的水权供给量，然后还原到各取水口，即为能够满足的取水口基本水权。

当水库调蓄能力较强时，能够按照需要进行调度。当调蓄能力较差时，不能够完全按照需要进行调度，不能满足的部分不视为有效的水权供给；出现弃水时，弃掉的水量一般也不作为有效的基本水权供给，将它计入丰余水权的供给。因此，最终有效的基本水权是基本水权供给曲线和基本水权需求曲线的下包络线。

5.2.4.2　黄河丰余水权确定

用反推法确定丰余水权。通过水库调度满足基本水权，留足断面流量，反推算丰余水权。如图 5-5 所示，实际来水流量过程线与基本水权线之间的流量扣除规定的出口断面流量即为丰余水权流量。丰余水权可以根据取水权需求，利用水库调蓄调度能力实施调度。

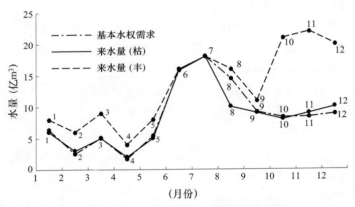

图 5-5　基本水权和丰余水权的确定和调度

5.2.5　区域水权及其作用

区域水权的作用主要是划定各省的水量宏观控制指标，它是流域取水权市场的控制性指标。超过区域水权指标取水的，应该自动启动区域间取水权转让机制，无论河中水多还是水少。

一般而言，区域内所有用户的基本水权总量小于区域水权宏观控制指标，区域内所有用户购买的丰余水权总量通常也不大于区域水权宏观控制指标与基本水权总量之差；但当某区域购买丰余水权较多时，会出现跨区域水权转让问题。

5.2.6　黄河取水权管理体系

黄河取水权基本管理体系可以分 4 个层次，分别是国家管理机构(黄河水利委员会)、各省管理机构、取水口管理机构、各基层水经营部门，其相应职责可界定如下：

(1)黄河水利委员会经国家有权部门授权，负责水量统一调度、河流取水口水价管理，代表国家行使防洪、减淤、生态等基本水权，负责黄河取水权市场的监管；黄河供水公司，经国家或黄河水利委员会授权，负责丰余水权的拍卖，水费收缴等。

(2)各省管理机构负责本省基本水权初始分配、本省水量指标的分配管理、干渠用水水价及各项收费管理。

(3)取水口管理机构负责本取水口服务范围内对基层水经营部门实施输水配水，搜集取水权供求信息，收取水费并上缴黄河水利委员会和省管理机构，同时作为市场的主体参与省或黄河水利委员会组织的水市场，进行取水权交易，组织干渠内的取水权交易，负责干渠的维护，其角色为二级经销商；当取水口为灌区、工厂、自来水厂的专门取水口时，其已经成为基层水经营部门，角色为终端用户代表。

(4)基层水经营部门包括城镇自来水公司、工厂供水公司、灌区管理处(农业用水者协会)等，负责本单位对所服务终端用户内部输水配水，直接收取终端用户水费，根据经营情况参与取水口内取水权交易；负责输水渠道维护，其角色为三级经销商或终端用户代表。基层水经营部门是黄河取水权体系中基本的用水主体。

基层水经营部门能够根据自己的经营情况和利润最大化的目的独立决定取水权的买入卖出，是理性的"经济人"，可以成为市场主体。

5.2.7　黄河取水权体系运作机制

5.2.7.1　技术前提

取水权体系的建立和运作要求如下技术支持：

一是河流与水库的科学精确调度，能够获得坝下流量过程线与各取水口处流量过程线的对应关系，对输水损失、水流传播时间等能够科学界定。

二是水情信息和用水信息及时共享，水文部门和水库管理者能随时提供水情信息，并且用户的取水权供求信息能够及时被其他用户共享。

三是科学计量，对各用户用水的计量应该科学精确。

总的来看，由于水文科学、网络信息技术、计量技术的迅猛发展，数字黄河工程的建设，上述要求逐步能够满足。本书第九章将专门论述数字黄河工程与黄河取水权市场。

5.2.7.2　取水权管理、取水权转让和取水权市场

取水权的提前或推迟使用问题。取用时间是取水权重要特征之一。由于农作物的生长期发生变化等原因，取水权所有者可能会要求提前或推迟使用取水权。由于取水权尤其是基本水权是根据水库对天然来水的调蓄之后确定的流量过程线分配的，引水时间的变化将可能影响水库的调度，并受到来水量的限制，因此取水权的提前或推迟使用，要根据水库调度情况和用户申请确定。

基本水权初始分配后的获得途径有两个：①通过取水权市场从其他基本水权用户处受让(永久和临时)；②以投资换取水权，用户投资于水资源开发、节约工程，获得相应取水权。如建设大坝，增加了用水保证率，可分配基本水权增多，可以根据投资等指标分配；或者投资于农村灌溉节水措施，获得节约下来的相应取水权，这也是取水权转让的主要内容之一。

基本水权可以在部门内转让和跨部门转让。鼓励节水设施的

使用，因节水而多出的取水权可以转让。鼓励转产或者调整种植业结构，由种植耗水型的粮食作物调整为耗水少的经济作物，由高耗水的工业转产到低耗水的产业，都予以支持鼓励。对于由于工厂倒闭等非节水方面的原因实施的取水权转让予以适当限制。取水权转让须备案或批准，以便于调度和控制。

基本水权终止。没有实际用水需要且一定年限内不永久转让的基本水权应予以收回。

建立基于互联网的取水权交易市场。利用互联网可以迅捷地沟通各用水户之间以及用水户和水管理者之间的信息，减少交易成本，及时促成取水权转让，通过水价调节取水权供求。关于取水权市场的论述详见第六章和第七章。

用户应急用水可以临时购买其他人的取水权，也可以申请购买水库内的存水。动用水库内存水可以作为平抑水价的调节手段。只有紧急状态下才能动用生态用水。

建立协调机制。由于水可替代性很小，对于生产、生命、生态的意义重大，因此必须建立协调机制，设立水法庭、仲裁机构等专门机构协调出现的用水矛盾。

5.2.8　对黄河下游干流取水权分配的具体设想

黄河河情复杂，管理体制复杂，在全河建立统一的取水权运作体系有较大难度。但由于：①黄河下游主要是悬河地段，汇流较少；②有小浪底和三门峡枢纽的控制调节；③下游引黄多属典型的非回归性引水；④下游断流与无序引水有一定的关系，取水权问题较突出，因此在黄河下游建立取水权体系更加迫切，也更具有可操作性。下面是对黄河下游干流取水权分配的具体设想[106]。

5.2.8.1　基本水权初始分配

基本水权主要是为保证基本生活、生产、生态用水，作为枯水年水资源配置的基础。取水权初始分配的过程如下：

(1)根据黄河多年水文资料和水库兴利库容、下游用水保证率等确定某一枯水年型的来水量作为基本水权可分配水量。在结合防洪、防凌、减淤等水库调度的情况下绘制该水平年小浪底坝下流量过程线，即可分配基本用水流量过程线。

(2)确定取水权用户及优先级。基本水权用户以现状用水户为主，可以根据具体情况由国家通过政治协商制定一些修正条款对用水户进行增减。根据黄河下游的情况，人类生活和生态基本用水首先予以保证；其次是重要工业企业的基本生产用水；农业尤其是农作物关键生长期、重点灌区基本用水。农业内部和工业内部还可以根据重要性确定优先次序。

(3)确定取水权定额。基本水权根据科学制定的定额、标准确定。定额是在现有的社会正常的生产生活条件下、在社会平均的节水技术水平下的耗水量或取水量。农业灌溉有定额，工业有设计水量，城市有人均用水标准，而且用水都有时间、地点、取水方式、取水强度等要素。冲沙、生态用水定额根据国家相应规范和黄河实际，由黄河水利委员会结合国家环保部门制定相应用水定额。

(4)取水权申报。用户申请基本水权，可以在定额以内，但不可以超过定额。申报项目包括：总取水量，其中黄河取水量、用水定额、时间、地点、取水方式、取水强度、重要性等。

(5)取水权核定。根据用水定额和取用黄河水比例，结合用水依赖度进行修正，计算得出各用户基本水权核定量。冲沙生态用水由黄委根据有关规定核定。按照上述原则核定的各用户的基本水权水量，考虑输水损失定额和水流时间，汇总确定取水口处的用水流量过程线。根据各取水口的用水流量过程线，考虑输水损失和水流时间，汇总确定小浪底坝下总用水流量过程线。

(6)确定有效满足的可分配基本用水水量。根据水库对天然来水的最优调度，确定坝下总用水流量过程线中不能满足的水量，得出有效满足的可分配基本水权流量过程线。该线与优化调蓄后的可分配基本用水流量过程线同图绘制，确定取水权的分时供需状况。

(7)考虑地区公平问题，根据国务院分水方案确定的水量分省分配指标比例和有效满足的可分配基本水权水量，确定各省基本水权限额。

(8)各省在限额内按照优先级原则确定本省内各用户基本水权。

(9)遇特枯年份，各用户享有的基本水权同比例缩减或按照优先级确定不同的缩减比例。

5.2.8.2　丰余水权配置

建立丰余水的取水权分配制度，旨在通过取水权的拍卖、转让、租赁等，发挥价格杠杆的作用，引导水资源配置到经济效益高的地方。

丰余水可供水量是指基本用水水量以外的来水，与天然来水有关，具有随机性。但根据水文预报和水库调度，可以预测本月、本旬的可分水量。丰余水用户不受任何限制，用水也不考虑定额问题，但用水须向黄委申请购买。丰余水权受省际分水指标限制，各省每年初应该根据本省分水指标(多年平均量)对各用户规定用水限额，在实际取水时，用水超出限额后开始交取水权转让基金。年度结束后根据实际来水将用水指标同比例增减，对用水进行再结算，多退少补。

如果符合基本水权核定条件但在初始分配时未能全部满足的用水，则丰水时首先满足这些申报要求，可以通过合同的形式建立次级的基本水权，其收费采取基本水权价格。超出基本水权的水量实行市场决定价格的原则。黄河水利委员会每月初根据上月水库调度情况和本月天然来水预测，以及根据各用户申请的本月用水计划，进行水量竞价拍卖。

5.3　黄河取水权的运动过程

5.3.1　取水权的运动

取水权的运动遵循权利和义务相统一、交换价值与权利内容相一致的原则。不能在运动过程中出现取水权的交换价值与权利内容不相对应的情况[37]。

(1)水资源所有权是其他权利的起点和基础。为了满足水资源开发利用的实际需要，水资源所有权的代表者——中央政府授权各流域机构在与区域政府进行充分协调论证的基础上，根据可配置水资源总量和环境容量，同时兼顾区域人口、环境、资源、经济等多方面因素，对流域水资源进行区域间的取水权分配，分水方案经国务院批准后，完成了流域水资源所有权在相关区域内进行授予的程序，区域便有了确定的取水权，而中央政府(或授权流域机构)保留对水资源进行宏观管理、监控、协调和统一调配的权力。目前，我国许多河流没有明确的取水权分配方案，区域权益没有得到具体划定和明确，因此尚缺乏取水权有偿转让的前提，水资源的调出和调入是通过上级政府的行政手段来实现的，属行政调配。黄河尽管有国务院分水方案，但可操作性较差，取水权的流转仍然属于行政调配。

(2)各省级政府按照所授予的取水权份额，进行区域下一层次的分权。区域是否有权进行下一层次的授予，其权力来自于上一级政府的授权。是否应该进行下一层次的授予，由上一级政府根据水资源管理的要求和水资源分布状况等，从有利于水资源管理、开发、利用的角度出发依法进行决策。在下一层次的授予过程中，上一级政府保留了在管辖区内进行宏观管理的权力。因此，下一级政府的支配权一定程度上受到上一级政府的约束。目前，我国还没有取水权分配的明确的制度,地区内水资源管理基本属于行政配置。在黄河上,省级水权可以被分配给各取水口,作为宏观控制指标。

(3)不同内涵权力的分散化授予。拥有一定的水资源支配权的政府为适应使用权的分散化要求,通过办理取水许可和交纳水资源费制度安排而使之得到实现,取水户得到水使用权,不同的用水户通过交纳不同的权益转让费得到不同的水使用权。政府在水使用权的出让过程中,保留了与所有权拥有者相适应的对水资源使用、流转、外部性消除等提出要求并实施监控的权力。

(4)取水权拥有者根据拥有权利的不同程度,可以通过转让转移权利和对等义务。

(5)取水权拥有者向水资源中注入人类劳动,通过销售使之转化为商品。

5.3.2　黄河取水权运动过程

5.3.2.1　黄河取水权中基本水权的运动过程

黄河取水权中基本水权的运动过程如图 5-6 所示。

根据 2002 年《水法》,黄河水资源国家所有,水资源的所有权由国务院代表国家行使,因此国务院即中央人民政府有分配黄河取水权的最终决定权。

根据国家管理黄河水资源的需要,中央人民政府可以通过法律授权流域机构即黄河水利委员会代行部分所有权权能,以及拥有相应的分配权、监督管理权权能。

流域机构组织沿黄各省协商分配基本水权份额,各省拥有相应的区域水权权能,根据管理的需要可以适当放权,也可以适当收权。

在特殊情况下,中央可以直接授权各省拥有区域水权相应权能。

各省根据沿黄各地区情况,分配取水权份额给各行政区和各大工矿企业,表现为各取水口基本水权。

各取水口基层水经营部门获得基本水权后，有权在规定范围内进行使用、加工、运输、出售。黄河水变成水商品，到了最终用户手中。

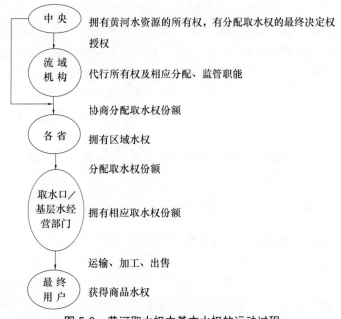

图 5-6 黄河取水权中基本水权的运动过程

5.3.2.2 黄河取水权中丰余水权的运动过程

同上，国务院拥有黄河水资源的所有权，有分配取水权的最终决定权。根据法律规定，国务院授权流域机构代行部分所有权权能。

对于丰余水权，流域机构可以根据有关规定，报国务院同意后，授权给黄河供水公司或类似部门，专门从事黄河丰余水权的拍卖、销售等经营工作，但流域机构保留调度、监管等权能。黄河供水公司必须承担向流域机构或国务院指定的机构交纳经营费用，并遵守黄河防洪等调度规则等义务。

黄河供水公司根据授权拥有黄河水资源丰余水权的经营权利，它通过拍卖、出售等行为，将丰余水权转移到各取水口，各取水口交纳有关费用后，获得丰余水权的使用权。

各取水口基层经营部门将获得的丰余水权进行加工、运输、再出售，在收取了相应费用后，丰余水权的使用权到了最终用户手中。

黄河取水权中丰余水权的运动过程如图 5-7 所示。

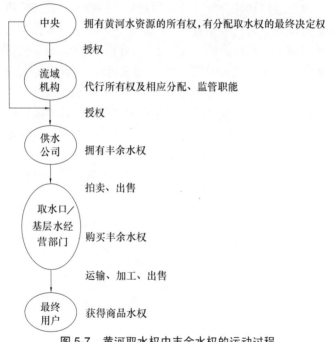

图 5-7 黄河取水权中丰余水权的运动过程

5.4 本章小结

本章主要研究黄河取水权体系。

　　简述了我国古代取水权制度以及现代取水权制度；描述了黄河取水权的历史沿革，并简要分析了现行黄河取水权制度。认为现行黄河水资源的配置以行政配置为主，表现在不可转让的取水许可。

　　对黄河水资源使用情况进行分析，探讨其特点，提出了建立取水权体系的目标、指导思想和基本原则；提出黄河取水权体系的基本构架可以分为基本水权和丰余水权两个层次。根据黄河流程长、自然地理和社会经济分布相对分段的特点，黄河干流取水权体系可以划分为三个相对独立的取水权体系进行运作。对黄河基本水权和丰余水权的确定进行研究；分析了区域水权及其作用；建立了黄河取水权管理体系，包括国家管理机构(黄河水利委员会)、各省管理机构、取水口管理机构、各基层水经营部门等4个层次；探讨了黄河取水权体系运作机制，包括其技术前提以及取水权管理、取水权转让和取水权市场等内容；从可操作性角度对黄河下游干流取水权分配的具体方法进行了研究。

　　分析了取水权的运动过程，分别探讨了黄河基本水权和丰余水权的运动过程。

第六章　黄河干流区域间
取水权市场

为便于章节安排，突出重点，黄河取水权市场将分两章进行探讨。在第六章研究流域内区域间取水权市场，由于该类市场是黄河取水权市场的主体，将分为黄河基本水权市场和黄河丰余水权市场两部分研究；在第七章研究灌区取水权市场、行业间取水权市场(以农业水权农转非市场为代表)和跨流域取水权市场(包括对外流域调水和南水北调两个方面)。

6.1　黄河取水权市场的研究框架

6.1.1　黄河取水权市场分类

根据不同的分类方式，黄河取水权市场可以分为不同的取水权市场类型：

(1)按照取水权的基本类型划分，可以分为基本水权市场与丰余水权市场。所谓基本水权市场，是指市场交易的对象是基本水权；丰余水权市场是指市场交易的对象是丰余水权。

(2)按照是否跨流域划分，可以分为流域内取水权市场和流域间取水权市场。流域内取水权市场是指取水权交易限定在流域之内。流域间取水权市场是指取水权交易发生在流域之间，也称跨流域取水权市场。

(3)按照是否跨区域划分，可以分为区域间取水权市场和区域内取水权市场。区域内取水权市场是指取水权交易限定在区域之内。区域间取水权市场是指取水权交易发生在区域之间。

按照区域的行政级别划分，可以分为省际和省内取水权市场、市际和市内取水权市场、县际和县内取水权市场等。研究黄河取水权市场时，本书着重关注省际和省内取水权市场。

(4)按照是否跨行业部门划分，可以分为行业间取水权市场和行业内取水权市场。所谓行业间取水权市场是指取水权交易发生在不同行业用户之间，农业水权的农转非市场是主要表现形式。行业内取水权市场是指取水权交易发生在本行业用户之间。

(5)按照市场分级原则划分，可以分为黄河取水权一级市场、二级市场、一级半市场和三级市场。

①黄河取水权一级市场：取水权从无偿划拨到有偿使用的转变(取水权初始分配)。交易中，出让方是黄河水资源所有者人民政府，受让方是黄河取水权使用者，包括黄河基本取水权初始分配用户和黄河供水公司。

②黄河取水权二级市场：已经进入市场的黄河取水权整体转让形成了黄河取水权二级市场。这种转让一般发生在黄河取水权使用者之间，最显著的表现形式是黄河基本取水权在用户之间转让。

③黄河取水权一级半市场：严格说来，黄河丰余水权在黄河供水公司和水用户之间的转让属于二级市场的范畴，但是，由于黄河丰余水权的拍卖、出售、转让主要发生在黄河供水公司到水用户方向，黄河丰余水权市场基本属于垄断市场，且黄河供水公司的供水行为一般也不完全是向政府买断黄河水资源经营权的纯粹商业经营行为，往往具有半官方的性质，因此水用户向黄河供水公司或类似黄河水资源管理、经营部门购买取水权的市场，本书将之定性为一级半市场，以与取水权初始分配的取水权一级市场以及水用户之间存在的取水权二级市场相区别，便于研究讨论。

④黄河取水权三级市场：黄河取水权有偿部分转让(如抵押、担保、租赁等)属于取水权三级市场，一般在取水权用户与他人之

间。最常见的情况是黄河基本取水权用户或黄河供水公司针对取水权进行抵押贷款，银行得到他项权利证书，用水户的取水权市场交易受到了限制，即丧失了部分权利。

以上分类中，区域与流域是相互交叉的，区域内取水权交易可能发生在流域之间，也可能发生在流域之内；区域之间取水权交易也如此。同样，流域间取水权交易可能发生在区域之内，也可能发生在区域之间；流域内取水权交易也如此。就黄河而言，本书着重关注的是流域内区域间的取水权交易，对跨流域取水权交易也加以适当关注。

灌区取水权市场既是一类特殊的区域内取水权市场，也是一类特殊的行业内取水权市场。它是指在灌区这个特殊区域之内、农业本行业用户之间的取水权交易市场，也可以称为灌区内水市场或灌区水市场。

取水权市场分类详见图 6-1。

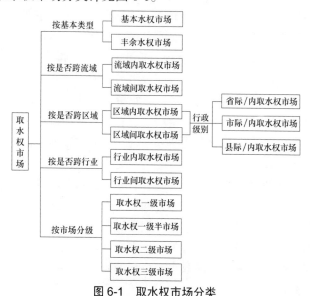

图 6-1 取水权市场分类

6.1.2　黄河取水权市场的研究框架

黄河取水权市场的内容很多，本书将主要在第五章建立的黄河取水权体系的基础上，以基本水权市场和丰余水权市场为主要研究内容，探讨黄河干流区域间取水权市场、行业间黄河取水权市场以及跨流域黄河取水权市场。根据实际，黄河干流区域间取水权市场最可行，也最迫切需要。因此，关于黄河取水权市场的研究将主要探讨黄河干流区域间取水权市场，同时为完善整个黄河取水权市场体系，对行业间黄河取水权市场和跨流域黄河取水权市场也将进行专门研究。

黄河干流区域间取水权市场运作是以黄河干流行政区域之间取水权交易为内容的，表现为取水口之间的取水权交易，从地域范围来看，属于宏观的范畴；从黄河水资源的使用流程看，属于上游用户之间的交易。但干流区域间取水权市场需要微观范畴的下游用户的取水权市场作为支撑，该类取水权市场主要是灌区水市场。因为市政取水权和工业取水权实现之后，迅速转化为商品或参与生产、形成产品，能够保持取水权形态的惟有灌区取水权。另一方面，黄河水资源的高效配置将最终表现为水资源在利用效益较低的地方被节约使用，转让给水资源利用效益较高的地方，实现双赢；从黄河水资源的使用现状看，主要表现在黄河灌区的节水和水权转让。基于上述两方面的原因，研究灌区水市场也是非常必要的。

跨流域的黄河取水权市场主要研究外流域获取黄河取水权问题。但作为影响黄河水资源配置的重要因素——南水北调工程，它的实施将对黄河取水权市场产生深远的影响，因此南水北调水权市场与黄河取水权市场的关系也需要探讨。

综上所述，本书黄河取水权市场的研究框架如图 6-2 所示，图中粗框代表主要研究内容。

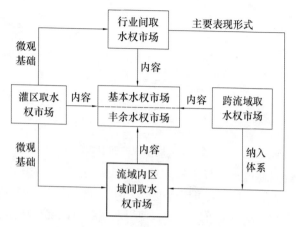

图 6-2　黄河取水权市场研究框架

6.2　黄河取水权的可交易性

建立取水权交易市场，首先需要回答的问题是黄河的取水权是否可以交易。本节就黄河取水权可交易性进行探讨。

6.2.1　黄河取水权的界定

从黄河干流取水，取水权可以定义为取水户在特定要求下取用黄河水量的权利，根据取水权的内涵不同，其特定要求包含的内容也不同。一般而言，取水权有四个主要要素：取水量、取水时间、取水地点和取水人。这四个要素也是影响取水权可交易性的四个约束条件。如图 6-3 所示，按照对交易限制的约束程度由强到弱的顺序，分别是特定的时间和特定的地点、特定的水量、特定的取水人。取水许可是取水权的一种，是内涵限制最多的一种，它的特点包括上述所有四个方面的约束。

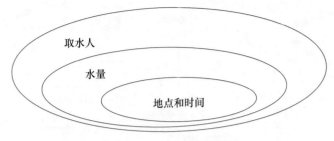

图 6-3　取水权的四要素

　　水资源通过水市场进行配置，要求取水权对上述约束进行削减。首先是允许取水人可以改变，这是取水权交易的起码要求。其次是允许取水权数量可以改变，使得取水权可以部分转让。再次，允许取水地点可以改变，这使得异地的取水权转让成为可能。最后，允许取水时间可以改变，这使得不同时间的取水权可以转让。

6.2.2　黄河取水权的时效性

　　取水权与一般商品不同，只是一种用益权利，如果在确定的时间内不行使，就会失去获益的权利，甚至还要为之支付成本，这称为取水权的时效性。取水权具有时效性使得取水权交易在黄河水资源经营部门与水用户之间难以逆向展开，即用户不能或很难将取水权转让给黄河水资源经营部门，因为取水权不行使，黄河水资源经营部门就可以无偿获得该取水权。该性质的优点在于增加了交易的风险，限制了用水户利用取水权进行投机获利的行为，使用水行为与实际需要相吻合；缺点在于由于阻止了用水户待价而售，使得取水权属于不完全商品，当取水权成本较低且无转让机会时，用户倾向于用水而不倾向于节水。

6.2.3　黄河取水权的私人物品性质

　　取水权是否能够通过市场配置，取决于取水权是否是经济学上被称为的私人物品。所谓私人物品，是指该物品满足以下条件[117]：A. 消费的竞争性；B. 消费的排他性；C. 生产和消费都是可分的。

根据黄河取水权的特点，取水权满足条件 A，非严格意义上也满足 B 和 C。对特定的取水权的消费是竞争性的，甲消费后乙就不能同时消费它，满足条件 A。如果甲取水用于消费，则乙一般情况下不能得到该取水的利益。但由于水的流动性、渗透性、地表地下一体性，如果甲取水用于灌溉，则邻地乙也能够获得收益；同样如果甲改变用水惯例，中断取水行为，邻地乙则遭受损失。但这属于较深层次、间接的问题，与外部性有关。在分析黄河取水权的市场化问题时，该种影响暂可以忽略。因此说，非严格意义上也满足条件 B。取水权的可分性是显然的，它可以按照流量进行分割，条件 C 也是满足的。

因此仅从私人物品的上述三个特点进行分析，黄河取水权的性质接近于私人物品，在一定条件下是可以通过市场进行交易的。

取水权虽然具有私人物品特性，但只限于私人物品概念本身进行的探讨。下面从整个水权的相互联系方面探讨取水权的外部性。

6.2.4 黄河取水权的外部性

外部性是指个人的效用函数的自变量中包含了他人的行为，外部性包括正的外部性和负的外部性。正的外部性是指引起他人效用的增加而受益者并不增加支出或成本；负的外部性是指个人获得经济利益时，不支付代价而增加了他人的支出或引起效用降低。外部性的存在，导致市场机制配置资源的扭曲。

取水权是水权权利束中的其中之一。与取水权联系紧密的是关于水体使用的权利，如在排污权不变时取水权的转移将导致水质的改变，还会引起渔权、水上旅游权等的变化；又如取水权的转移将改变河道中不同河段的流量，也将影响到冲沙减淤的效果。也就是说取水权的转移有其外部性，总有他人从取水权转让中获益而无须支付成本，或者受到损失而无法得到补偿。

取水权交易的外部性主要包括对河道内的影响和对河道外的影响。

6.2.4.1 河道内影响

河道内影响包括：

(1)取水权异地转让导致水权水量的增减，即不同地点的取水权水量因流程不同而发生变化，顺向转移将发生水量损失，逆向转移水量可能有所增加。但对于量的变化多少尚不能精确确定。

(2)取水权的异地转让，会导致特定河段的流量发生变化，主要是取水户之间河段的流量变化，即当上游甲水权转移到下游乙时，甲乙之间河段流量在取水权发生时段会增加。反之将减小。流量的变化对于河流径流承担的其他任务将发生影响。一是对减淤的影响，流量减小时，水流挟沙能力降低；二是对纳污能力的影响，流量减小时，水流纳污能力降低，水质将下降，影响下游取水权人的利益；三是对河势控导的影响，水流流量的变化将导致水沙条件变化，导致河流的冲淤变化，不利于河势控导。

(3)异地水权转让的水权时间发生改变。该部分取水权针对的水量的流动有一个演进时间。

(4)当取水权异时转让时，将可能导致取水时没有充分的水量供取用。河流的径流随时间而变化，A 时的取水权如果到 B 时行使，则可能导致 B 时无水可取。或者取水导致流量变化，形成对上述提到的减淤、纳污、河势控导(在黄河上不涉及航运、渔业等)等工作的不利影响。

6.2.4.2 河道外影响

河道外影响包括：

(1)取水户转让取水权，导致所在地方地下水位的降低，其他居民的利益受到损失；或者其他用水户由于不能享受到该取水户取水获得的间接利益而受到损失。

(2)取水户获得取水权,导致所在地方地下水位上升,影响其他居民的生产生活。

河道外影响尽管是复杂的,但总体看来对取水权交易的影响相对较小。取水权转让的最大的外部性来自对河道内的影响。主要是:①异地转让对径流和水权自身的影响;②异时转让对径流和水权自身的影响。

上述外部性的具体制约因素主要表现在:

(1)异地转让是否可行。顺向转让一般问题不大,因为增加了水在黄河河道内流动的时间,但存在一个水量损失的计量问题;逆向转让不存在水量损失,但存在减小河段径流问题。

(2)异时转让是否可行。水权异时转让取决于径流调节能力。调节能力的大小与黄河的治理开发水平有关,如果建设的控制性水库工程多,调节径流的能力就强,水权异时交易所受限制就小。

6.2.5 黄河取水权市场的有效性

影响取水权市场有效性的因素主要有:竞争程度、信息充分程度、市场供求调整的时滞以及交易成本。

6.2.5.1 不完全竞争

不完全竞争是指尽管市场可以被建立,且物品也是竞争和排他的,然而一个或少数优势企业也许会通过创造或利用进入障碍控制市场,索取高于边际成本的价格,从而将成本强加于用户。

黄河取水权市场主要是用户与黄河经营管理部门(或黄河供水公司)之间存在的一级半市场和在各用户之间存在的二级市场。取水权一级半市场接近于垄断市场,取水权二级市场接近于自由竞争市场。一级半市场由于属于垄断市场,将影响取水权市场配置效率,建立取水权市场必须克服该因素的制约。根据垄断市场的特点,对取水权一级半市场必须进行管制,限定供水企业的价格和利润空间。

6.2.5.2　不充分信息

市场可能无效率的另一个原因是买卖双方没有得到某方面市场信息，从而作出了使一种商品供给过少或过多的决策。买者可能有错误的价格、质量或商品和服务可获性的信息，卖者也许并不能确定消费者的偏好。另外，买卖双方都需要获取、评价和使用信息，但信息也许是不正确、不完全的。

取水权市场的信息获取有其自身的特点。取水权一级半市场供给信息的发布者在国家授权的黄河水资源经营管理部门，一级半市场的需求信息来自各用水户；取水权二级市场的供求信息的发布者都是水用户。取水权信息的获取和发布渠道如果不畅通，那么不充分信息将可能使市场运转不灵，甚至无法运转。

克服不充分信息因素的策略是建立信息沟通渠道。在互联网高度发展的当今社会，建立全流域的水权供求信息交换场所是可能的。"数字黄河工程"的建设使它具有现实基础。

6.2.5.3　市场供求调整时滞

市场可能对条件的变化反应迟钝，供给和需求通常并不是瞬间发生的，可能需要长时期才能增加或减少供给和需求。

一般而言，取水权永久转让的供求时滞是较长的。取水权二级市场中基本取水权的永久转让供给和需求的发生都需要较长时间，长期合同取水权的供给与需求的发生通常也需要较长时间。当市场上基本取水权价格上升时，拥有基本取水权的用户有动力实施节水，转让其部分基本取水权，但实施节水的过程不是短时期内能够完成的，建设节水设施、调整产业结构都需要较长的时间。当市场上基本取水权价格下降时，潜在用水户有动力购买一定数量的基本取水权用于生产，如发展新的灌区，建设新的工厂，等等。但发展灌区、建设工厂同样需要较长的时间。

取水权临时转让的供求时滞较短。如由于某年雨水多，某灌区不需要行使取水权，它可以将该取水权挂牌出售；同样，若某灌区某年遭受罕见旱灾，那么它可以应急购买取水权。

一定的取水权供求时滞是市场调节水用户经济行为的必要时间，现实生活中的节水意识培养、节水设施建设、产业结构调整客观上都需要必要的时间。时滞因素对取水权市场的有效性影响是正常的。

6.2.5.4　交易成本

在取水权市场中，交易成本主要包括：取水权界定和保护、获取供给和需求信息、判断信息的质量、选择谈判对象、确定取水权价格、进行取水权交割。

取水权界定和保护成本。取水权市场有效的前提是取水权能够得到界定和保护。取水权的界定和保护取决于有权人的能力和交易环境。如果有权人能力有限，交易环境差，不能形成规范的交易秩序，就不能保证取水权能够得到安全行使。有权人的能力主要是保护取水权排他性的能力，是与强制力有关的。交易环境的创造和培育一方面需要政府出面，实行法制；另一方面，也与社会意识形态有关系。总的看来，取水权界定和保护成本应由政府或其授权部门承担。

获取信息、判断信息质量以及选择谈判对象的成本。在网络诞生之前，形成全流域跨省区的取水权信息获取平台，因其成本高昂而不可能建成。但随着信息社会的来临，互联网络的高度发展，数字黄河工程的建设，使信息网络平台的建设成为可能，获取、判断及选择成本大大减少，取水权网上交易市场变成了可能。出于培育市场的要求和公益事业的需要，信息基础设施的建设成本由政府承担，网络使用的成本由用户承担。

谈判达成协议形成价格的成本。一般而言，价格主要通过供求实现。但对于取水权市场价格，根据取水权市场的特点和建设取水权市场的目的，国家可以分类制定指导性价格，也可以实施价格管制措施，但以保证市场的活力和实现市场公正为原则。发现价格的成本由政府承担主要部分,由供求用户双方承担一部分。

　　取水权转移即市场实现交割的成本。取水权不同于其他商品,其异地转让、异时转让的交割都需要黄河管理部门的调度。调度成本是交割成本的主要部分。具体交割费用如手续费、调度费等,由用水户承担。

6.2.6　提高黄河取水权可交易性的对策

　　从上文分析来看,提高黄河取水权的可交易性可采取以下措施。

6.2.6.1　实现黄河取水权的统一管理

　　取水权的授予、实现、转让都必须由相应机构居间运作。这种机构必须是有权的、公益性的、公正的、高效的。因此,必须建立黄河流域管理机构,由中央政府授权拥有黄河取水权的授予权、统一调度权、取水权交易的监管权。统一调度权和监管权要求专门机构能够控制各个取水口。

　　该措施是创造市场交易条件、培养市场环境的主要措施。

6.2.6.2　建立市场信息化平台

　　信息获取的快捷、低成本是市场有效的基本条件。网上水权交易市场是数字黄河工程的重要组成部分,因此必须加快数字黄河工程的建设。

6.2.6.3　科学精确调度

　　取水权异地转让中时滞问题的解决,主要依赖黄河径流演进精确计算技术的发展。调度技术能力是调度能力之一,精确的径流行进过程模型是取水权交易的要求。如何结合水情,在调度取水权时结合黄河的其他水量要求,如防洪、防凌、减淤、水生态建设等,这些都要求对自然黄河的精确掌握和良好控制。

6.2.6.4　径流调节能力建设

　　提高黄河的径流调节能力是实现黄河水市场的重要基础工

作，径流调节能力是调度能力之一。径流调节能力越强，取水权交易的范围就越宽，取水权异地和异时转移的限制越小。因此，加快流域梯级开发和控制性枢纽工程建设是必要的。应该说，当前黄河已经有了较强的径流调节能力，尤其小浪底水库的建成，下游水量调度能力很强，已经具备了建设取水权市场要求的径流调节能力。

6.2.6.5 精确计量——取水计量和水量沿程损失计算

作为市场交易，精确水量计量是内在要求。水量沿程损失精确计算和取水口水量精确计量都要求水利科技研究能够取得突破。

结合黄河实际，水量损失问题可以有两种处理方式：①依靠科学技术发展，通过研究计算，可以建立一个经验系数公式，以确定不同时间、不同距离、不同河段的水量变化系数；②从河道生态用水以及鼓励水权转让的角度出发，假定径流从上游到下游流动过程中的蒸发散失是河道生态用水，不计算取水权转让水量损失。

6.3 黄河干流区域间基本水权市场

6.3.1 市场性质和市场主体

黄河干流区域间基本水权市场，主要指存在于基本水权用户之间的市场(属于二级市场)。从形式上看，二级市场中的基本水权市场属于自由竞争类型市场，本节着重研究此类市场[134,135]。

基本水权的市场主体是基本水权拥有人(供方)和基本水权需求人(需方)；在完成基本水权的初始分配之后，各类用户一般都成为基本水权的拥有人，也都成了潜在的基本水权供给者，当各自的利益函数满足一定条件时，就成为基本水权的供给方；各类用水机构都是潜在的基本水权需求者，当其利益需要时，就成为基本水权的需求方。

由于黄河区域间取水权市场主要表现为各取水口之间的取水权交易，因此二级市场中的基本水权市场的市场主体主要是各取水口法人，供给者是转让基本水权的取水口，需求者是受让基本水权的取水口(包括新开辟的取水口)。

由于基本水权的管理方是国家授权的河道管理部门(黄河水利委员会)，因此一级市场中的基本水权的供给方是政府授权的河道管理部门，需求方是各取水口法人。

6.3.2 需求分析

各取水口作为其服务对象的供给方和取水权市场的需求方，是水资源从河道到最终用户的中间经营商。其行为方式是经济人的理性行为方式，其原则是利益最大化。

基本水权在初始分配之后，各取水口作为水权需求方的收益函数 B 为

$$B=B_1+B_2 \tag{6-1}$$

$$B_1=\Delta PQ_1-C_1=(P_1-P_2)Q_1-C_1 \tag{6-2}$$

$$B_2=(P_1-P_2-P_0)\,\Delta Q-C_2=(\Delta P-P_0)\,\Delta Q-C_2 \tag{6-3}$$

式中　　B——取水口净收益；

B_1——取水口固有基本水权部分的收益；

B_2——取水口受让基本水权部分的收益；

ΔP——水价差额，是指从河道购买黄河基本水权的价格 P_2(全水价)与出售给口内用户的价格 P_1 之差；

P_1——出售给口内用户的价格；

P_2——从河道购买黄河基本水权的价格 P_2(全水价)；

Q_1——基本水权取、供水总量；

C_1——基本水权取、供水成本，包括购水和售水的各类投

资和费用；

P_0——受让基本水权的水权价格；

ΔQ——受让的基本水权水量；

C_2——受让基本水权的取、供水成本，包括购水和售水的各类投资和费用。

根据上述收益函数，作为基本水权需求方的取水口，其纯收益取决于 B_1 和 B_2 二者之和，在固有基本水权不变的情况下，其纯收益大小主要取决于 B_2。

对于 B_2 的分析：

首先，必须满足 $P_0 < \Delta P$；

其次，还要满足 $(\Delta P - P_0)\Delta Q > C_2$；

再次，假定 C_2 变动可以忽略不记，取水口对外部基本水权的需求数量取决于 $(\Delta P - P_0)\Delta Q$ 的走向，一般而言，P_0 与 ΔQ 存在如图 6-4 所示的负相关关系，当 P_0 增加时，对之需求将逐步减小；由于当 P_0 增加时，假定 ΔP 不变，则 $\Delta P - P_0$ 逐步减小。因此，可以肯定地得出，当 P_0 增加时，$B_2 = (\Delta P - P_0)\Delta Q - C_2$ 将逐步减小，从而 B 将逐步减小，其关系如图 6-5 所示。该曲线比 P_0 与 ΔQ 的关系曲线要更陡峭。

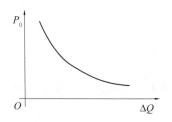

图 6-4　取水口基本水权
需求曲线

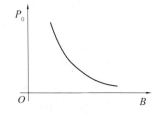

图 6-5　基本水权交易价格与
取水口收益关系曲线

P_0 与 ΔQ 的关系即基本水权需求曲线，如图 6-4 所示。

从整个流域来看，基本水权市场面临的需求曲线是所有单个

取水口需求曲线的加总。如
图 6-6 所示。

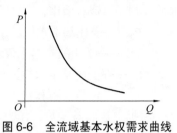

6.3.3　供给分析

　　基本水权供给方的收益函
数为

图 6-6　全流域基本水权需求曲线

$$B=B_1 - B_3+B_0 \qquad (6\text{-}4)$$
$$B_1=\Delta PQ_1 - C_1=(P_1 - P_2)Q_1 - C_1 \qquad (6\text{-}5)$$
$$B_3=(P_1 - P_2)\,\Delta Q \qquad (6\text{-}6)$$
$$B_0=P_0\Delta Q \qquad (6\text{-}7)$$
$$B=B_1+(P_0 - \Delta P)\,\Delta Q \qquad (6\text{-}8)$$

式中　B——取水口净收益；

　　　B_1——取水口固有基本水权部分的收益；

　　　B_3——取水口转让基本水权而减少的收益；

　　　B_0——取水口转让基本水权而获得的补偿收益；

　　　ΔP——水价差额，是指从河道购买黄河基本水权的价格
　　　　　　P_2(全水价，含水权价格和水价格，下同)与出售给
　　　　　　口内用户的价格 P_1 之差；

　　　P_1——出售给口内用户的价格；

　　　P_2——从河道购买黄河基本水权的价格(全水价)；

　　　Q_1——基本水权取、供水总量；

　　　C_1——基本水权取、供水成本，包括购水和售水的各类投
　　　　　　资和费用；

　　　P_0——转让基本水权的水权价格；

　　　ΔQ——转让的基本水权水量。

　　根据上述收益函数，作为基本水权供给方的取水口，其纯收
益取决于 B_1 和 $(P_0 - \Delta P)\,\Delta Q$ 二者之和，在固有基本水权不变情况

下，其纯收益大小主要取决于$(P_0-\Delta P)\Delta Q$。

对于$(P_0-\Delta P)\Delta Q$的分析：

首先，必须满足$P_0 > \Delta P$；

其次，假定B_1变动可以忽略不记，取水口对外部基本水权的需求数量取决于$(P_0-\Delta P)\Delta Q$的走向，一般而言，P_0与ΔQ存在如图6-7所示的正相关关系，当P_0增加时，对基本水权的供给将逐步增加。由于当P_0增加时，假定ΔP不变，则$P_0-\Delta P$逐步增加，故可以肯定地得出，当P_0增加时，$(P_0-\Delta P)\Delta Q$将逐步增加，从而B将逐步增加，其关系如图6-8所示。该曲线比P_0与ΔQ的关系曲线要更陡峭，即增加得更快。

P_0与ΔQ的关系即基本水权供给曲线，如图6-7所示。

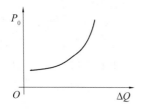

图 6-7　取水口基本水权
　　　　供给曲线

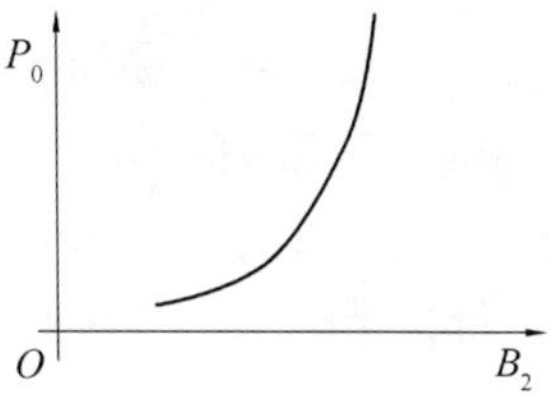

图 6-8　基本水权价格与取水口
　　　　收益关系曲线

从整个流域来看，基本水权市场面临的供给曲线是所有单个取水口供给曲线的加总。如图6-9所示。

6.3.4　市场供求均衡

根据基本水权市场的需求曲线和供给曲线，供求均衡过程如下。

如图6-10，当基本水权价格为p_1时，需求量为q_1，供给量为q_2，$q_2 > q_1$，供过于求，则价格将下降；

当基本水权价格为p_2时，需求量为q_3，供给量为q_4，$q_3 > q_4$，供不应求，则价格将上升；

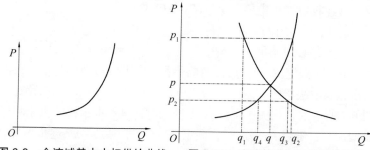

图 6-9 全流域基本水权供给曲线　　图 6-10 流域基本水权市场的均衡

当基本水权价格为 p 时，需求量为 q，供给量为 q，供求平衡，实现了供求均衡，p 为均衡价格，q 为均衡基本水权量。

6.3.5 基本水权交易步骤

黄河基本水权市场的交易步骤主要包括以下 3 个部分：

(1)供给和需求的提出。在取水权市场上公布供给和需求信息。

(2)交易。供需双方磋商，达成交易，主要是价格决定(自发形成或在价格指导下形成)；以及到河道部门登记备案，进行基本水权可交易性审核。

(3)交割。由河道部门进行调度，通过规定的财务渠道进行交易费用交割。

6.3.6 市场的管制与调控

6.3.6.1 价格管制

政府根据形势需要和既定政策，运用行政权力直接规定基本水权转让价格，并强制执行。管制价格不仅不受市场影响，反而可以影响市场，从而调整供求关系。

管制价格一般分为以下几类：

(1)最高价格。规定价格上限，以便把价格压到市场均衡水平以下。

(2)最低价格。规定价格下限，以便把价格保持在市场均衡水平以上。

(3)双面管制。政府对价格,既规定上限,又规定下限,只准在这个范围内上下浮动。

(4)绝对管制。政府直接规定一种价格,买卖双方都必须按照这种价格交易,没有任何变动余地。如果政府制定的管制价格较高,则抑制需求、刺激供给;如果制定的管制价格较低,则抑制供给,刺激需求。

6.3.6.2　身份管制

在特殊情况下,为了保护基本水权分布的整体公平性,避免基本水权功能丧失和水资源的不可持续利用,政府可以规定基本水权购买者以及出售者的身份。

6.3.6.3　政府采购

对于生态用水、景观用水以及其他公益用水,政府可以通过政府采购的模式,通过基本水权市场,获得基本水权。政府采购也是调控取水权市场的一种有效方式。

6.3.6.4　价格补贴

对农业用水,可以从粮食安全角度、地区稳定角度、扶贫角度,国家通过对取水权价格(以及水的其他价格)进行补贴,增强农业尤其是灌区获得基本水权的能力。在新辟灌区时,往往需要购买基本水权。

6.3.6.5　国家投资

国家投资水利工程,降低水价,是刺激需求的一种方式;投资控制性枢纽建设,也是增加基本水权供给的一种方式。

6.4　黄河干流丰余水权市场

6.4.1　市场性质和市场主体

黄河干流丰余水权市场主体包括丰余水权供给方和需求方。

供给方主要是黄河供水公司(由中央政府、河道管理部门等有权部门授权经营),特殊情况下长期合同水权的持有人也可以成为丰余水权市场的供方。前者属于一级半丰余水权市场,后者属于二级丰余水权市场。两种市场的需求方均包括所有丰余水权需求人,主要指各取水口法人。

一级半丰余水权市场实质上是黄河干流供水市场,类型属于垄断型市场,本节着重讨论该类市场。但该垄断型市场的运作目标是合理运用黄河水资源,而不是获得最大利润,这也正是把黄河供水公司向水用户供给丰余水权定性为一级半市场的原因;从严格意义上讲,并非纯粹的垄断型市场,具有"准市场"的性质,价格管制将是该市场的主要管理特色。

6.4.2　丰余水权的交易形式

黄河丰余水权市场的需求有以下几种情况:①基本水权未能满足的取水权需求;②要求保证率较低的水权;③临时的需水。

根据上述情况,黄河丰余水权的交易形式一般可以分为建立合同取水权和临时用水交易两种类型。

在合同取水权的执行过程中,一般遵循"时先权先"的原则,即根据订立的时间先后确定合同取水权的优先级。相比临时用水而言,合同取水权具有较高的供水保证率。

合同取水权根据合同期限可以分为长期合同水权和短期合同水权,长期合同水权通常3年(含3年)以上,短期合同水权是指3年以下合同水权。

临时用水是指不须事先订立合同,临时到水权市场上购买水权,也可以称为即时水权合同。

长期合同水权可以在水用户之间转让,而短期合同水权和临时用水水权一般只发生在黄河供水公司与用户之间。

6.4.3 需求分析

分析各取水口的收益函数(仅考虑丰余水权):

$$B=\Delta PQ - C = (P_1 - P_2)Q - C \qquad (6\text{-}9)$$

式中 B——净收益;

ΔP——水价差额,是指从河道购买丰余水权的价格 P_2(全水价)与出售给口内用户的价格 P_1 之差;

P_1——出售给口内用户的价格;

P_2——从河道购买丰余水权的价格(全水价);

Q——丰余水权取、供水总量;

C——丰余水权取、供水成本,包括购水和售水的各类投资和费用,不包括水价。

根据上述收益函数,取水口的收益取决于价差和取水量,因此:

首先,必须满足 $P_1>P_2$;

其次,还要满足 $(P_1-P_2)Q > C_2$;

再次,P_1 将随 P_2 的增加而增加,一般 P_1 的增加慢于 P_2 的增加,P_1 的增加将直接影响取水口内微观水权市场的总需求,Q 将减少。因此,随着 P_2 增加,$(P_1-P_2)Q$ 将快速减少,即取水口总收益 B 将减少,如图 6-11 所示。

P_2 与 Q 的关系即丰余水权需求曲线,如图 6-12 所示。

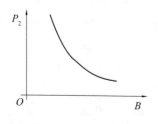

图 6-11 丰余水权价格与取水口收益关系曲线   图 6-12 取水口丰余水权需求曲线

从整个流域来看，丰余水权市场面临的需求曲线是所有单个取水口需求曲线的加总。如图 6-13 所示。

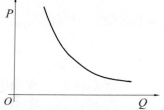

图 6-13　全流域丰余水权需求曲线

6.4.4　供给分析

一级半市场具有垄断型市场的特点。由于河流只有一条，因此河流水资源的供给具有天然的垄断性。丰余水权的供给主要在黄河水资源经营管理部门如黄河供水公司，因此，丰余水权市场更靠近于垄断市场。

垄断市场的供给特点是：只有一家厂商供给产品；产品不能替代；独自决定价格；实行差别价格。

但黄河丰余水权市场的供给还是有其独特之处。主要在于丰余水权的供给是根据天然来水以及水量调度、防洪调度、防凌调度的需要，最后结合丰余水权的需求进行调度的。在汛期，丰余水权的供给包括水库弃水。

仅从丰余水权的总供给角度，丰余水权的供给与取水权价格没有关系；但是由于水量调度可以结合丰余水权的需求进行，因此丰余水权分时供给也与水量调度的成本有一定关系，特定情况下丰余水权的供给也将受取水权价格的影响。

当长期合同丰余水权允许转让时，市场属于二级市场范畴，合同水权的供给与取水权价格呈正相关关系。

本文讨论一般情况。丰余水权供给 Q 与水权价格 P 没有关系，如图 6-14 所示。

可转让合同水权供给与水权价格呈正相关关系，如图 6-15 所示。

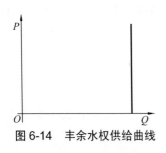

图 6-14　丰余水权供给曲线

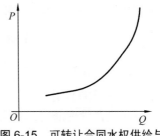

图 6-15　可转让合同水权供给与
水权价格关系曲线

6.4.5　市场供求均衡

如图 6-16 所示,市场需求为 D,假如总供给为 S_2,则当水价(为全成本水价,含水权价格,当扣除水权价格后的水价不变时,影响均衡的只是水权价格)为 p_2 时,黄河丰余水权得到市场出清,市场出清时的水量是总供给量 q_2。

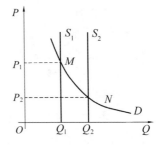

图 6-16　黄河丰余水权市场的均衡

但从垄断市场特点分析,供水公司从利润最大化的角度出发,倾向于利用自己的垄断地位制定较高的价格以获取更大的利润。如图 6-16,当供水公司将水价提高到 p_1 时,市场需求水量降低为 q_1,但供水公司的总收入从原来的 Op_2Nq_2(面积值)增加到 Op_1Mq_1。

为了获得更多的消费者剩余,垄断者黄河供水公司,还可以制定歧视性价格(差别价格),根据水用户的不同支付意愿、承受能力制定不同的价格,以最大限度地获得利润。

黄河水权市场的运作目标是合理运用黄河水资源,而不是获得最大利润,这也正是把黄河供水公司向水用户供给丰余水权定性为一级半市场的原因。因此黄河丰余水权市场的均衡主要是获得市场出清时的供求均衡。国家可以采取相应的管制和调控措施。

6.4.6　丰余水权交易步骤

黄河丰余水权市场的交易步骤如下。

6.4.6.1　供给的提出

黄河经营管理部门或黄河供水公司在取水权市场上公布供给信息。

6.4.6.2　需求的提出

各取水口用户在取水权市场上公布需求信息。

6.4.6.3　交易

1. 建立合同水权

供需双方磋商，建立长期的或短期的合同水权，明确水权的量、质、时间、强度、地点，长期水权还要明确转让条件、违约责任、费用支付、优先级、不能满足时的处理等条款。

由于合同水权一般发生在河道经营部门与水用户之间，因此水权的可交易性由河道部门负责确定。

长期合同水权的价格一般要高于临时用水取水权价格，但河道部门鼓励用户签订长期合同水权时，取水权价格也可能较低。

2. 临时水权

用户可以根据取水权供给信息和确定的水价，向取水权市场提交临时用水申请，购买临时取水权。

3. 交易形式

黄河水资源经营部门可以采取公开拍卖的方式，对一定的优先级水权根据水权需求的情况决定采取公开竞价方式(供不应求)或者按照规定价格出售(供过于求)。

在国家出台管制价格情况下，当取水权供不应求时，可以采取同比例配水模式，即对各用户需求都适当满足，有时这是解决地区用水冲突的有效方法。

4. 交割

由河道部门进行调度，通过规定的财务渠道进行费用交割。

6.4.7 市场的管制和调控

由于一级半流域丰余水权市场是垄断市场，因此国家的管制和调控尤其必要。可以采取的管制和调控措施包括以下几个。

6.4.7.1 价格管制

价格管制对垄断市场尤其必要。对于政府授予市场特许权的完全垄断厂商，如果不在价格上加以管制，他就会按照边际成本等于边际利润的定理确定其产量和价格，根据经济学基本原理可以得知，上述确定的产量和价格一般都是较少的产量和较高的价格。因此，从资源的有效利用和社会福利出发，对这种厂商的价格一般都由政府规定一个上限，即最高价格。

由于省际分水指标的存在，用水户从丰余水权市场上购买取水权超过该宏观控制指标时，将缴纳水权转让基金，这是价格管制的特殊形式。

丰余水权市场水价格确定一般按照市场出清价格确定。制定管制价格符合国民经济总收益最大原则。

6.4.7.2 政府补贴

政府补贴可以有两种情况：一是当管制价格确定较低时，如果低于黄河供水公司(或河道经营部门)的经营成本，则政府可以采取补贴措施，维持黄河供水公司(或河道经营部门)的正常运转和适当利润；

二是当弱势部门或弱势产业的水价支付能力较低，为了保护该部门或产业的生存发展，政府可以采取适当的价格补贴，以维持其竞争能力。如对农业等部门。

6.4.7.3 政府投资

政府投资也可以分为两种情况：一是为了降低水价水平，政府可以增加对河道控制设施以及其他方面的投资，降低河道经营管理成本；二是增加灌区内灌溉设施的投资，以降低灌区内水价水平，增加灌区的有效需求，维持农业用水部门的竞争力。

6.4.7.4　税费调控

政府可以通过增加或降低税费减免力度，增加或降低河道经营部门或灌区等用水户的成本和收益，从而达到控制取水权市场的目的。

6.4.7.5　政府采购

政府采购也可以分为两种情况：一是对于景观用水、生态用水等公益用水，政府可以通过政府采购的手段，作为水权的需求方进入水权市场进行竞争，通过该手段以保护生态环境、实现公益目的；二是政府也可以通过政府采购调节市场供求，从而调整水价，以达到优化配置水资源的目的。

6.5　黄河取水权市场建设的体制障碍和改革方向

6.5.1　体制障碍

黄河流域没有形成真正统一的水行政管理体制[138~140]。尽管在水利部批复的黄河水利委员会"三定"方案中，黄河水利委员会具有"统一管理流域水资源(包括地表水和地下水)；负责组织流域水资源调查评价；组织拟订流域内省际水量分配方案和年度调度计划以及旱情紧急情况下的水量调度预案，实施水量统一调度"的职能，但在实际操作中，有很多职能无法得到落实，流域管理中的一些突出问题难以解决。表现最为突出的是黄河有限的水资源无法统一管理问题。黄河水利委员会对黄河流域水行政管理局限在黄河小北干流和黄河下游干流，上中游地区水资源和河道管理由当地人民政府水行政主管部门负责。黄河水利委员会只能对上游地区实施凌汛调度和对沁河入黄口以下黄河干流水资源进行直接管理，不能对全流域进行统一管理，致使水资源浪费严重，黄河有限的水资源没有发挥应有的效益，加剧了水资源紧缺。另外，对于具有控制性或跨省(区)的重要水工程，黄河水利委员会管理的只有三门峡水利枢纽工程，黄河上游干流的水利枢纽由中国西北电力集团负责管理。其身份、地位与承担的职责、任务极不相称。

在水量调度方面，由于黄河水资源短缺而引发很多问题，为了兼顾各地区、各部门的利益，国家须对黄河水量进行统一分配和调度。而水资源的统一管理和调度会涉及很多矛盾，如为了向下游送水，就需要限制上中游地区的用水，要求水库损失电量多放水；为了协调黄河防凌与发电的关系，需要对刘家峡、龙羊峡进行调度，涉及地区及部门之间、水利和电力部门之间的矛盾等。

因此，对于黄河水资源管理体制的主要障碍有以下几个[140,141]。

6.5.1.1　地区利益

随着改革开放政策的贯彻落实，我国逐渐推行了区域分权的行政管理体制改革，具体表现在中央对企业管理权限的下放、财政管理体制由统一管理到包干制到分税制、区域人大和政府包括立法权在内的权力的增大等改革，使区域权力得到增大。国家行政管理体制的变化由于没有政府职能转变的配合，在市场经济导向的改革过程中，政府权力与区域利益相结合，不仅导致了经济领域的诸侯经济形态，而且在自然资源方面也出现了分割化控制的倾向。由于有了这一权力基础，区域在水资源的管理、开发、利用等各方面的决策表现出了以己为中心的分散化状况，导致了区域水资源管理、开发、利用政策的自利性和违背流域管理原则的趋势。

6.5.1.2　部门利益

由于行业管理部门还保留了相当大的资源配置权，这一配置权与行业利益相结合，也导致了在资源管理和开发利用上的分散化决策的状况，在水资源方面，表现为水功能的分割管理和不同形态的水资源的分割管理。由于这两方面的决策和管理权的分散化，使得流域机构在水资源管理、开发、利用上受到事实上的架空，流域机构始终没有承担起流域综合管理的职能。

水资源为人类生存、生活、生产所必需，与水相关的事务涉及各行各业。一个国家存在多个直接或间接涉及水资源管理的部门是十分正常的，职能交叉是不可避免的，针对这一状况，最重要的是要建立决策的民主协商机制，在决策层次通过充分协商，找到符合系统要求的政策。因此，企图通过一个主管部门来包揽所有涉及水资源的管理职能显然不是解决问题的良策。但在目前，我国高层次上的决策缺乏有效的协商机制(征求意见的机制常常只对单项政策起作用，不能对行业运作、行业利益起到调节作用)，其深层原因是各行业缺乏协商的内在要求。各行业管理部门都存在扩张性和不可协调性的双重心理，这种行业心理带来两种行为倾向：要么在机会出现之际主动出击争取更多更有效的管理权；要么自我封闭，通过行业政策树立起行业壁垒保护自身利益。这种心理及运作方式与水资源管理的需要形成了巨大反差。

造成行业管理部门不正常心理的主要原因是：

(1)行业保护性利益。国家授予某行业对某种资源的管理权，实质上就授予了支配权，通过支配可以获得直接利益和间接利益，这种支配权是行业的利益底线，它是通过刚性政策形成行业间不可协调状态来进行保护的。

(2)行业扩张性利益。行业管理与行业经营仍然存在千丝万缕的关系，主管部门不可避免地总是倾向于被本行业利益所驱动，这是行业性趋利政策的根源，是扩张性政策的基础。

(3)行业政治利益。我国现行的行政管理体制是压力型体制，各级政府通过指标管理来达到社会管理的目的，因此主要指标的完成状况就成为评估工作乃至升迁的依据，因涉及部门和个人政治利益而变得难以调整。这一特性决定了在水资源宏观管理上，我国不适合采用由某一业务部门去全面协调有关水资源管理事务的管理模式。

由于流域水管理权力被区域和行业几近分割完毕，流域机构的位置不得不从区域和行业夹缝中寻求。因此，流域管理机构只能被以后的法律法规限定在特定区域(如重要河段、边界河段)和特定标准内(如取水许可的限额以上)承担水管理职能，而对流域水资源开发利用和管理的调控起不到实质性作用。

6.5.2　改革方向

6.5.2.1　建立区域水权和流域水权的良性互动体制

水资源的配置最终要落实到发挥水资源的效益，最终要实现其经济、社会、生态职能；而这些职能的实现必须依赖于社会治理结构，因此最终要与区域打交道。离开区域谈水资源的配置是不现实的，是乌托邦。

但流域的特点要求流域的统一管理。区域权力的过分强大，必然导致区域为各自利益而开发利用水资源。从整个流域看，水资源的无序开发利用带来河道断流、生态恶化等严重后果。

因此，黄河的水资源管理体制乃至所有河流的水资源管理都要建立在区域水权和流域水权的良性互动体制基础上。即明确界定流域和区域在流域水权管理体制中的地位和职能。

应该采取的措施包括：

(1)水量统一调度：包括对所有水库枢纽、取水口的管理控制权。

(2)水权统一管理和分区管理相结合：省际分水指标由中央授权流域机构(黄河水利委员会)分配；基本水权的分配和转让由区域管理(或参与管理)；丰余水权由河道分配，以取水口为基础，即黄河水利委员会(授权供水公司)直接面对经济体——水中间用户(基层水经营部门)，但丰余水权控制指标由区域决定，以省际分水指标为控制。

采取以上措施的优点包括:

(1)牢牢抓住统一调度权,这是流域统一管理的根本,可以切实改善河道断流、生态恶化等局面。

(2)掌握所有取水口门(干流取水口和支流主要取水口)的管理权,这能确保统一调度落到实处。

(3)掌握省际分水权(基本水权和常年水权控制指标),这可以宏观调控各省利益分配,落实中央有关政策。

(4)合理界定区域权力,如基本水权由区域分配,可以制定区域内基本水权的交易规则;丰余水权控制指标由区域分配。区域退出本应属于流域统一管理的范围。

(5)改变行政配水的传统体制,丰余水权由河道授权黄河供水公司组织拍卖,由行政配水变为市场行为,发挥了市场主体的主观能动性。

6.5.2.2　建立行业高层协调体制

水量统一调度还必须解决行业利益矛盾问题。

首先需要说明的是:将所有权力统一于流域机构是不现实的,流域管理不但要建立与区域的良性互动,还要建立与其他行业的利益协调。这本身也是流域水权制度的要求。

如取水权和发电权的处理,当前黄河上游作为水电富矿区,电力部门拥有很多的投资和相应利益。发电调度和防洪调度、水量调度通常是不吻合的,一般而言,防洪调度作为纯公益行为,发电调度服从防洪调度需要,不存在利益障碍,但水量调度由于其经济性较强,往往与发电调度存在矛盾。

二者的协调既是一个技术问题,更是一个经济问题。因此必须建立高层的协调体制,就调度原则进行协商、指导、决定。

6.5.2.3　建立区域高层协调体制

水权的统一管理和分区管理相结合要求建立区域高层协调机

制。比如省际分水指标的确定，各个区域都非常关心，因为牵涉到各自的经济利益；比如基本水权的转让，牵涉到地区内部基本水权的总量，区域可以决定基本水权的交易本区域内优先；再比如，丰余水权的拍卖等分配行为，对经济发展水平参差不齐的各地区而言，交易规则可能影响到各地的利益。因此，建立区域高层协调机制是必要的，有效的政治协商行为可以提高流域治理水平。

6.5.2.4　水利工程的统一调度与管理

水利工程的形成是历史上各种因素的综合，其建设目的、投资渠道、运行方式、管理模式都不相同。但黄河水资源的统一管理，客观上要求对水利工程实施统一调度和管理。这是期待加强研究的领域。

6.6　本章小结

本章着重研究黄河干流区域间取水权市场。

对取水权市场进行了分类，确定了本书对黄河取水权市场的研究框架。

探讨黄河取水权的可交易性，这是建设黄河取水权市场的基础。从取水权的私人物品性质、时效性、外部性、取水权市场的有效性等方面进行分析，提出了提高黄河取水权可交易性的措施。

将黄河干流区域间取水权市场分为黄河干流区域间基本水权市场和丰余水权市场进行探讨，分别对其市场主体、需求、供给、均衡进行分析，探讨了两个市场取水权交易步骤以及市场管制和调控措施。

分析了建设黄河取水权市场的体制障碍，认为必须有效地协调行业利益和地区利益在流域水管理中的矛盾；提出必须建立区域水权和流域水权的良性互动体制、行业高层协调体制、区域高层协调体制和实施水利工程的统一调度与管理。

第七章　其他类型的
黄河取水权市场

上一章研究了黄河干流区域间取水权市场。作为干流区域间取水权市场的微观基础，本章将首先探讨灌区内水市场的建立问题。另外为了完善整个黄河取水权市场的研究，本章还将探讨取水权的行业间转移问题——农业水权的农转非市场以及跨流域水权转让问题。

7.1　黄河流域灌区水权制度和灌区内水市场

7.1.1　黄河流域灌区水权制度沿革

7.1.1.1　引黄灌区发展

黄河流域是中华民族的发祥地，也是我国农业发展较早和农业文明比较发达的地区之一，它有我国最早和最完善的灌溉系统和水权制度。据《诗经》记载，早在公元前8世纪就在今陕西咸阳以南引滮池之水灌田，后有西门豹治邺和秦修郑国渠。经过漫长的封建社会，随着社会、政治、经济的发展更迭，灌溉事业时兴时废，截止到1949年，黄河流域共有灌溉面积80万 hm$^{2[142,143]}$。

新中国成立后，引黄灌溉有了长足的发展，现有灌区范围几乎遍及全流域，灌溉面积已发展到733.33万 hm^2，比1949年增长了8倍，其中宁蒙河套灌区、汾渭灌区和黄河下游引黄灌区这3大片灌溉面积占全河的70%以上，取水量占80%。灌区农业增产效益显著，在约占耕地面积45%的灌溉面积上，生产了70%以上的粮食和大部分经济作物，许多灌区已成为我国重要的商品粮棉基地。

7.1.1.2　黄河流域灌区水权制度沿革

灌区水权制度是引水灌溉制度的最主要的组成部分。农业水权是黄河取水权体系中的最重要的水权。农业水权的微观运作基础是灌区水权运作体系。以下就黄河流域灌区水权制度沿革予以简要回顾[72]。

1.　先秦至汉朝的水权制度

人工灌溉大体始于春秋后期，人们最先利用井灌，而后开始引水灌溉。战国时期，黄河流域著名的引水工程是西门豹的引黄治邺和秦国的郑国渠。西汉时期已经确定了用水顺序权，并设立了水事管理机构，但现有史料中尚未发现灌区微观管理和水权运作制度的记载。

2.　唐、宋、元时期的水权制度

唐朝制定了我国历史上第一部流传下来的较为详细的水事法律制度——《水部式》。其主要水权制度包括：

(1)水使用量的分配原则是"均平"，"务使均普，不得偏并"。

(2)水行政管理是以国家宏观管理为主，国家在水行政管理方面有绝对的权威。无论是分水设施斗门的安装，还是渠系、灌区内部分水制度的制定，都以官府为主。

(3)用水顺序权是：灌溉最先，航运次之，水磨最后。在一些特殊地区，则航运优先。在同一斗渠内，上下游之间的灌溉顺序也作了"依次取用"的规定。《唐六典》也规定："溉田自远始，先稻后陆"，"凡用水自下始"。

(4)用水管理采用的是"申贴制"。

(5)分水的技术措施和渠系内分水的制度规定十分明确。

(6)确立了灌区地方各级官员和管水人员的职责任务、功过考核等。

(7)为防止渠道淤塞，对利户和磨主的用水作了规定。

(8)对节水的制度措施作了明确规定。在人员配备、放水时间、作物种植、渠道维护等方面作了规定，以保证节约用水。

宋元时期的水权制度大都承袭了唐制。宋朝颁布了《农田水利约束》，加强了对水的管理。元代的水权特点在于对灌区用水制度的详细规定，主要体现在《长安志图》中的《洪堰制度》和《用水则例》之中。

在《洪堰制度》中规定的水权制度的主要内容包括：①明确而详细的分水、量水技术措施和制度规定，官府在分水、均水方面起着主导作用；②水使用量的分配是按照"土地"的多少和总水量的多少来分配的；③有定期修理渠道，防止漏水等浪费水现象发生的规定。

《用水则例》的主要内容有：①用水管理采用的是"申贴制"，这种方法类似于现代的"水票"制度；②规定了利户承担的义务，这样能保证渠道的安全和防止漏水；③灌区用水顺序十分明确。灌区采用"自上而下，昼夜相继"的轮灌方法；④水行政执法十分严格，处罚十分严厉，减少了浪费水的现象。

3. 明清时期的灌区水权制度

以灌区微观管理为主要特色的明清水权制度的内容十分细致，具体内容包括：

(1)灌区内用水顺序规定十分明确。或"自下而上，挨次浇灌"，或"自上而下，各节不同日"，或"一年自上而下，一年自下而上"，"并排浇灌"，或"轮流浇灌"，或"换灌溉"等，而且规定一旦次序确定，一般不予变动。

(2)水使用权的限定。继续沿用了前代的水权原则，即有限度的渠岸权利原则、有限度的先占原则和工役补偿原则，有时也可凭借特权获得特殊的使用权。这些原则的共同之处是使用权的取得必须承担相应的义务和责任，否则获得水权也可能丧失。这些责任和义务包括：出伕，必须参与工程建设和维护运营；缴纳水粮，承担各种经费的分摊或缴纳修渠所需用的实物。

(3)水使用量权的规定。一个农民在其所拥有土地上的实际施灌量受制于多种条件，其上限一般不是人为规定的，而是取决于水资源的数量和该农民拥有可灌溉的土地数量和等级。

(4)明清时期的用水管理模式从"申贴制"演变为"水册制"。所谓水册制是指在官方监督之下，由所涉及渠道之利户在渠首主持下制定的一种水权分配登记册。由于"按地定水"，水权分配的依据是地权。水册一旦制定，它实际上成为土地清册。水册类似于现在的"取水许可证登记制度"。

(5)灌区管理机构健全，大都实行民主管理，实行灌区选举。

明清时期开始出现水权买卖行为。根据《清峪河和龙洞渠记事》记载，已经出现了"无水之地"的情况。

4. 民国时期的灌区水权制度

民国时期的灌区水权制度已经比较完善。具有代表性的是陕西省泾惠渠的水权制度，在水权界定和用水顺序权方面都有比较具体的规定。

民国时期，水权转移已经被法律许可。经行政院批准的《陕西省泾惠渠灌溉管理规则》中规定，水老有查报本斗农民用水权之注册及转移的任务。《陕西省水利通则》允许水使用权转移。"用水权之转移，除当事人订立契约外，随其灌溉地或水利事业为转移，并由双方声报主管机关。"

民国时期灌区管理是在政府的统一领导下实行民主管理，即专业管理和群众管理相结合的原则。《陕西省泾惠渠灌溉管理规则》规定了灌区各级管理机构设置，人员、资格、任期、选拔等内容。协助行水人员主要有斗长、水老和渠保等。民主管理的最高权力机关是水老会议，其职权是对一些重大问题有决策权，决议通过后经管理局审批。

7.1.1.3　黄河流域灌区水权制度历史简要评价

黄河流域灌区水权制度是随着灌溉事业的发展而逐步完善的。总体看来有以下特点[72]：

(1)水的所有权公有，水权只涉及水的使用权。

(2)水权制度遵循的原则是均平用水，体现在有限度的渠岸权利原则、有限度的先占原则和工役补偿原则。

(3)水权制度既有正式颁布的国家法律法规，也有灌区制定的管理制度，还有普遍存在的乡规民约。

(4)获得水权的同时必须履行相应义务，包括出工役和缴纳水粮、水税等。

(5)水权的管理逐步发展为政府管理和民主管理相结合的方式。

(6)水权的配水技术和量测技术逐步发展。

(7)水权逐步可以脱离地权进行转让。

(8)水权制度的发展是与当时的社会经济发展状况、政治状况紧密相关的。

7.1.2　新中国的灌区水权制度改革

7.1.2.1　改革前灌区水权制度存在的问题

在计划经济的影响下，新中国水利工程建设管理长期存在着"国家投资、农民投劳、管理单位无偿服务、农民无偿用水"的现象，致使国家投资建设一个工程就背上一个包袱，许多工程在运行管理中过早衰老，"水库越管越浅，渠道越管越短，灌溉面积越管越少，管理单位的经济效益越管越差"，政府不满意，群众不满意，管理单位自己不满意[144~150]。

以河套灌区为例。内蒙古自治区河套灌区属特大型灌区，总土地面积 118.93 万 hm^2，其中引黄灌溉面积 58.47 万 hm^2，以巴彦淖尔盟为主，涉及伊盟、阿盟、包头市郊区等共 9 个旗(县、市)

和 19 个国营农牧场，近年来，年均引黄水量 50 亿 ~ 52 亿 m³，也是当地惟一的灌溉水源。改革前，河套灌区实行的是集权供水管理制度，它沿用 20 世纪六七十年代大集体时期乡村行政领导下的支、斗渠管委会或支、斗、农渠长制，供水的决策权集中在灌区管理局，水利工程维修管养和田间灌溉由公社、大队、生产队集体组织实施，水费在随集体出售农产品时代扣。这种供水管理制度由于责任主体不明确，管理职能不健全，形成了"搭便车"和逃避责任、不受制约等不良激励，"公地悲剧"的现象十分严重。

7.1.2.2　近年来灌区管理体制改革的情况

以产权制度、经营机制和管理体制改革为重点，灌区管理体制改革不断深入[145~150]。各地对于小型农田水利工程根据"谁建、谁管、谁有"的原则，采取股份合作、拍卖、承包以及建立水利建设基金等多种形式，广泛吸收民间资金，投入农田水利建设。一些大型灌区落实和扩大民主管理体制，成立用水户协会，把斗渠以下工程承包给用水户，吸引群众参加灌区建设和管理。在一些地方还出现了民办水利的热潮。

以河套灌区为例。自 1999 年开始，他们通过对现行供水管理制度和农业水价制度的改革，设计了一套充满激励、相对有效和公平的治理制度，减少了原有制度的不良激励，极大地调动了灌区农民的积极性，较好地解决了水费收取难、收取率低、灌溉面积萎缩、水利工程老化失修、农业用水浪费严重、水资源利用率低的问题，对灌区的可持续运行和水资源的可持续利用提供了很好的制度保证。

河套灌区现在采取的灌溉管理体制改革主要有以下几种形式：①成立用水者协会；②国管(专人管)与群管(群众自发组织管理)相结合；③渠长负责制，主要在斗、农、渠承包，招聘渠长；④联水承包渠道；⑤水票制，先买水票，再供水；⑥成立供水公司。

7.1.3　灌区的多中心治理结构

7.1.3.1　交易费用理论与灌区组织形式的选择

交易费用理论是制度经济学的基本理论。该理论认为：在既定的产权结构下，社会配置资源的组织形式可以有三种，它们分别对应于三种交易类型：①市场制度：在某种既定的产权结构下，运用价格机制配置资源的组织形式，市场活动当事人之间发生交易；②企业制度：在一种明确的产权范围内，直接支配生产要素配置，企业内要素所有者之间进行管理的交易；③政府直接管制：其交易属于配额的交易。社会选择哪一种组织形式，主要考虑各种组织形式的收益与成本的比较。这里所说的成本，不仅包括一般的生产成本，而且包括交易费用，即各种组织形式形成、运转和变动所需支付的费用。生产成本主要由生产的技术条件决定，交易费用主要取决于产权的明晰程度。

上述理论虽然不能明确地应用于灌区管理，但却给灌区管理改革提供了有益的启示。灌区是一个独特的经济现象。它引用河流水资源(或水库水资源)用于发展农业灌溉。灌区的运作主要是以某种形式将水资源配置到用水者的土地里。从干渠、支渠到斗渠，灌区水利工程如何建设、维护，可持续运行，水资源如何配置到效益最高的地方，这是灌区管理必须要回答的问题。

是采用计划管理还是市场管理，是建设等级型灌区管理体制，还是建设市场型灌区管理体制，关键是看灌区是否可持续运行，其实质是考虑各种组织形式收益与成本的比较。

计划经济时代遗留下来的灌区管理体制是单一集权式的供水管理制度。长期运作形成"有人用水、无人修渠，只管要水、不管收费，不负责用水管理，不负责工程维护，村村户户人人都在喝'大锅水'，水费实收率低，工程严重失修，灌区灌溉面积萎缩趋势日益明显"的现象,说明该制度安排收益小于成本,灌区不可持续运行。其根本原因在于产权不清晰,包括灌区水利工程的产权不清晰或者是产权界定、维护的成本过高;灌区水资源产权不清晰或者说水资源产权的界定、维护成本过高。

灌区管理体制改革的取向应该是明晰产权,改进产权安排,降低灌区水利工程产权和灌区水资源产权界定、维护成本。目前进行的以用水户参与管理、建立多中心治理结构为内容的灌区管理体制改革是符合上述取向的改革措施。

7.1.3.2 关于多中心治理结构的理论

多中心制度安排有如下几个特点[151]:

(1)多中心治理结构为公民提供机会组建许多个治理当局。每一个治理当局可能会在特定地理区域的权限范围内行使重要的独立权力去制定和实施规则。每一个治理当局首先是一个供给单位。一些供给单位可能组建它们自己的生产部门,可以选择与其他的公共机构签订合同,或者与生产特定物品和服务的私人公司签订合同。

(2)在多中心体制中不同治理当局行使权力的本质差异极大。其中一些具有一般目的的职权向一个社群提供内容广泛的公共服务;另外一些是特殊目的的职权,它可能仅只提供例如灌溉系统或道路系统的运行和维护这类服务。

(3)在单个治理当局行使独立权力的地方,每个治理当局官员的选任独立于其他地区管辖单位的选举过程。一个管辖单位的官员不能对其他管辖单位的官员行使上司的权力,因此不能控制他们的职业发展。不同管辖单位中的公务员具有平等法律地位,定期选举给人们提供机会去选择他们相信能为其管辖单位提供良好物品和服务的官员,或至少惩罚那些没能做到这一切的官员。

与集权制度安排相比,多中心的制度安排能够保留集权制度安排的好处,还能够提供额外的好处。它的优势包括:

(1)治理当局仍然能够处罚那些试图搭便车的人。小管辖单位的官员可以与较大管辖单位的生产部门签订合同以生产确保规模经济的特定服务。如果一些当局拒不赞同其他当局提议的话，不同辖区当局之间协调成本可能会增加。不过，实际上，在独立单位之间关于不同政策的争论只不过比在集权公共部门内部各单位之间通常发生的政策选择的争论更公开罢了。实际协调成本是否提高取决于所涉及的不同利益集团是如何组织的以及它们是互惠的还是零和博弈关系的。如果初始的不一致导致协调成本的确增长，但随后导致的政策改进产生了较好的结果，则增加的协调成本物有所值。

(2)产生地方治理当局的选举提供了一种虽不完美但却很重要的手段，以聚集时间和地点信息用于决策。这是因为它是关于特定选民自己的时间、地点情境信息的储存，它与选民自己的利益相连，决定了选民对这个或那个候选人的政策立场的偏好。一旦选任，官员面对强烈的激励去使至少部分选民满意以寻求再度当选。官员需要使自己很好地获悉有关偏好的变化以保持声望。

(3)多中心体制还提供了减少投机主义成本的手段。选民们想要清除腐败或懒惰，并不需要依赖上层行政官员的协助，他们能够通过选举或其他选择和罢免程序，依靠自己达到目的。并且在更多的管辖单位中有更多的独立运作的官员，其中任何人能够垄断控制重要的公益物品和服务的可能性被减少了。

多中心制度安排的这些优势，使得它有别于简单的分权制度安排。因为简单的分权制度安排，其制度结构实际上仍旧是单中心的，决策权是在等级制的命令链条中组织起来的，具有一个单一的终极权力中心。多中心治理结构能够使它在弥补集权制度安排缺陷的同时保留集权制度安排所具有的优势，从而避免分权改革所导致的"一收就死、一放就乱"的集权与分权两难选择格局，将极大降低制度运行的成本。

7.1.3.3　灌区的多中心治理结构改革实践

20 世纪 90 年代以来，灌区管理体制改革逐步进行。以用水户参与管理建立多中心治理结构为内容的灌区管理体制改革是改革的主要方向。河套灌区的改革是较典型的例子[148]。

河套灌区以支渠和大型斗渠为主分成多个渠域，每个渠域成立一个农民用水者协会，单独选举执委会委员和会长，在本渠域内行使独立的权力，制定和实施供水收费和渠道维护的规则，构造了多中心治理结构，即"明确建管主体，健全群管职能，规范量水收费，确定筹资渠道，理顺组织关系"的用水者协会自主管理制度，先后建立用水者协会 371 个，辖灌溉面积 27.87 万 hm^2，占灌区总灌溉面积的 49%。

改制后，多中心治理结构中责权利到位的用水户协会作为一个灌溉系统管水的责任主体和决策者，主持本渠域用水户制定规则，行使职权，承担渠域管水配水，维护渠道，收缴水费的职责。主要包括：

(1)作为用水户，他要与水管单位签订用水缴费合同，承担用水与缴费的责任。如果只用水不缴费或少缴费，就要受到水管单位制裁。在这种规则的激励下，他们制定了两种水费计收管理办法，一种是轮次收费(水票供水)，即在缴费意识不强、水费难收的地区实行浇一次水收一次水费，或按计划取水量先缴费购取水票，凭票供水。另一种是亩次计费，即以斗渠当轮用水量和实灌面积为基础，以当轮水的时段水价为标准，以用水户为单元，浇一次水按灌溉亩数计一次费。在这种规则下，如果不缴费，你就无权用水；如果想少缴费，你就要少用水。过去一些"钉子户"用水不缴费，损失的是水管单位的利益，水管单位拿他没办法；如今供水收费一体化，水量水费与每个用水户利益直接挂钩，不缴费将会侵害其他用水户的利益而引起协会内部其他用水户对"钉子户"的严厉制裁。在这种制度激励下，基本杜绝了喝"大锅水"和浪费水资源的现象。

(2)作为供水户，协会必须为用水户提供良好的、公平的供水服务，以减轻收费的难度。在原有的供水管理体制中，渠道的管理维护是依靠群众"两工"，用投工投劳来管理和维护。取消"两工"后，工程维护的来源没有了，群众没有维修渠道的激励，有人用水、没人修渠的"搭便车"现象十分严重，导致各级渠道淤积严重，输水困难，灌区管理单位供水效益逐年衰减，农民用水户得不到满意的服务，直接影响到用水户缴费的积极性和水资源的节约保护。改革后，协会制定了用水户共同管理公共工程的规则，或用集资的办法，或用按亩收取维护管理费的办法开辟了投入渠道。内蒙古乌前旗新安镇烂大渠农民用水者协会成立后，集资 7 000 多元，新建了两个节制闸，并对渠道阻水段进行了清淤，临河甜菜支渠采取用水户一事一议的办法，每亩收取维护费 1.3元，用于工程岁修养护，有效地保证了工程设施的良好状态，使协会为用水户提供良好服务成为可能，解决了公共事物维护管理中存在的"搭便车"现象，为灌区的可持续运行打下了良好的基础。为灌区的用水户提供的服务是否公平，直接关系到用水户缴费的积极性。改革前，由于管辖范围大，渠域之间土地质量和农产品结构存在很大的差距，对供水的需求存在时间上和数量上的差距。在大范围内提供统一的供水服务收取平均的水费貌似公平，实际上每个用水户真正得到的供水服务却是不一样的，许多用水户反映分摊水费的面积与实际灌溉面积不符、田间工程不配套、亩均水费高等，这种不公平是导致水费收取难的一个重要因素。而在多中心治理结构中，用水者协会能更有效和准确地确定每户农民对灌溉用水的真正需求，每个执委或渠长能较清楚地知道每个用水户的土地面积和不同需求，最大限度消除由于农产品结构和地理因素而引起的供水需求在时间上和数量上的差距，在管辖范围内提供公平管理、配置有效的供水服务。临河市甜菜渠灌域的用水户协会，由协会的执委会对每个用水户的土地重新丈量，对本年度种植的品种、面积等造册登记，按实测用水量计收水费，当年亩均水费由43元降为22.6元。用水户协会还定期公布账目，增加了水费计收及使用的透明度，避免了"灰色"水费的出现，群众用的是明白水，交的是合理费，极大地调动了群众缴纳水费的积极性。

(3)在水资源紧张、农民水费支出较高的情况下，作为管理者，用水户协会的另一职责是满足本渠域用水户的用水需求，降低农民的水费支出。因此用水户协会具有考虑水资源优化配置和节约用水的激励。秋浇是河套灌区特定条件下进行的一次淋盐、储墒灌溉，改革以前，灌区基本上采取"浇老秋水，以水代墒"，不管秋季是否种植，对所有的耕地都一次性浇过，而实际上，每年都有5.33万~6.67万hm^2耕地当季没有种植，到翌年夏灌时，这些地又要浇一次水，2亿多m^3水浪费在二次储墒上，导致地下水位上升，土地盐碱化加重。从1999年开始，灌区为了节约水资源，建立了"早浇、节水、保墒、十月底关口、水量包干、计划干地、一次供水、供够关口"的三步两年储墒灌溉制度。每年计划预留干地5.33万~6.67万hm^2，秋浇时不浇水。改革秋浇制度后，全灌区在灌溉面积增加5.33万hm^2而引水工程条件没有大变化的情况下，3年节水4.6亿m^3。

实践证明，以用水户协会自主管理的多中心治理结构的制度安排至少能提供四种有效激励：一是集体选择激励，用水户自主管理的多中心治理结构的制度安排激发了每个用水户的责任感，绝大多数受游戏规则影响的用水户能够参与对规则的订立和修改。因此，用水户有严格遵守规则的激励。二是有效监督和分级制裁激励能及时发现违规者，并使不按游戏规则行事的犯规者受到其他用水户的制裁。三是冲突的自我解决机制能将用水户因供水矛盾而产生的、针对政府和灌区管理局的不满，转化到协会内部和协会与灌区管理部门之间。用水户自己用水，自主管理，自我解决来自各方面的矛盾。四是收益和成本相对公平的激励使支付同样的成本能得到相对平等的供水服务。让用水户清楚地知道，他们从遵守规定中得到的好处至少要与所征收的费用相等，这一点非常重要。改革以后，河套灌区的水费收取率年年达到100%，供水和缴费这个农业供水中普遍存在的矛盾在用水户协会这个环节上得到了根本解决。多中心治理结构用水户自主管理管好了政府管不好的事，使灌区的持续运行有了可靠的基础。

7.1.4　基于多中心治理结构的灌区水市场

7.1.4.1　灌区水市场的市场主体

首先，多中心治理结构的建立，用水户协会扮演了非常重要的角色。如前所述，用水户协会作为用水户，对外它要与水管单位签订用水缴费合同，承担用水与缴费的责任。当水价升高时，用水户协会会根据自己的用水状况减少用水需求；当水价降低时，用水户协会会根据利益最大化的目标增加用水需求。用水户主要通过衡量节水费用、精心管理费用与用水费用的大小关系以及用水增加的收益与用水费用之间的关系，决定是增加用水还是减少用水。说明用水者协会具有"经济人"的特征，能够作为市场主体。

其次，用水者协会的成立有效地将外部性内部化，增强了市场的有效性。表现在用水户自己用水，自主管理包括配水和渠道建设与维护，自我解决来自各方面的矛盾，如钉子户、水费收缴、维修费集资、共同出工等。解决了公共事物维护管理中存在的"搭便车"现象。

因此，灌区多中心治理结构的培育，客观上培育了适应市场变化的市场主体，为建设灌区水权市场奠定了组织基础。

7.1.4.2　灌区水市场的市场性质

存在灌区基本水权的情况下，根据基本水权是否分配给具体的用水者协会，灌区水市场可以分两种情况讨论。

1. 不将基本水权分配给用水者协会

该种情况是指国家分配给该灌区基本水权，而灌区没有具体分配给各个用水者协会，仅将基本水权保留在灌区。由于基本水权具有保证率高、初始基本水权还具有水价低等优点，因此基本水权是含有利益的水权。该种情况下，基本水权只在灌区水市场与黄河取水权市场的衔接时起作用。另外，基本水权的存在，影响到灌区收益水平和灌区供水保证率问题。

基本水权对灌区收益水平的影响。由于基本水权价格较低，即灌区获得水权时成本低，则灌区在根据供水成本确定价格时水价也将降低。如果采用市场出清定价，则基本水权影响的是灌区本身的收益。基本水权价格越低，则灌区的盈利空间越大。

基本水权对灌区供水保证率的影响。基本水权保证率高，因此基本水权越多，灌区供水保证率越高。

如果基本水权不分配到用水者协会，则当灌区新增灌溉面积时，原灌溉面积的用水户的利益受到损失，因为其基本水权的利益被新灌溉面积用户共享。

2. 将基本水权分配给用水者协会

如果每一个用水者协会都有相应的基本水权，则灌区水权市场中存在基本水权的转让问题。

基本水权的优势在水资源短缺的情况下比较明显，主要是保证率高。另外初始基本水权水价低，但有承诺费。

将基本水权分配给用水者协会的优点在于：当灌区新扩灌溉面积时可以保护原灌溉面积水用户的权益。

一般情况下，同一灌区内部基本水权的转让应该是不活跃的。这是根据同一灌区内，种植结构基本趋同、利益落差并不大的情况推理出来的。

基于以上分析，灌区水市场交易行为分为以下两种情况：

(1)灌区管理机构和用水者协会之间的交易行为。属于垄断市场性质，水(取水权)的供给是灌区管理机构，它根据灌区内水市场的供求状况决定自己在黄河取水权市场上取水权的供给和需求,它对灌区内水市场的供给就是它在黄河取水权市场上的需求。灌区水市场的需求方是各用水者协会(以下称水用户)。该种市场类型，可以看做是取水权的市场，也可以看做是水商品的市场；市场交易中的价格采用全成本水价，不只反映取水权价格。

(2)用水者协会之间的基本水权交易行为。属于自由竞争市场性质，供给和需求方均是水用户。但这种情况是否出现取决于灌区是否将基本水权分配给各用户。

本文将着重探讨第一种市场情形。

7.1.4.3　灌区水市场的水权需求分析

假定用水户的利益函数为

$$B=F(Q) \tag{7-1}$$

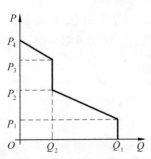

图 7-1 是单个用水户的需求曲线，当价格低于 p_1 时，用水稳定在 q_1，原因在于用水户现有规模情况下，用水包括渗漏损失等基本稳定。浇得再多，将因涝、地下水位上升使用水户遭受损失，是理性经济人所不为的。

图 7-1　单个用水户的需求曲线

价格位于 p_1 和 p_2 之间时，用水量随价格的逐步升高而逐步减少，在这一区间，用水量对水价格是敏感的。

价格位于 p_2 和 p_3 之间时，用水基本稳定在 q_2，原因在于用水户在现有种植结构情况下,有效用水是不会随价格明显变化的。

　　当价格继续提高，用水户将因水费增加收不抵支，将减少作物种植面积，甚至完全停止引水。

　　灌区面临的需求曲线如图7-2所示。

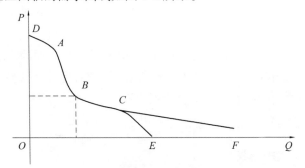

图7-2　灌区面临的需求曲线

　　当不考虑灌区现有用水户以外的潜在用水户参加灌区市场时，则灌区面临的需求曲线是DABCE。如果考虑潜在用水户，则灌区面临的需求曲线可能是DABCF。

　　AD段表明当水价过高时，用水户因无力承受，用水量将急剧减少。

　　AB段表明当水价维持在较高价位区间时，由于作物用水量价格弹性小，随价格升高用水量并没有明显降低。

　　BC段表明当水价价位维持在较低区间时，由于可以通过必要的配水管理措施和渠道防渗处理等节水措施，大幅度降低用水从而减少开支，该段用水对水价是敏感的，价格弹性较大。

　　CE段表明当水价维持在过低状况时，用水量将增加，但由于已经达到了极限，用水过多反而导致损失，因此用水量也将趋于稳定(本文假定水用户是经济人，现实中往往不如此，由于疏于管理、外部性、科技知识缺乏等原因，用水量将不断增加，但由于灌区渠道疏于管理等原因，灌区将不可持续运行)。

　　CF段表明当水价维持在过低状况时，潜在用水户要求加入到灌区, 用水量将增加。但由于开垦灌区的内在成本因素, 用水量增加也有一定的限度。

7.1.4.4　灌区水市场的水权供给分析

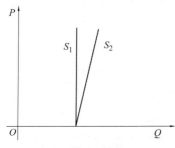

图 7-3　灌区水权供给曲线

灌区水权的供给可以分为两种情况, 一是当灌区的取水权供给量一定时, 或者仅按照国家取水权分配指标, 或者当外界供水不受价格影响时, 或者外界供水受价格影响可以忽略不记时, 供给曲线是一条垂直于横轴的直线, 如图 7-3 中的 S_1。

第二种情况是当存在灌区外部的取水权市场时, 外界供水受价格影响较为显著, 当价格上升时, 水权供给增加; 当价格下降时, 水权供给下降, 如图 7-3 中的 S_2。

7.1.4.5　灌区水市场的均衡

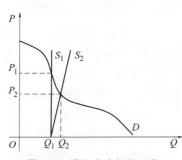

图 7-4　灌区水市场的均衡

灌区水市场的均衡分析见图 7-4。

当灌区水权的供给曲线为 S_1, 需求曲线为 D 时, 则二者的均衡价格为 P_1, 因为供给曲线为垂直线, 即说明水权供给一定。当价格(这里指全部水价, 下同)低于 P_1 时, 水权需求量大于 Q_1, 从而出现供不应求的现象; 当价格高于 P_1 时, 水权需求量小于 Q_1, 从而出现需求不足的现象; 当价格为 P_1 时, 需求等于供给, 有限水资源恰好全部得到配置。

当灌区水权的供给曲线为 S_2, 需求曲线为 D 时, 则二者的均

衡价格为 P_2，因为供给曲线为斜线，即说明水权供给随价格升高而增加。当价格低于 P_2 时，水权需求量大于 Q_2，从而出现供不应求的现象；当价格高于 P_2 时，水权需求量小于 Q_2，从而出现需求不足的现象；当价格为 P_2 时，需求等于供给，有限水资源恰好全部得到配置。

由于供给曲线的斜率不同，相同需求曲线的情况下，市场的均衡价格不同，如图 7-4 所示，供给曲线为 S_1 时的均衡价格要高于供给曲线为 S_2 时的价格。

7.1.4.6 灌区水市场的管制和调控

当政府为了控制灌区引水，可以采取大体两种措施：一是限制供给量，减少取水权指标；二是抑制需求，主要通过抬高水价，也可以行政减少需求。

1. 限制供给量

当政府或有关部门限制某灌区水权供给量时，如图 7-5 所示，则灌区内水权市场均衡价格将上升。当水权供给曲线从 S_1 变为 S_3 时，即水权限供水量从 Q_1 减少到 Q_3 时，灌区内均衡水权价格从 P_1 上升到 P_3。

2. 抬高水价或行政减少需求

当政府或有关部门希望通过提高水价抑制需求时，如图 7-6 所示，当水价水平从 P_1 提高到 P_3 时，用水需求将从 Q_1 减少到 Q_3。

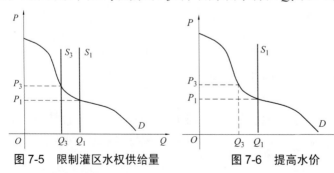

图 7-5 限制灌区水权供给量　　　图 7-6 提高水价

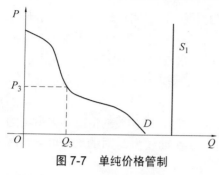

图 7-7　单纯价格管制

目前在黄河上游,由于各灌区引水较方便,来水较多,供给曲线与需求曲线的状态如图 7-7 所示,D 与 S_1 不相交,即在不考虑价格因素和水权指标的情况下,所有需求均能得到满足。在该情况下,政府出于宏观管理的需要,需要抑制上游取水量,从而防止下游河道不断流。这时可以通过价格管制抑制水权需求。假定灌区的水资源供给不受价格影响,如图 7-7 所示,需求能够全部满足的情况下,需求量由价格决定。当价格为 P_3 时,需求量为 Q_3。这就是价格管制的效果。

7.1.4.7　灌区水市场的运作规则

1. 程序

用水者协会根据需要向灌区购买取水权,灌区根据申报的取水权利用渠道和适当的量水设施进行配水。用户按照水价支付水费(水费含水利工程建设、维护费用、管理费用、配水管理费、量测费)。

2. 水量不够时的处理措施

在水量不够、存在约束情况下,用水者的所有取水权需求不能得到完全满足时,则采取的措施可以包括:同比例缩减;行政限制某些用水;提高水价抑制某些用水;根据水权优先级确定用水顺序。上述措施各有利弊。

3. 灌区工程的管理

干渠等主要配水渠道和量水设施必须由灌区进行管理,用水户协会难以管理,因此,水权市场必须将对渠道等水利工程的管理纳入对灌区的激励机制中。

7.1.5　灌区节水和黄河干流取水权市场

7.1.5.1　正确的节水观

通俗概念中的节水有两种完全不同的含义，一种是落后的强迫性节水。如山区和西北内陆一些缺水地区，群众用水仅够维持吃喝和极简朴的生活用水，生产全靠望天收。这不是通常意义上的节水概念。另一种是科学节水，即通过合理提高用水效率而相对少用水，让省下来的水发挥更大的经济、社会、环境和生态效益。"合理高效"的表现形式受空间地域、时间发展阶段以及经济、历史、文化、水资源等诸多因素影响，是一个变动的概念，须因地制宜、因时而异地确定。而且，农业、工业、生活、环境等不同领域中，"合理高效"的表现形式也各不相同。只有合理高效用水的标准确定了，才能明确节水的必要性和可行性，避免事倍功半。这也是基本水权存在的原因之一。

盲目节水不一定就是有利的，节水也要看成本和投资收益。节约用水，即合理提高用水效率而少用水，让省下来的水发挥更大的综合效益。因此，节水不能盲目。例如，若某地的工业用水不是取自地下水而是取自水量丰沛的河流入海口附近，水量补给及环境生态也没有大的问题，工业废水再利用又不能减少污染物排放总量，就不必多花钱去搞工业废水再利用；如果花费大量投资在甲地搞节水，而结果仅仅是简单地将甲地相同的经济和生态效益搬家到乙地，甚至花费大量资金去搞节水灌溉而省下的水却被用于高耗水、高污染、低效益的产业，这些都不是正确节水观的体现[152, 153]。

7.1.5.2　灌区节水的技术经济分析

灌区节水首先面临的问题是：节水有必要吗？节水活动符合成本效益原则吗？解决了这个问题之后，第二个问题是节水活动符合激励相容的原则吗？外在的制度框架能够促进节水的可持续发展吗?

　　首先从国民经济评价的角度来分析探讨第一个问题。

　　节水有没有必要,要进行节水的国民经济成本效益分析。节水的成本包括三个方面:一是建设节水设施的支出,即用于减少水的无效消耗(指非直接用于作物生长)的节水设施建设成本和维护成本;二是加强节水管理的管理成本,包括人员增加的成本、人员培训的成本;三是减少作物有效用水而损失的作物产出效益。

　　节水的收益主要是节约下来的水用于其他用途产生的效益。有三种情况:一是节约下来的水被用于效率高的地方,产生较大的收益;二是节约下来的水被用于效率低的地方,产生较小的收益;三是节约下来的水被送入大海,可以认为其收益为零。当出现第一种情况时,节水是可行的,收益大于成本;当出现第二和第三种情况时,节水是不可行的,节水是没有必要的。

　　当节水是在可行的、必要的前提下,接下来从财务评价的角度来分析探讨第二个问题。其逻辑推导的过程见图 7-8。

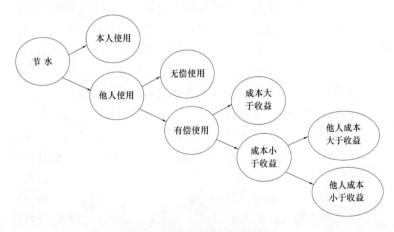

图 7-8　灌区节水的逻辑推导

上述节水的收益尽管高于原用途时的收益,但从财务分析的角度，收益的归属人是评价节水财务可行的关键。有两种情况，一是节约之水仍由节水人使用，二是节约之水由他人使用。当节约之水由节约人使用时，节水成本与节水收益均由节约人承担和享有，那么节水活动符合激励相容原则，节水行为是可持续的。当节约之水由他人使用时，又可以分为两种情况，一是无偿由他人使用，二是有偿由他人使用(这里有偿、无偿均指对节水人是否有补偿)。

当节约之水无偿由他人使用时，节水收益由他人享有，这样就形成节约成本由节水人承担，但节水收益由他人享有的局面。显然，节水人没有任何动力实施节水行为，节水活动是不可持续的。

当节约之水有偿由他人使用时，节水收益部分转移到节水人。这时，节水人是否有动力节水，还要看转移给节水人的收益是否大于或至少等于节水成本。当转移的收益大于节水成本时，节约人有动力实施节水，从而节水成为可持续性行为；当转移的收益小于节水成本时，节水人实施节水的动力不足，节水也将是不可持续的行为。

还有一个问题：在有偿使用节约之水时，他人是否有积极性有动力使用节约之水，这里仍然存在一个成本收益问题。当他人使用节约之水时，他的成本包括因用水而增加的用水设施成本、管理成本以及转让给节水人的收益，他的收益是因用水而增加的收益。当成本小于收益时，该使用人有净收益，则有动力使用(或者说购买)节约之水；当成本大于收益时，该使用人净收益为负，则没有动力使用节约之水。

究其实质，其他人是否有动力使用节约之水，关键在于该使用人的用水效率，根据经济学的基本规律，资源总是向使用效率高的部门流动。综上所述，只有当节约之水的总收益大于节约人的节约成本和使用人的使用成本之和时，节约才是可持续的。

因此，得出的结论之一是：要使灌区节水成为必要，灌区节约之水必须能够实现转让，而且得到的补偿必须大于节水成本。

得出的结论之二是：要使灌区节水成为可持续性行为，那么必须建立激励相容的水权转让机制，这里的机制包括灌区内水权转让机制和灌区外水权转让机制。灌区内水权转让机制主要是灌区水市场问题，而灌区外水权转让机制主要是黄河取水权市场问题。

从建设灌区水市场的角度看，建设灌区水市场客观上要求必须建立与之相配套衔接的黄河取水权市场。

7.1.5.3　不存在干流取水权市场条件下灌区水市场中的灌区收益分析

灌区经营者的收益函数为

$$B=PQ-C \tag{7-2}$$

式中　B——灌区净收益；

　　　P——水价；

　　　Q——供水总量；

　　　C——供水成本。

灌区作为供水者，其行为方式是经济人的理性行为方式，其原则是利益最大化。根据上述收益函数，灌区收益取决于水价和取水量。

根据经济学基本理论，总收入与价格需求弹性密切相关。如果需求富有价格弹性，价格弹性系数大于 1，则价格下降将引起产销量较大比例的增加，总收入也一定增加；价格上涨将引起产销量较大比例的减少，总收入也一定减少。如果需求缺乏价格弹性，价格弹性系数小于 1，则价格下降将引起产销量较小比例的增加，总收入一定减少；价格上涨将引起产销量较小比例的减少，总收入一定增加。

在灌区水市场中，上述原则同样适用。一般情况下，灌区水资源需求处于灌区水权需求曲线图(图 7-2)AB 和 BC 段。当处于

AB 段时，提高水价节水效果不好，但总收益会有增加；当处于 BC 段时，提高水价节水效果好，但总收益将降低。

这里的前提是不考虑水费征收率等非市场本身能够解决的问题。假定在实行用水者协会参与的多中心治理结构后水费征收率能够实现 100%。应该说成立用水者协会后，许多外部性因素内部化，出于降低成本的考虑，协会会自觉改变大水漫灌等低效灌溉方式和加强灌区水利工程维护，改善灌区渗漏等情况。

从目前实际状况看，灌区的需求曲线一般位于 BC 段，这是因为许多灌区尽管成立了用水者协会后用水浪费现象有所改观，但灌区的节水潜力仍然很大。

当灌区需求曲线位于 BC 段时，灌区倾向于采取较低水价的策略，以获得最大化的供水收入。

如果增加节水，则灌区总收益下降，灌区没有节水的动力。灌区节约的水权必须能够向外转让，获得高于因节水而减少的收益，灌区节水才有动力。

7.1.5.4 存在干流取水权市场条件下的灌区节水激励

假定灌区取水权限额为 Q_0，则没有对外转出渠道时，灌区倾向于采取较低水价策略，全部用完取水权限额，获得的净收入为

$$B_无 = (P_1 - P_0)Q_0 - C_1 \tag{7-3}$$

式中 $B_无$——没有对外取水权转让情况下的灌区经营者净收益；

P_1——没有对外取水权转让情况下的灌区经营者对用水户的水价；

P_0——灌区经营者从黄河取水的取水权水价；

Q_0——灌区取水权限额；

C_1——当取水量为 Q_0 时的灌区经营成本。

当存在干流取水权市场时，灌区可以通过对外转让取水权指标获取收入，则灌区经营者的收入结构发生变化，获得的收入为

$$B_有 = (P_2 - P_0)Q - C_2 + P_转(Q_0 - Q) \tag{7-4}$$

式中　$B_有$——存在对外取水权转让情况下的灌区经营者净收益；

　　　P_2——存在对外取水权转让情况下的灌区经营者对用水户的水价；

　　　Q——灌区对用水户的供水量；

　　　C_2——当取水量为 Q 时的灌区经营成本；

　　　$P_转$——灌区经营者将黄河取水权转让的取水权价格。

由于灌区的供给量从 Q_0 减少到 Q，按照市场均衡规律，灌区内水价将有所提高，从 P_1 提高到 P_2，$P_2 \geqslant P_1$；一般而言，C_1、C_2 与取水量正相关，因此，$C_1 \geqslant C_2$。则

$$B_有 - B_无 = (P_2 - P_0)Q - C_2 + P_转(Q_0 - Q) - [(P_1 - P_0)Q_0 - C_1]$$
$$\geqslant P_转(Q_0 - Q) - (P_1 - P_0)(Q_0 - Q)$$
$$= [P_转 - (P_1 - P_0)](Q_0 - Q)$$

当 $P_转 \geqslant (P_1 - P_0)$ 时，$B_有 > B_无$。

当取水权对外转让价格不小于灌区单位取水权的净收益时，灌区就有动力实施节水措施，获得最大的总净收益。

建立灌区水市场的最终目的在于促进灌区节水，优化配置灌区水资源。灌区水市场的运作，在水价变化不大的情况下，节水将造成灌区经营者的收入减少，如果节约下来的水不能通过黄河取水权市场转让出去获利，那么灌区将没有动力节水。即使水价有较大的提高，当水资源价格需求弹性大于 1 时，提高价格也将使灌区的总收入下降。因此，仅仅建立灌区水市场是不够的，要形成完整的激励相容的体制，还必须建立相应的黄河取水权市场。

7.1.5.5　补贴、投资与灌区节水激励

这里再深入一步，探讨国家补贴和国家节水设施投资如何使用才能发挥其预期的节水作用。

设节水成本为 C，节水获得的转让收益为 $B_入$，则设 $\Delta B = B_入 - C$。

设使用节约之水的使用人的用水成本为 D，产生的收益为 $E = B_出 + F$，其中 $B_出$ 为对节水人的补偿，F 为使用人自己享受的收

益。设 $B_入=B_出=B$。

节水可行的条件有两个，其一是 $\Delta B>0$，其二是 $F–D>0$。

当 C 较大时，对 B 的要求也将很高，进而要求 E 也要很高。当 E 有极限时，如果 $B\geq E$，则 $F\leq 0$，用水人产生的所有收益都要求转让给节水人，而要承担全部成本，甚至还要倒贴，不满足第二个条件，节水不可行。

如果 $E\geq B\geq E–D$，则 $(F–D)\leq 0$，即 $F\leq D$，用水之人将无利可图，甚至要承担部分用水成本，同样不满足第二个条件。

如果国家从粮食安全等角度出发，对节水进行鼓励，引导水资源的高效配置，那么国家可以采取的措施有：

(1)对节水设施建设进行投资，降低用水成本 C、D。降低了 C 和 D，在满足 $\Delta B>0$ 的条件下，B 也相应降低，进而 $B<E–D$ 的概率增大，节约之水使用人的净收益 $F–D>0$ 的概率增大。节约用水和水权转让的动力增加，有利于取水权市场的形成。

(2)对用水进行补贴，直接增加 $B_入$。通过提供灌区管理经费等形式对灌区实行补贴，直接增加 $B_入$，相当于降低了 $B_出$，增加了 $F>D$ 的概率，也有利于取水权市场的形成。

7.2　黄河农业水权农转非市场

从黄河的实际情况来看，地区间水资源的优化配置问题较突出。具体表现在黄河的断流。农业水权的农转非问题相对不明显，因为从表象上看，黄河流域的引黄灌区还在不断扩大。但农业水权的保护问题仍然需要引起重视。本节就农业水权的农转非市场规范问题进行初步探讨。

7.2.1　我国和黄河水资源"农转非"变化趋势

从新中国成立以来，我国农业用水占总用水量的比例一直呈下降的趋势，同时工业用水和城市生活用水则呈不断增长趋势[36]。
具体情况见表7-1和图7-9。

表7-1　1949年以来我国水资源分配变化趋势

年　份	指　标	农业	工业	城市生活	总计
1949	用水量(亿 m³)	1 001	24	6	1 031
	占总用水(%)	97.1	2.3	0.6	100
1959	用水量(亿 m³)	1 972	98	14	2 084
	占总用水(%)	94.6	4.7	0.7	100
1965	用水量(亿 m³)	2 545	181	18	2 744
	占总用水(%)	92.7	6.6	0.7	100
1980	用水量(亿 m³)	3 912	457	68	4 437
	占总用水(%)	88.2	10.3	1.5	100
1993	用水量(亿 m³)	4 055	906	237	5 198
	占总用水(%)	78	17.4	4.6	100
1997	用水量(亿 m³)	4 199	1 121	246	5 566
	占总用水(%)	75.5	20.1	4.4	100
1998	用水量(亿 m³)	4 055	1106	274	5 435
	占总用水(%)	74.6	20.4	5.0	100

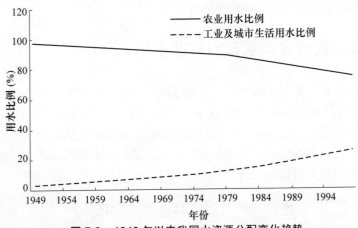

图7-9　1949年以来我国水资源分配变化趋势

从表 7-1 和图 7-9 可以看出，我国水资源农转非(即农业水资源通过不同途径改为非农用途)趋势明显。据预测，到 2050 年农业用水所占比例还将继续下降到 50%左右。今后，随着我国经济的进一步发展以及工业化和城市化水平的不断提高，加上人口的不断增长，社会用水需求也将日益增加。因此，21 世纪我国农业发展将面临严重的水资源短缺问题。

从黄河的水资源利用情况看，黄河水资源的利用率在逐年扩大。

从耗水量比例上分析，如表 7-2 和表 7-3 所示，1988~1992年的统计资料表明，农业灌溉耗水 92.4%，1998 年农业耗水量占总耗水量的 91.4%；而 2000 年农业耗水量占总耗水量的 87.9%，呈逐渐下降的趋势；1988~1992 年工业和城镇生活耗水仅占 5.9%，1998 年工业和生活耗水量占总耗水量的 7.3%，而 2000 年工业和生活耗水量占到总耗水量的 10.8%，呈逐步上升的趋势。尽管存在资料系列时间较短等系统误差因素，但也反映了黄河水资源在非农业方面的利用范围和数量都在逐步增加。从显然的预测来看，未来黄河沿岸引用黄河水资源用于工业生产和城镇生活的用水将逐步增加。黄河农业水权农转非的趋势在所难免。

表 7-2　黄河地表水利用情况　　(单位：亿 m³)

年份	指标	总计	农业	工业	城镇生活	农村人畜
1988~1992	耗水量	307.24	283.93	14.45	3.81	5.05
1998	取水量	370	334.6	26.77	5.17	3.46
	耗水量	277.07	253.35	16.25	4.02	3.45
2000	取水量	346.1	302.75	29.77	9.88	3.7
	耗水量	272.32	239.29	20.57	8.76	3.7

资料来源：黄河水资源公报(1998，2000)。

表 7-3　黄河地表水利用情况(比例)　　　(%)

年份	指标	总计	农业	工业和生活	农村人畜
1988~1992	耗水量	100	92.4	5.9	1.6
1998	取水量	100	90.4	8.6	0.9
	耗水量	100	91.4	7.3	1.2
2000	取水量	100	87.5	11.5	1.1
	耗水量	100	87.9	10.8	1.4

资料来源：黄河水资源公报(1998，2000)。

7.2.2　黄河取水权体系框架下的农转非市场

7.2.2.1　农业水权转非的必然性

农业水权转非的必然性是经济规律决定的。资源将从比较效益低的部门流向比较效益高的部门，这是经济规律。农业用水的效益一般低于工业和城镇用水，因此随着经济社会的发展，水资源的稀缺程度逐步增加，农业与非农业用水比较效益落差越来越大，农业水权向非农业转移的拉动力越大，农转非势在必然。

7.2.2.2　黄河取水权体系对农业水权的保护

第五章建立的黄河取水权体系，是在充分考虑黄河农业水权的基础上建立的。这主要表现在以下方面：

(1)建立基本水权制度，对农业基本水权予以充分重视。在考虑灌区发展、粮食安全等的基础上，通过测算科学的农业灌溉定额，保证农业灌溉的基本需要。由于基本水权具有保证率高、水权价格便宜等优点，因此农业水权得到了保护。

(2)在丰余水权制度中，可以允许灌区等农业用水单位申请订立长期水权合同，也可以根据需要临时向河道或黄河供水公司购买。

7.2.2.3　黄河农业水权转非的类型

按照建立的黄河取水权体系，黄河农业水权转非的类型可以分为基本水权转非和丰余水权转非两种。根据上面的分析，由于基本水权比较稳定，且有较强的归属性，因此农业水权转非首先必须加以控制的就是农业基本水权的转非问题。

根据黄河的具体情况，农业基本水权的转非可以分为取水口间农业水权的农转非和取水口内农业水权的农转非。

1. 取水口内农业基本水权转非的特点

取水口内农业水权的农转非主要特点在于：取水口属于混合取水口，既对农业供水也对工业或城镇供水。在同一取水口内，农业基本水权转让给工业或城镇，比较容易调度，运作牵涉面较窄，运作成本较低。

2. 取水口间农业基本水权转非的特点

取水口间农业基本水权的农转非主要特点在于：农业水权转移在单个取水口内无法满足或无法完成，必须从其他取水口购买。取水口间的农业基本水权转移牵涉面较大，需要河道管理部门实施调度，运作成本较高。取水口间农业基本水权转非是黄河基本水权市场的主要内容。

丰余水权的农转非问题，在本文建立的黄河取水权体系中不明显、不直接。因为丰余水权本身就是考虑资源配置的经济效率的产物，丰余水权的配置原则是哪里比较效益高，水资源就配置到哪里。因此，丰余水权严格说来不存在农转非问题。但是在特定的时期和国情条件下，黄河水权体系中的丰余水权也必须考虑农业与粮食安全问题，有必要采取一些措施保护农业水权，即通过价格政策建立农业水权转非的补偿机制。

7.2.2.4　农业水权转非的补偿

1. 价格补偿

对农业水权进行保护的主要手段之一是价格补偿。主要措施包括：

(1)对农业基本水权转非征收农业水权保护基金，提高工业和城镇生活用水获得农业水权的成本。农业水权保护基金征收之后可用于增加农业灌溉设施投资，促进农业节水。

(2)对农业用水实施保护性价格，国家予以价格补贴，而非农业用水国家不予以补贴。该措施使得丰余水权制度同样能够保护农业水权。从经济学角度，国家通过价格补贴提高了农业部门的竞争能力，起到了保护农业水权的作用。

2. 其他补偿措施

(1)投资补偿措施。学习国外的经验[156]，由市政部门或工业部门直接投资节水农业建设，或者投资滴灌等节水设施，或者投资修建管道或输水渠，从而使农业用水利用率提高，节约下来的水供投资单位使用。但是，在此过程应该有标准的程序和制度支持来实施水权的转移，应该有标准的立法制度来保证向灌溉设施投资以产生充足的水供转移。

(2)以粮食换水权的补偿措施。工业或市政部门通过向国际或国内市场订购粮食，以粮食换取农业基本水权。该措施也是变相利用外地水资源的重要措施。

7.3 跨流域取水权市场 —— 黄河对外调水和南水北调

7.3.1 黄河的对外流域调水

7.3.1.1 黄河是对外流域调水较多的河流之一

黄河是目前向外流域调水较多的河流之一。由于黄河地理位置的特殊性，是我国北方的主要水源，加上黄河下游形成的悬河状态，大堤以北为黄海平原，属海河流域；大堤以南为黄淮平原，属淮河流域。因此，黄河下游灌溉理论上属于跨流域引水行为。除了大量的黄河下游引黄灌溉之外，黄河还专门通过引黄济青、济津、济冀等跨流域调水工程,向流域外多次实施了远距离调水。在上游建成的"引大入秦"等跨流域调水工程等也属于跨流域对外调水。

黄河对外流域调水不仅表现为引水用于农业灌溉、工业生产、城镇生活,还越来越表现为调水维持或改善外流域的区域生态平衡或景观建设,以及其他作用。具体有两例可以证明。

例1:黄河水又济马踏湖

(黄河网,2002年6月24日)本站讯　马踏湖位于山东淄博境内,是全省著名的旅游景点。近几年由于降水少,水质污染重,水资源面临枯竭,生态环境日益恶化,给湖区群众生产、生活带来严重影响。为此,市委、市政府高度重视,组织水利局、渔业局及市河务局研究,并征得上级同意,于今年3月份借助引黄供水实施"引黄济湖"调水工程。首次调水360万 m^3,使马踏湖重现昔日生机,有力地促进了旅游、水产养殖、农业和当地经济的发展,被湖区群众称为幸福水、救命水。

最近,这次"引黄济湖"计划供水10天,送水量500万 m^3,截至6月18日,已向马踏湖送水65万 m^3(何英文　刘助章　刘焕荣)。

例2:黄河水注入运河济宁段　八成滞留船只今起航

(齐鲁晚报,黄河网2002年9月5日转载)素有"黄金水道"之称的京杭运河济宁段,因连日干旱少雨于上月9日宣布断航。经济宁航运部门疏导,今天,滞留在航道里近2 000艘船只已经有1 500多艘成功驶入通航水域。为让京杭运河济宁段尽早复航,济宁市已经急调黄河水注入南四湖和运河航道。

济宁市航运局办公室焦洪道副主任告诉记者,从7月9日"忍痛"宣布断航后,济宁市委、市政府和航运局等部门的有关领导多次对滞留船员进行慰问,并送去了药品、食品等救援物资。但为了降低损失和保证船员的生活和安全,该市抓住近期的降雨时机，从 25 日开始对滞留在航道内的船只进行了疏导。通过起驳减载、强行拖带等手段，目前已经有 1 500 多艘船只通过韩庄船闸(京杭运河济宁段的南大门)而驶入枣庄、徐州等通航水域。

焦副主任介绍，截止到目前，京杭运河济宁段上级湖水深仅有 1.95 m，下级湖水深为 2.2 m，离三级航道要求 3 m 的通航水深还相差甚远。为使运河济宁段早日复航，经有关部门批准，该市将引 2 亿 m³ 黄河水注入南四湖和运河航道。从本月 5 日开始，黄河水经梁济运河以每天 200 多万 m³ 的流量注入南四湖和运河航道，整个引水时间将持续一个半月左右。

7.3.1.2　对外流域调水市场类型

从目前的情况看，黄河对外流域调水大致可以分为两类：一是黄河下游灌区的引水类型，该类型已经逐步成为黄河"流域"的组成部分，引水已经纳入水费征收的范畴；二是"引黄济×"型。"引黄济×"型调水根据是否产生经济效益(或以经济效益为主)，还可以分为公益型跨流域调水市场和非公益型跨流域调水市场，前者典型的是生态水权市场，如例 1 中"引黄济湖"；后者包括工业引水、城镇生活引水，如引黄河水济胜利油田、济津、济青，也包括其他的经济用水，如例 2 中的引黄河水恢复运河通航。

7.3.1.3　规范对外流域调水市场

目前的调水尽管大多也有适当的水费补偿，但基本属于行政调配。从建立黄河取水权体系以及建立市场经济体制的角度，对外流域调水必须全部纳入黄河取水权市场。对外流域调水需要向基本水权用户购买基本水权，或者向黄河供水公司申请购买丰余水权。

1. 规范新辟灌区的引水

由于下游灌区已经纳入了"流域"范围，新辟灌区获得水权的方式将通过基本水权市场购买基本水权，通过丰余水权市场购买丰余水权。

2. 规范"引黄济×"型调水市场

该类跨流域调水一般规模较大,需要建造专门的规模较大的引黄工程,一般也具有较大的政治、经济、环境、生态影响。因此对之需要进行专门的论证,以明确是否有足够的水权能够满足调水需要,对出让水权者如何补偿,对其他水权用户的影响如何消除。

大规模的调水一般需要全流域的统一调度,需要耗费较多的人力、物力、财力,需要行政力量的介入,但是从水权市场的角度出发,必须用水权市场的运作规则来对待所有的水权用户,包括现有水权用户和新增加的水权用户。

3. 规范跨流域调水的生态水权市场

在本书的第二章已经探讨了"生态水权"问题,指出河流生态权是指本流域内维持河流系统自身功能的权利,河流没有维持河流外生态安全的义务。因此,当河流外生态系统需要河流取水权时,应该纳入取水权转让体系。

在跨流域调水市场中,黄河没有义务维持流域外生态平衡。因此,如果需要跨流域引取黄河水以恢复其他流域生态平衡,那么应该以流域外水用户的身份向黄河取水权市场购买基本水权或丰余水权。

4. 跨流域调水市场中对流域内水用户的保护

黄河水量是一定的,跨流域引水越多,流域内水用户的权益将受到损害,表现在由于黄河水权市场的竞争加剧,需求的增加使得水权价格升高。对流域内水用户的保护在一定条件下是合理的。保护措施主要包括:①歧视性价格,对外水权转让价格高于内部水权价格;②设置跨流域水权转让基金,该项措施的可行性较高。

7.3.2 南水北调水权市场与黄河取水权市场的衔接

7.3.2.1 南水北调水权市场

南水北调属于中国最大的、带有战略性的调水工程、水资源优化配置工程，主要是为了解决北方大范围、区域性资源性缺水问题[158]。经多年的勘测、规划、研究，按照长江与北方缺水区之间的地形状况，分别在长江下游、中游和上游规划了三条调水线路，形成南水北调东线、中线和西线的总体规划布局。三条调水线路有各自的主要任务和合理的供水范围，但每一条调水线路的实施建成，对黄淮海三流域的水资源配置都可以进行互相调济。

1. 东线调水工程

东线调水工程的目的是解决黄淮海平原东部地区的缺水问题。主要目标是提供沿线城镇居民生活和工业用水；提高现有灌区的供水保证率，改善灌溉条件；结合输水，恢复和提高京杭运河的通航能力；利用调水工程设施，提高沿线易涝地区的排涝能力。

2. 中线调水工程

中线工程的调水目的是解决京津华北平原中西部及沿线河北、河南部分地区的缺水问题。主要目标是以解决沿线城市生活和工业用水为主，兼顾农业及生态环境用水。

3. 西线调水工程

西线工程的调水目的是补充黄河水资源不足，重点解决青、甘、宁、蒙、陕、晋六省(区)的缺水问题，主要目标是以六省(区)工业、城市用水和农林牧业用水为主，兼顾生态环境用水。西线调水工程，从长江上游干支流调水入黄河上游，引水工程分别在通天河、雅砻江、大渡河干支流上筑坝建库，积蓄来水，采用引水隧洞穿过长江与黄河的分水岭巴颜喀拉山入黄河。

根据中央精神，南水北调工程将按照水权和现代企业制度的理论来构建工程建设和经营管理体制。按照需水量来设置股权，根据股权的多少来确定资本金，成立有限责任公司，从而形成国家宏观调控、公司市场运作、用水户参与管理的体制[34]。南水北调工程将首开中国大规模跨流域调水市场化运作的先河，在调水沿线建设世界最大的水权交易市场。南水北调总调水量约 400 亿 m³,将根据沿线各省市需水量确定调水规模和方案。需水地方的股金按比例分摊,要的水越多,出的资本金越多。目前,为先期启动的中线供水工程成立的股份制公司正加紧筹备。公司股份的 48%由中央投资,32%为地方资本金,在 20%的业主投资中将首次吸纳外资及民间资本。

7.3.2.2 南水北调水权市场对黄河取水权市场的影响

1. 减少黄河取水权市场的需求

南水北调工程东线和中线,向目前黄河水资源的部分服务区调水,增加了该地区水权总量,从而从客观上减少了该地区对黄河取水权市场的需求。

在水源有限的情况下,大量的用水需求涌向黄河,缺水地区的城市和工业发展挤占了大量的农业用水,其实质已侵害了弱势农业及农民的固有水权和切身利益,而农业又再去侵占生态及环境的用水,形成恶性循环。

南水北调工程的建设,首先为保障和恢复受水区农业水权提供了机会。在考虑社会公平和效益的基础上,随着南水北调对城市供水能力的形成,应逐步将过去侵占农业的、相对便宜的用水还给农民,进而解放挤占的生态环境用水,使黄河水和外调水分配使用更加合理。

在受水区水权总量增加的前提下,水权管理应更加明确地实施"各级水权管理者的水权许可不得超出自身所拥有的水权范围和总量,且不应侵害原有水权"的原则。在分级统一管理的形式下,首先从总量上控制受水区水资源的过度开发与利用。受水区的水权管理一方面要逐步明晰并严防侵占服务于公共利益的生态环境水权,如黄河冲沙和生态用水等;另一方面还要严格限制授予和逐步置换原有的不符合水资源合理配置的水权,如属于超采的地下水权,从而切实保障水资源的合理配置的实现[150]。

2. 增加黄河取水权市场的供给

南水北调工程西线，主要是为了增加黄河的可供水量，从而增加了黄河水权市场的总供给。总供给的增加能够缓解当前黄河水资源紧缺的局面，为当前黄河取水权市场的取水权分配调整提供了基础。

黄河取水权管理同样应明确地实施"各级水权管理者的水权许可不得超出自身所拥有的水权范围和总量，且不应侵害原有水权"的原则，逐步恢复黄河的生态水权和农业水权，以及其他不符合水资源合理配置的水权。

7.3.2.3 南水北调水权市场与黄河取水权市场的衔接

南水北调水权市场与黄河取水权市场的衔接关键在于水价的衔接和水资源的统一优化配置。

1. 西线南水北调与黄河取水权市场的衔接

西线调水增加了黄河的可供水量，根据黄河的调节能力，黄河的基本水权总量将有所增加。黄河在恢复生态水权之外，对工业和城镇用水、农业用水等基本水权用户可以适当发展。

两个市场衔接的关键在于水权价格或水价的衔接。

西线供水在增加供水量的同时，也增加了黄河供水总成本，使得黄河供水水价的核定基础发生了变化。因为黄河水价的定价可以分为工程水价、环境水价和资源水价(含水权价格)，增供水量成本包括对调水区水权影响补偿费用和工程建设运营费用等，该成本将计入工程水价、资源水价核定基础。

如果通过黄河供水公司运作，那么两市场的衔接相当于黄河供水公司向外流域购水，再通过黄河水权市场出售给黄河水权用户。黄河水价的核定将遵循全成本水价的计价原则。

2. 中线与东线南水北调与黄河取水权市场的衔接

目前的资料显示，中线与东线南水北调一般情况下不直接向黄河调水，而是直接向部分目前黄河取水权用户调水。

单纯从经济观点出发，调水能否缓解黄河取水权市场的需求压力，取决于南水北调水权市场的价格竞争力和水资源质量。

根据市场细分理论，不同的水用户对水资源质量的要求不同，在没有高质量水源的情况下，某些水用户不得不购买质量较差的水权，再投资净化，才能满足消费要求；而在出现了质量较高的水源的情况下，这部分用户愿意直接出较高的价格购买可以直接消费的质量较高的水。这是减少黄河取水权需求压力的方式之一。该种情况在中线南水北调水权市场中将出现，表现为部分工业与城镇生活用水需求向调水市场转移。

缓解黄河取水权市场需求压力的另一关键因素，是南水北调水权的使用价格(包括引取成本和水权价格)是否低于或与黄河取水权的使用价格(包括引取成本和水权价格)持平。

根据测算，南水北调调水成本较高[163]，测算出的水价远远高于黄河水目前的价格，因此从目前看，南水北调水权市场还无法有效地缓解黄河水权市场的压力。

顺利衔接两个市场的关键是如何使得两个市场的价格水平持平。可采取的措施包括以下方面：

(1)逐步提高黄河水价，使黄河水价与调水水价持平。该措施对黄河原取水权用户有直接的影响，水价的大幅提高将直接损害原取水权用户的利益。因此可以采取超额累进加价的方式，将水用户对基本水权或定额以外的用水支付较高水价，以逐步提高水价水平，同时该方式还能限制用户用水，促进节约。

(2)采取措施降低调水水价，使调水水价与黄河水价持平。降低调水水价的措施主要从降低工程建设成本和运营成本，以及降低水资源费等角度出发，通过加强建设和运营管理，降低贷款利息，降低水资源费，以降低调水水价。另一个重要的措施是国家实施调水补贴，通过承担价差损失或税收损失等手段，硬性降低调水水价。

(3)同时使用上述两项措施。适当调高黄河的原水价格，合理降低南水北调工程对供水企业的供水价格，特别是降低非容量供水量的水价，尽量通过市场来保证调来的水用得出去，用得合理。

7.4　本章小结

本章先后研究了黄河灌区水市场、黄河农业水权转非市场和跨流域黄河取水权市场。

简述了黄河流域灌区水权制度，分析了改革前我国灌区水权制度存在的问题并简要总结了我国近年来灌区管理体制改革的情况；对灌区的多中心治理结构进行了研究，着重就基于多中心治理结构的灌区水市场进行了探讨，对灌区水市场的市场主体、需求、供给、均衡、市场的管制以及市场运作规则进行了初步研究；论述了正确的节水观，对灌区节水行为进行技术经济分析；通过对不存在干流取水权市场条件下灌区水市场中的灌区经营者收益分析，以及对存在干流取水权市场条件下的灌区节水激励分析，证明建立灌区水市场的外在机制是建立与之激励相容的干流取水权市场。

初步研究了黄河农业水权农转非市场。我国和黄河水资源"农转非"将是必然趋势；黄河农业水权转非主要表现为农业基本水权转非，农业基本水权转非还可以再分为取水口间和取水口内两类；简要分析了取水口内和取水口间农业基本水权转非市场的特点，提出了农业水权转非的价格补偿和其他补偿措施。

初步研究了黄河对外流域调水市场。指出黄河是对外流域调水最多的河流之一，黄河对外流域调水大致可以分为黄河下游灌区引水和引黄济×型两类；提出了规范对外流域调水市场的4项措施；初步研究了南水北调水权市场对黄河取水权市场的影响；从减少黄河取水权市场的需求和增加黄河取水权市场的供给两个方面进行了分析，初步研究了两个市场水价衔接问题。

第八章 基于取水权市场的
黄河水价体系研究

价格是市场的主要调节手段。本章是在第六章和第七章的基础上，探讨基于取水权市场的黄河水价体系。首先就水价的基本理论进行概述，接下来再着重研究基于取水权市场的黄河水价体系。

8.1 水价理论概述

8.1.1 水资源价值和价格理论

8.1.1.1 水资源价值理论

水资源包含水量和水质两个方面，是人类生产生活及生存不可替代的自然资源和环境资源，是在一定的经济技术条件下能够为社会直接利用或待利用，参与自然界水分循环，影响国民经济的淡水。

主要的价值理论有两个流派[164]：一是效用价值论，二是劳动价值论，其他价值理论都是两种价值理论的变种、延伸。站在不同的立场、角度，得出的价值判断也不同。

1. 效用价值论

效用价值论是从物品满足人的欲望能力或人对物品效用的主观心理评价角度来解释价值及其形成过程的经济理论。所谓的效用是指物品满足人的需要的能力。19世纪50年代前，效用价值论主要表现为一般效用论；自19世纪70年代以后，主要表现为边际效用论。

效用价值论的主要观点是：

(1)价值起源于效用，效用是形成价值的必要条件，又以物品的稀缺性为条件，效用和稀缺性是价值得以出现的充分条件。因为只有在物品相对于人的欲望来说稀缺的时候，才构成人的福利(甚至生命)的不可缺少的条件，从而引起人的评价即价值。

(2)价值取决于边际效用量，即满足人的最后的亦即最小欲望的那一单位商品的效用，价值纯粹为一种主观心理现象。

(3)边际效用递减和边际效用均等，所谓的边际效用递减规律是指人们对某种物品的欲望程度随着享用该物品数量的不断增加而递减；边际效用均等也称边际效用均衡定律，它是指不管几种欲望最初绝对量如何，最终使各种欲望满足的程度彼此相同，才能使人们从中获得的总效用达到最大。

(4)效用量是由供给和需求之间的状况决定的，其大小与需求强度成正比例关系,物品的价值最终由效用性和稀缺性共同决定。

2.　劳动价值论

劳动价值论是物化在商品中的社会必要劳动量决定商品价值的理论。

马克思的劳动价值论是在批判地继承了古典政治经济学的劳动价值论的基础上，建立起来的科学的价值理论。它论述了使用价值和交换价值间存在的对立统一关系,首创了劳动二重性理论，指出价值与使用价值共处于同一商品体内，使用价值是价值的物质承担者，离开使用价值，价值就不存在了。使用价值是商品的自然属性，它是由具体劳动创造的，价值是商品的社会属性，它是由抽象劳动创造的。物的有用性使物具有使用价值，价值只是无差别的人类劳动的单纯凝结，价值是抽象人类劳动的体现或物化。

运用马克思的劳动价值论来考察水资源等自然资源的价值,

关键在于水资源等自然资源是否凝结着人类的劳动。马克思认为，处于自然状态下的水资源等自然资源，是自然界赋予的天然产物，不是人类创造的劳动产品，没有凝结着人类的劳动，它没有价值。马克思说过："如果它(指自然资源——引者注)本身不是人类劳动的产品，那么它就不会把任何价值转给产品。它的作用只是形成使用价值，而不形成交换价值，一切未经人的协助就天然存在的生产资料，如土地、风、水、矿、原始森林及树木等，都是这样。"

在上述两种价值论之外，还提出了生态价值论、哲学价值论、存在价值论等，都是从不同角度阐述效用价值论和劳动价值论，或者是二者的复合。

对于如何解释水资源的价值问题，本书倾向于效用价值论的观点，也就是说自然状态下的水资源它不包涵劳动价值，但具有效用价值。

8.1.1.2　水资源价格理论

水资源价格理论的基础主要是地租理论。不同流派的经济学家都认同地租概念，并有自己的地租理论。

地租是土地所有者凭借土地所有权获得的收入。地租理论的发展经历了漫长的历史发展阶段，在中世纪文献中就已提及地租概念，但它的发展一直很缓慢，直到19世纪60年代才有科学的系统论述。

在西方经济学中，"土地"一词并非纯指土地这一单纯的自然资源，它的概念非常广泛，泛指水资源等一切自然资源。英国经济学家马歇尔曾明确指出，土地是大自然无偿资助人们的陆上、水中、空中、光和热等物质的总称。马克思对此也有明确的论述："考察一下现代的土地所有权形式，对我们来说是必要的，因为这里的任务总的来说是考察资本投入农业而产生的一定的生产关系和交换关系……为了全面起见，必须指出，只要水流等有一个所有者，是土地的附属物，我们也把它作为土地来理解。"

1. 李嘉图的地租理论

英国古典经济学大师李嘉图的地租理论是西方经济学的传统理论，他将地租理论与劳动价值论联系起来，确认地租不是土地的产物，而是农业生产中超额利润的转化形式。

2. 马克思的地租理论

马克思的地租理论是在批判继承李嘉图地租理论的基础上建立起来的。地租理论是马克思《资本论》的重要组成部分。

马克思在总结批判前人成果的基础上，确立了科学的绝对地租概念。绝对地租是指土地所有者单凭土地所有权获得的地租。如果使用者使用资源，不向资源所有者交付任何费用，其结果等于放弃所有权。马克思指出："如果我们考察一下在一个实行资本主义生产的国家中，可以将资本投在土地上面不付地租的各种情况，那么，我们就会发现，所有这些情况都意味着土地所有权的废除，即使不是法律上的废除，也是事实上的废除，但是，这种废除只有在非常有限的、按其性质来说只是偶然的情况下才会发生。"水资源绝对地租的实现，也就是水资源所有权的实现。它要求不管水资源如何丰富，也不管水资源开发条件多么的差，使用具有明确所有权的水资源都应该向所有者缴纳一定的地租，即付出地租转化而来的水资源价格，否则便意味着所有权的废除，即使不是法律上的废除，也是事实上的废除。

级差地租指生产条件较好或中等土地所出现的超额利润。按照马克思的级差地租理论，级差地租分为级差地租Ⅰ与级差地租Ⅱ。级差地租Ⅰ是等量资本投在不同等级的同量土地上所产生的个别生产价格与调节市场价格、垄断生产价格之间的差额。如果等量的资本不是同时投在质量不等的同量土地上，而是连续地追加在同一土地上，那么，由于连续追加投资的不同生产率而产生的级差地租，就是级差地租的第二形态，即级差地租Ⅱ。

水资源级差地租形成的根本原因，在于水资源的态势、丰度、质量不同及开发利用条件不同。同时与水源地距需水户的远近有关，距离远，供水成本就高，所获得的利润就小；反之，则获得的利润就高。

按照级差地租理论，级差地租 I 是等量资本投在不同等级的同量土地上所产生的个别生产价格与调节市场价格、垄断生产价格之间的差额。对于水资源定价而言，开采条件较好的水资源，其级差地租高，水资源价格相对较高。开采条件较差的，级差地租低，水资源价格相对较低。

3. 萨缪尔森的地租理论

萨缪尔森是美国当代著名经济学家，新古典综合学派的代表人物。他认为社会总收入由各种生产要素共同创造，土地、劳动、资本和资本家是创造收入的四个要素，而地租、工资、利息和利润则是这四个要素的相应报酬，其大小取决于生产要素间的边际生产力。萨缪尔森的地租理论就是以此为基础建立起来的。主要研究土地及其他自然资源的租金如何通过市场供求关系得以决定。他用地租或纯经济地租表示任何全部供给不变的或缺乏弹性的生产要素("大自然所赋予的原始的和不能消失的恩赐")的价格，仅在某一段时间内缺乏供给弹性的生产要素的报酬为"准地租"。

地租决定于供求关系形成的均衡价格，即供给和需求决定任何生产要素的价格。由于供给缺乏弹性，所以需求就成为惟一的决定因素，地租完全取决于土地需求者支付的竞争性价格。地租在更大程度上是土地产品的市场价格的后果，而非市场结果的原因。萨缪尔森认为，对稀缺资源征收地租有助于取得资源的更高效的配置。当对一种稀缺品不征收地租时，资源配置的严重失调甚至短缺可能发生。

8.1.1.3　水资源价格的内涵

由于人类对水资源的关系有深有浅,从自然状态下的水资源,到附加有人类劳动的水资源,水资源的内涵不同,有必要进行适当分类。根据是否附加了人类劳动,水资源可以分为两个部分[165]:一是资源型水资源,也可以简单地称为水资源,仅指资源,或者仅附加了有限的必要的少量人类劳动投入;二是工程型水资源,对水资源进行了积蓄、运输、加工等,附加了较多的人类劳动,具有水产品或水商品的性质。

1. 资源型水资源价格内涵

资源型水资源的基本特性为:人类对其没有劳动投入或仅限于如资源勘察、评价或规划等有限的少量劳动投入;其处于天然资源状态,没有进入人类生产或生活领域。

资源型水资源价格主要包含水资源地租和前期劳动投入的费用。水资源地租体现了水资源所有者的权益,其价值量或价格的大小可以通过绝对地租和级差地租来反映。绝对地租是水资源使用者必须要付给水资源所有者的资源地租。由于水资源存在优劣性,优等水资源开发者应将因所获得的超额利润,以地租的形式交给水资源所有者,这部分超额利润即为级差地租。绝对地租和级差地租是资源型水资源价格的主体。人类对水资源前期劳动投入的费用应在资源所有权向使用权转换之中得到补偿,这也为资源的有效管理、保护和开发利用提供了必要的经济条件和物质基础。

我国水资源属于国家所有,《中华人民共和国宪法》第一章第九条和《水法》第三条都有明确规定。因而资源型水资源地租应属国家所有,国家对水资源拥有产权,任何单位和个人开发利用水资源必须要向国家交纳地租,即水资源费。我国已实行征收水资源费制度。《水法》第四十八条规定:"直接从江河、湖泊或者地下取用水资源的单位和个人,应当按照国家取水许可制度和水资源有偿使用制度的规定，向水行政主管部门或者流域管理机构申请领取取水许可证，并交纳水资源费，取得取水权。"

2. 工程型水资源价格内涵

工程型水资源包括水利工程的蓄引提水，开采利用的地下水，污水处理后的回用水，利用的海水等。这类水资源的基本特征为人类的劳动投入和基本具有商品属性。

对于合理的、符合持续发展原则而开发利用的水资源，其价值估量的基础为工程的投入水平和市场供求关系，但对于牺牲整体利益、环境生态效益或只追求当前利益、部门利益等不可持续利用等方式开发利用的水资源的价值估量，则不能依据人类投入量的大小来衡量。也就是说，水资源的价值实现在于水资源的合理利用。

对于可持续利用的工程型水资源，其表现形态为商品水，通过市场交易得以实现其价值。由于水资源在不同地区之间存在着稀缺性，同一地区也存在着水文上的丰枯变化，因而，供求理论、边际价值论和机会成本法等也可以作为水资源价值研究的理论和方法。

人类的劳动投入，主要为资金投入、劳力投入和技术投入等。从成本角度说，人类的这些劳动投入应在工程型水资源用户的付费中得以回报。使用工程型水资源的用户必须付费，开发利用水资源的单位和个人应获得合法权益。

工程型水资源的价值量，包括了相应的资源型水资源的价值量和工程开发增加的价值量。工程型水资源价值估价，我国水利经济界对此研究颇多，也有部颁经济评价规范。需要强调的是，由于有部分水资源工程属公益事业，其创造的直接经济价值比较低或没有产出效益，但社会价值比较高。因而在估价这类水资源的价值时，应对其社会效益作出合理评价。

8.1.2　水价的形成方式和全成本水价

8.1.2.1　水价的作用

水价的制定应有利于水资源的合理、有效、充分利用[158~161]。

水价作为一种有效的经济调控杠杆，涉及经营者、普通水用户、政府等多方因素，用户希望获得更多的低价用水，开发经营者希望通过供水获得利润，政府则希望实现其社会政治目标。但从综合的角度看，水价制定的目的在于，在合理配置水资源，保障合理生态环境、美学等社会效益用水以及可持续发展的基础上，鼓励和引导合理有效地、最大限度地利用可供水，充分发挥水资源的经济社会效益。

用水通常可以分为生存用水、发展用水和不合理用水。生存用水是指人类生存所必须保证的，而发展用水则取决于资源对经济社会的可支撑性及水资源的相对短缺性，需要通过合理配置加以确定；不合理用水的定义则是动态的，不同的地区、不同的时期、不同的水资源条件其定义不同，通常是指与当地水资源支撑条件不相适应的能够避免的低效高耗用水，水的污染也被认为是一种变相的不合理用水。在水价的制定中，必须保障生存用水和基本的发展用水，而不合理用水则必须利用水价杠杆加以避免、控制，并逐步消除。

8.1.2.2　水价的形成方式

价格形成方式有多种，可以分为两类：一是市场形成价格；二是非市场形成价格，包括国家定价、其他形式的定价。市场形成价格，主要是市场有效的条件下定价；而非市场形成价格，主要是在市场失灵的条件下定价。

现实中，水的定价方式通常有服务成本定价、机会成本定价、增值成本定价、支付能力定价、完全市场定价等[168]。从定价者的角度研究，水价的制定又可分为以开发经营者为中心(如服务成本价、机会成本价、增值成本价)和以市场为中心(如支付能力价、完全市场价)两大类。不管哪一类定价方式，都需要综合考虑水资源量、用户需求、开发者性质、社会目标等多种因素，在促进水资源开发经营的同时，保护用水户的利益，并实现预期的社会效益目标。实际水价与经营者的利润成正比，而与政府的成本补贴和价格补贴成反比。因此，定价方式的选择和最终价格的确定实际是定价目的的体现，定价应在充分考虑供需平衡的基础上达到经济效益和社会效益的平衡点，力求将水价控制在供需双方经济效益和水量的平衡点附近。

水价制定是关系到国计民生和经济社会发展的复杂问题，水价往往是政府指导性价格或政府指定性价格，价格法第二十二条规定：政府价格主管部门和其他有关部门制定政府指导价、政府定价，应当开展价格、成本调查，听取消费者、经营者和有关方面的意见。价格法第二十三条规定：制定关系群众切身利益的公用事业价格、公益性服务价格、自然垄断经营的商品价格等政府指导价、政府定价，应当建立听证会制度，由政府价格主管部门主持，征求消费者、经营者和有关方面的意见，论证其必要性及可行性。

目前水价的制定通常采用全成本计价模式。

8.1.2.3 全成本水价

合理的水价必须反映水的全部机会成本。完整水价应该包括资源水价、工程水价和环境水价三个部分。

资源水价是水资源的稀缺租，是水权在经济上的表现形式。资源水价从根本上体现了资源的稀缺价值。当资源稀缺时，一个人的使用减少了其他人使用的机会，现在较多的使用减少了将来使用的机会，因此，在使用资源的机会成本中要体现这种稀缺价值。而这个稀缺价值，正是通过为取得水资源产权即水权的支付来实现的，表现为水权在经济上的实现形式。因为正是由于水资源是稀缺的，所以才有水权体系；在水资源稀缺的条件下，取得水权就意味着获得相应的利益，取得资源要向资源所有者支付费用。如果资源没有稀缺性，任何人可以随意取用，使用资源也没有机会成本(不包括资源加工的成本)，也无所谓取得资源产权的支付。资源水价要根据各个区域或流域对水资源的需求和供给量来确定，并随着供求的变化而变化。只要水是稀缺资源，水价中就要包括资源水价，否则水价就不能完全反映水资源的经济价值。我国是世界上人均水资源最贫乏的国家之一，取水者必须支付资源水价。

工程水价是通过具体的或抽象的物化劳动把资源水变成产品水，进入市场成为商品水所花费的代价，包括成本、费用、利润和税金。

环境水价是经使用的水体排出用户范围后占用了水体纳污能力，甚至污染了他人或公共的水环境，为水环境保护和污染治理所需要支付的代价。

上述水价构成中，工程水价主要受工程投资和运行成本影响，一般相对易于计算；环境水价主要受污染治理工程投资和处理费用影响，一般也能够测算出来；资源水价作为取得水权的机会成本，受需水结构和数量、供水结构和数量、用水效率和效益等因素的影响而不断变化，不同的用水户，在不同地区、不同时间、使用不同水源的不同量的水，其资源水价是不同的，资源水价的测算比较困难，但一般可以通过经验和试验予以确定。国家只要根据水资源和经济社会发展情况主动调整资源水价，就能引导人们自觉调整用水结构和数量，实现水资源的优化配置。

8.2　基于取水权市场的黄河水价体系研究

8.2.1　黄河水价沿革

1965 年，国务院[1965]国水电字 350 号文批转《水利工程水费征收使用和管理试行办法》后，黄河水利委员会于 1966 年初提出了《黄河下游引黄涵闸和虹吸工程水费征收使用和管理试行办法》征求意见稿，但由于种种原因，这个办法没有得到贯彻执行。1980 年规定引黄灌区管理单位将所收水费的 5% 交渠首管理单位。当年黄河水利委员会征收水费 12 万元，实现了渠首供水从无偿到有偿的飞跃[181]。

随着水利改革的深入，特别是 1985 年国务院发布《水利工程水费核订、计收和管理办法》后，在对黄河下游渠首供水成本进行测算的基础上，1989 年水利部以水财[1989]1 号文颁发了《黄河下游引黄渠首工程水费收交和管理办法(试行)》，规定"引黄渠首工程农业水费以粮计价，按当年国家中等小麦合同订购价折算，用人民币交付，工业水价执行货币定价"。

1990~2000 年的 10 年间，由于受国家宏观调控政策等的影响，黄河下游水价标准一直未得到调整。随着物价指数的不断上涨，供水生产资料成本和各项生产费用也逐年上升，水价与生产成本的距离越拉越大，水管单位亏损严重，供水简单再生产难以为继。

2000 年 10 月，黄河下游渠首水价标准得到调整，国家发展计划委员会颁发了《国家计委关于调整黄河下游引黄渠首工程供水价格的通知》(计价格[2000] 2055 号)。通知中明确黄河下游渠首农业用水价格为：4~6 月份 1.2 分 / m^3，其他月份 1 分 / m^3；工业及城市生活用水价格为：4~6 月份 4.6 分 / m^3，其他月份 3.9 分 / m^3。与旧标准相比，新水价标准有了大幅度提高，但由于历史欠账等原因，调整后的引黄水价仍然没有达到成本水平。

据计算，引黄渠首工程 2000 年成本水价应为：农业供水水价 4~6 月份 3.17 分 / m^3，其他月份 2.76 分 / m^3；工业及城市供水 4~6 月份水价为 3.81 分 / m^3，其他月份为 3.31 分 / m^3。而现行的水价平均标准仅为平均成本的 1 / 2 左右。

8.2.2　黄河水资源价值的运动过程

图 8-1 所示为黄河水资源价值运动过程，适用于一般河流水资源。

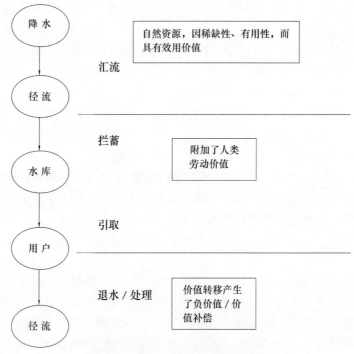

图 8-1　黄河水资源价值的运动过程

天然降水汇流形成径流，自然状态下的水资源因其对人类生存、生活和生态环境的有用性以及稀缺性，因而具有效用价值。

当人类投资河渠工程、水库工程拦蓄径流，并建设供水管网引取使用时，水资源因附加了人类劳动变成了水商品或水产品而具有了劳动价值。

当人类消费了水商品，将水商品中的劳动价值和效用价值转移出去之后，形成的废水因对环境有污染从而产生负价值。

人类将废水进行处理，对其附加人类劳动，从而使水体恢复或部分恢复其效用价值。

8.2.3 黄河水价总水平的确定

黄河水价总水平应由黄河水资源总供需平衡情况决定。

8.2.3.1 黄河水资源供给曲线

从市场经济学来看，水资源供给与价格的关系如图 8-2 中的曲线 S_1(图 8-2)：

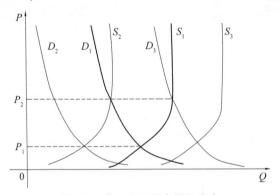

图 8-2 黄河水价总水平的确定

这一曲线表明，当 0 价格时，黄河水资源供给处于自然状态，或者说当黄河水资源供给处于自然状态(不考虑资源水价和环境水价)，一定的时期存在较小的水供给量，主要是黄河水资源的自然径流。当价格升高时，利益驱动使人们开始投资建设拦蓄水工程，可供水量增加；当黄河可供水资源达到最大时，黄河水资源供给曲线成为垂直于横轴的直线，即无论水资源价格如何提高，可供水量没有增加。

8.2.3.2 黄河水资源需求曲线

从市场经济学来看，水资源需求与价格的关系如图 8-2 中的

曲线 D_1。

这一曲线表明，当黄河水价为 0 时，一定时期存在一个较大的水需求量。当水价逐步提高时，水需求逐步得到抑制，起初，水资源需求价格弹性较大，小幅度的价格抬升将导致较大幅度的需求减少；随需求的逐步减少，水资源需求价格弹性变小，再提高价格将较少减少水资源需求；最后，当价格提高到人们无法承受的情况下，水资源需求只限于人们的生存需要。

8.2.3.3 黄河水资源的供需平衡

从供给和需求曲线(图 8-2)可以看出黄河水资源供需平衡的情况。

供给曲线为 S_1，需求曲线为 D_1，当黄河水价水平为 P_1 时，黄河水资源供求达到均衡，黄河水得到充分利用，黄河水资源得到了优化配置。

从优化资源配置角度来讲，最根本的是达到总量的供需平衡，在供需平衡的基础上，从供给方的特点和需求方的特点出发来实现优化配置。这里的供给方是黄河的水资源，需求方是沿黄各省社会经济，其内涵是经济、社会、环境和生态相协调的可持续发展。因此，供需平衡就是要以水资源的可持续利用来保障可持续发展。这里的需求是合理需求，供给是有效供给。

如果供给和需求移动则有如下曲线：

(1)供给移动。黄河水资源供给曲线的移动原因主要有两个：一是黄河水情发生变化，水资源量增加或减少；二是发生跨流域调水，水资源量增加或减少。如图 8-2 中 S_2、S_3。

(2)需求移动。黄河水资源需求曲线的移动原因，主要是黄河流域社会经济发展水平提高或降低，导致水资源需求相应增加或减少。如图 8-2 中的 D_2、D_3。

(3)供需曲线移动后的重新均衡。如当供给曲线不变，需求增加变为 D_3，均衡价格水平为 P_2，也就是说，当供给不变、需求增加时，黄河水价总水平需相应提高，才能使黄河水资源供求达到新的均衡。

8.2.4 基于取水权市场的黄河水价计价方式

8.2.4.1 水价计价方式

根据计价方式不同分为：计量水价、固定水价、两部制水价、超额累进水价、超额递减水价、浮动价格制、基本水价制等。不同的计价方式，各有各的特点[163~180]。

(1)计量水价：根据用户取水量和价格标准收取水费。这种计价方式要求水管单位有健全的用水计量设施。

(2)固定水价：根据用水户注册用水规模，在一定时期内收取一定数额的水费。这种计价方式适用于没有计量设施的情况。

(3)两部制水价：是基准水价和计量水价相结合的一种水价，称为两部制水价。在某一取水量下，收费为一固定值，超过这一取水量，将采用按方计费。这种水价制度能够保证供水企业的基本收入，并通过计量水价鼓励节约，是符合供水体系良性运行的水价制度。

(4)超额累进水价：在这种水价制度下，随着用户取水量进入较高的消费量，单位水价将上升。该制度鼓励节约用水。

(5)超额递减水价：在这种水价制度下，随用户取水量的增加，用户所付的单位水价将越来越少。超额递减水价符合市场均衡过程中，供给方为最大限度地获取利润，榨取消费者剩余的理论。从理论上说，超额递减水价只是水供给者获取最大利润的手段，其目的并不鼓励节水，相反，供水方千方百计地希望水用户能够在一定水价下多用水。

(6)浮动价格制：在这种水价制度下，水价随限定条件而变动，上浮或下浮。经常出现的情况有季节浮动，根据天然来水的变化而进行浮动。

(7)基本水价制：该制度主要是在考虑各类水用户的承受能力

条件下，为了保证各类水用户的基本用水，而实行的较低水平的水价。此类水价更多地体现社会公平原则，与市场效率原则相抵触。(关于效率、公平的论述详见第三章第一节)

8.2.4.2 黄河水价计价方式及其特点

由于黄河的特殊情况，顺应建立的黄河取水权体系的特点，应该形成适合黄河河情的水价体系。

黄河水价计价方式确定的原则包括：①符合水价理论；②适合黄河河情；③计价方式简便，利于操作，方便管理。

黄河水价应推行基本水权水价和丰余水权水价相结合的水价计价方式(详见下一节)。该方式的特点在于：

(1)该方式体现了两部制水价的计价原则，基本水权水价针对基本水权，目的在于保证水用户的基本用水；丰余水权水价针对丰余水权，目的在于通过竞争水价使水资源得到优化配置。

(2)该方式体现了超额累进计价原则，鼓励节水，即当用户用水超过基本水权用水时，超出部分采用较高的丰余水价。

(3)该方式体现了浮动计价原则，根据天然来水的丰缺情况，对丰余水实行浮动价格。当来水较多时，价格下浮；当来水较少时，价格上浮。

(4)该方式体现了市场定价原则，对丰余水实行根据市场竞争的浮动价格。当水供求矛盾大时，价格上升；当供过于求时，价格下降。

(5)该方式体现了基本水价制度的公平原则，基本水权水价实行较低水平的价格。

8.2.5 基于取水权市场的黄河水价体系

8.2.5.1 黄河取水权体系

正如第五章的论述，黄河取水权体系的基本架构可以分为基本水权和丰余水权两个层次。设立基本水权的主要目的是在现状优先原则指导下，结合生活、生态、生产基本用水优先原则为各地区各行业提供高保证率的基本用水，反映基本的用水公平。丰余水层次的水权配置主要反映市场经济的资源配置原则，通过水权交易市场，将水资源配置到经济效益高的用水部门。

8.2.5.2　基于取水权市场的黄河水价体系

水价是水市场的核心。取水权市场要通过水价机制的运作调节地区之间、部门之间的利益关系，实现其优化配置水资源的目的。基于黄河取水权体系的黄河取水权市场，必须有适宜的水价体系予以支持。

根据两层次水权体系运作需要，黄河水价体系可以包括基本水权水价、基本水权使用费、基本水权承诺费、水权转让价格、合同水权水价、丰余水价、省际水权转让基金、跨流域调水水权转让基金、农业水权保护基金等。

按照产业类别，黄河水价体系还可以分为农业水价体系、工业和市政水价体系、生态水价体系。

黄河水价体系见图 8-3。

8.2.5.3　基本水权水价的概念及其确定

基本水权水价是指针对基本水权取水量的水价格。基本水权水价的特点在于总体价位水平较低。各省可以根据上级授权和实际情况制定自己的价格体系。一般采取区别水价，工业、农业、城市等用水根据国家规定的不同政策，采取不同的水价，如考虑农民的承受能力、国家补贴情况，制定区别对待的农村与城市、工业的水价。

基本水权水价包括资源、工程、环境水价三个部分，但是由于资源水价属于稀缺租，包含有体现产权的绝对地租和体现资源禀赋特征的级差地租，国家可以通过降低资源水价以降低基本水权水价，通过投资工程、实施补贴和减免税费等措施以降低工程水价，通过投资水污染处理设施和实施补贴以降低环境水价。

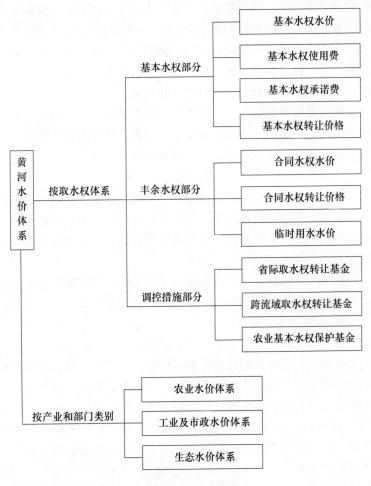

图 8-3　黄河水价体系

　　总之，基本水权水价体现了补贴、优惠、减免等特点，是含有利益的较低的水价。

8.2.5.4　基本水权使用费的概念及确定

基本水权使用费是指用户获得基本水权需要缴纳的有偿使用费。拥有基本水权的用户，可以获得高保证率的用水，支付相对低廉的水价，因此基本水权内含有经济利益。考虑到长期以来人们对黄河水的自然引用，初始分配基本水权时可暂不征收基本水权使用费。但当水权永久转让时，应对水权受让人征收使用费。为了保护基本水权用户利益，也可以对水权受让人身份进行甄别，当受让人为初始分配时核定的基本水权用户并且受让的水权属于初始时未满足的基本水权时，可不征收基本水权使用费。征收使用费目的在于促进基本水权的资产化，奠定水权交易的基础。

征收基本水权使用费是对基本水权水价的补充，符合两部制水价的精神。上文已经指出，基本水权水价体现了国家补贴、优惠、减免等，基本水权使用费是为了在基本水权转让时，逐步抬高使用基本水权的成本。其目的是安排一种可操作的水权转让制度，使基本水权成为一种资产。因此，黄河基本水权使用费的额度应不大于国家对基本水权水价的补贴、优惠、减免额度。从容量价格和计量价格两部制水价的角度来看，黄河基本水权使用费类似于容量价格的功能，即使基本水权持有者不用水，他也要缴纳相应水权量的基本水权使用费。

8.2.5.5　基本水权承诺费的概念及确定

基本水权承诺费是指拥有基本水权的用户对于本年没有使用的基本水权额度缴纳承诺费。设定基本水权的根本目的是保证用户的基本用水需求，维护基本的用水公平，发挥水资源的配置效益。因此，用好基本水权，就要促进基本水权流动到确实需要稳定供水的用户手中。对基本水权实施承诺制度是促进基本水权优化配置的措施之一。承诺费是指用户须对不使用水量部分缴纳费用，即用户拥有基本水权，对使用部分缴纳水费，对不使用部分缴纳承诺费。承诺费的作用类似于合同中的违约金，增加了拥有基本水权的风险，促进基本水权的转让，客观上能够促进水资源的有效利用。

由于承诺费主要是为了促进基本水权的使用效率，其额度应不大于基本水权水价。这主要是为了补充基本水权转让体系中增加空持基本水权的用户的成本，促使基本水权转让的措施。

8.2.5.6　基本水权转让价格的概念及确定

基本水权转让价格是指基本水权市场形成的基本水权转让价格。它虽是水价体系的重要组成部分，但不是完整的水价，其实是一种取水权的转让价格。在本水价体系中，基本水权转让价格与水价分别缴纳。从理论上分析，基本水权转让价格是资源水价的一部分，它与基本水权水价中包含的资源水价一起构成完整的资源水价。

基本水权转让价格主要通过基本水权市场形成，国家及其授权部门可以制定指导价格。

8.2.5.7　合同水权水价的概念及确定

合同水权水价是指丰余水权中合同水权所特指的水量的水价。根据水用户的需求，获得丰余水权可以通过订立合同建立长期合同水权、短期合同水权。合同水权水价一般高于基本水权水价。

8.2.5.8　合同水权转让价格的概念及确定

合同水权转让价格是指丰余水权市场形成的合同水权转让价格。与基本水权转让价格相同，它虽是水价体系的重要组成部分，但不是完整的水价，在本水价体系中，它与水价分别缴纳。合同水权转让价格是资源水价的一部分，它与合同水权水价中包含的资源水价一起构成理论上完整的丰余水权的资源水价。

合同水权转让价格主要通过丰余水权市场形成，国家及其授权部门可以制定指导价格。

8.2.5.9　临时用水水价

临时用水水价是最基本的一类水价，是丰余水权水价的一种。

水用户临时用水，可以随时向供水公司购买丰余水权，价格即为临时用水水价。该水价一般根据市场供求情况确定，也需要国家及其授权部门确定指导价格。

黄河水资源经营管理部门每月根据上月水库调度情况和本月天然来水预测，以及根据各用户申请的本月用水计划，进行水量竞价拍卖。国家应对市场定价进行适当管制，最低限价是基本水权水价，可以分部门设立最高限价。

丰余水权水价不包括或者不全部包括上述补贴、优惠、减免等，因此，丰余水权水价是以全成本水价为基础，根据供求情况确定的水价。

8.2.5.10 省际取水权转让基金的概念及确定

省际取水权转让基金，是指当用户用水超过按照省际分水指标确定的用水限额后征收的基金，其目的是转给用水少的省份。基金征收可以采取用水时根据多年平均指标控制，年后按照实际来水结算的方式。省际取水权转让基金的存在，增加了用户超指标限额用水支付高价格的风险，客观上能够促进上游省份节约用水，抑制下游过度用水需求。

设置省际取水权转让基金，主要是为适应黄河独特的分省分水配额的要求，建立水权的省际自动转让机制。其形式是附加在水价之上，其实质是省际取水权转让的水权转让价格。其价格确定根据实际用水情况和支付能力，由国家制定指导价格。

8.2.5.11 跨流域取水权转让基金的概念及确定

跨流域取水权转让基金是指取水权向外流域用户转让时收取的基金。当外流域用户提出水权需求时，为了抑制需求和保护本流域水权用户的权益，设置该基金。这是保护流域内取水权用户的措施，带有地方保护主义的色彩，与市场经济的精神有违背，但在一定程度上符合人们的资源伦理观念。根据整体水利形式，国家可以制定跨流域取水权转让基金的指导价格。

8.2.5.12　农业基本水权保护基金的概念及确定

农业基本水权保护基金是指农业基本水权向非农业用户转移时收取的基金。农业水权是黄河取水权体系中的重头戏，如何保护引黄灌溉的发展，以保证国家粮食安全和社会稳定，是重大课题之一。对农业水权的保护，关键表现在如何保护农业基本水权，设置农业基本水权保护基金是可行的措施之一。

农业基本水权保护基金的设置提高了农业基本水权农转非的门槛。它的确定可以由国家制定指导意见，体现原则性和灵活性。

8.2.5.13　农业水价体系

农业是弱势产业，农业用户的支付能力一般较低。因此，农业必须得到保护。针对农业专门制定水价是可行的，目前的黄河水价也是体现了对农业的保护政策。农业水价体系包括农业的基本水权水价、基本水权使用费、基本水权承诺费、农业基本水权保护基金、农业合同水权水价、农业临时用水水价等价格形式。

8.2.5.14　工业及市政水价体系

工业及市政用水户一般具有较高的支付能力，因此一般不与农业用水采用相同的价格。工业及市政水价体系同样也包括相应的基本水权水价、基本水权使用费、基本水权承诺费、合同水权水价、临时用水水价等价格形式。

8.2.5.15　生态水价体系

在人们的印象中，生态是纯公益性质的用水，不应该支付水价。但是，应该看到，生态也是有地域性的。如果是黄河流域，由黄河补充水源以维持生态发展的，应该赋予其基本水权，而在黄河流域外某区域，若生态需要补充水源引用黄河水的，就必须付费。这就引申出生态水价的概念。

生态水价由谁支付，支付给谁？本着"谁受益，谁承担"的原则，应由引水地区的公共财政予以负担。生态水费应该支付给提供取水权的供给者。

关于生态水价的确定。一般而言，生态用水应该多利用汛期弃水，水价较低；如果需要占用其他用水水权，则通过水权转让获得。在构成全成本水价的三个部分中，生态水价的确定可以不包含环境水价，对资源水价和工程水价也可以进行适当减免，并结合来水情况和其他水需求情况确定。

生态水价体系应包括基本水权水价、合同水权水价、临时用水水价等价格形式。

8.3　本章小结

本章研究基于取水权市场的黄河水价体系。

对水价理论进行了概述，包括水资源价值理论、价格理论、资源型水资源和工程型水资源的价格内涵；分析了水价的作用和水价的形成方式，探讨了全成本水价的构成。

对黄河水价的历史沿革进行了回顾；分析了黄河水资源价值的运动过程，从总供给和总需求的均衡研究了黄河水价总水平的确定问题；论述了黄河水价的计价方式及其特点，提出实行基本水价和丰余水价相结合的水价计价方式；建立了基于取水权市场的黄河水价体系，包括基本水权水价、基本水权使用费、基本水权承诺费、水权转让价格、合同水权水价、临时用水水价、省际水权转让基金、跨流域调水水权转让基金、农业水权保护基金等；按照产业类别，黄河水价体系还可以分为农业水价体系、工业和市政水价体系、生态水价体系。

第九章　数字黄河工程和
黄河取水权市场

在前文已经多次论述过，增加黄河取水权的可交易性、建设黄河取水权市场都有一定的技术要求。应该说，关键技术瓶颈的突破是建设黄河取水权市场的技术前提。建设数字黄河工程之目的在于提高黄河治理的现代化水平，也为解决许多技术难题提供了机会。本书将简述数字黄河工程的基本情况，然后分析建设取水权市场对数字黄河工程的需求，最后探讨基于取水权市场的数字黄河水资源调度和管理系统。

9.1　数字黄河工程概述

9.1.1　数字黄河的基本概念和系统构成

9.1.1.1　数字黄河工程提出的背景

1. 新的治水思路

新时期我国治水思想发生了转变[184]，即从工程水利向资源水利，传统水利向现代水利、可持续发展水利转变，以水资源的可持续利用保障经济社会的可持续发展。新的治水思路突出了水资源的战略地位，涵盖了现代水利的科学内涵：即人与自然和谐共处，考虑水资源和水环境的承载能力；水利建设要与经济社会发展相适应；强化水资源的统一管理；搞好水资源治理、开发、利用的同时，要特别重视水资源的配置、节约、保护，提高水的利用率；充分发挥市场机制的作用，科技兴水、依法治水，实现水利现代化。这是对治水规律性认识的飞跃，是水利工作战略性的转变，有很强的现时针对性和指导性。

2. 信息化浪潮

信息化已经在深刻改变着人类生存、生活、生产的方式，信息化正在成为当今世界发展的最新潮流。水利信息化是水利现代化的重要组成部分。要实现黄河治理开发和管理的现代化，必须首先全面实现黄河的信息化，而实现信息化的关键途径则是数字化，即建设数字黄河工程[185]。

9.1.1.2 数字黄河的基本概念和系统构成

数字黄河，就是借助全数字摄影测量、遥测、遥感(RS)、地理信息系统(GIS)、全球定位系统(GPS)等现代化手段及传统手段采集基础数据，通过微波、超短波、光缆、卫星等快捷传输方式，对黄河流域及其相关地区的自然、经济、社会等要素构建一体化的数字集成平台和虚拟环境，在这一平台和环境中，以功能强大的系统软件与数学模型对黄河治理开发和管理的各种方案进行模拟、分析和研究，并在可视化的条件下提供决策支持，增强决策的科学性和预见性。

数字黄河是物理黄河的虚拟对照体，即通过全数字化数据库平台的构建，建立黄河流域及其相关地区的数字化(虚拟)研究环境，采用数学模型对黄河治理开发和管理的各种方案进行模拟、分析和研究。

数字黄河是一个过程。一般来讲，数字黄河过程至少应包括以下五个环节，即数据采集、数据传输、数据存储及处理、数学模拟和决策支持。

1. 数据采集系统

数据采集系统是数字黄河工程建设的基础。数字黄河要求的数据采集系统必须同时具备以下功能：一是数据的广泛性，应包括自然、经济、社会、人文等各个方面；二是数据采集的快捷性；

三是数据存在的应时性。

2. 数据传输系统

数据传输系统就是通信网络建设。根据防汛指挥、水资源管理及配置、水质及水土保持监测等对通信网功能的要求，如数据、图像、声音、视频等，选择合适的通信方式。

3. 数据存储及处理系统

通过海量数据库存储及处理系统建设，构建以地理信息系统(GIS)为承载体的水文观测成果、遥感解译成果、数字摄影测量成果，经济、社会与人文等数据融为一体的数字化集成平台，创造数字仿真研究手段可以依附的二次开发环境。

4. 数学模拟系统

对天气系统、水流及泥沙运动、生态及水环境变化等进行各种尺度的实时模拟，为准确揭示和把握河流自然现象及其内在规律提出了先进的技术手段。在数据集成平台支持下，通过各种水利专业模型，形成一个面向具体应用的虚拟仿真系统，对有关水利信息进行综合处理。

5. 决策支持系统

建立内容全面的知识库，形成一个方案决策的大背景，将数学模拟的各种方案结果置身于这一大背景下进行优化分析，从中选择一个可行的方案。

9.1.2 数字黄河水资源管理的基础

数字黄河水资源管理的基础包括数字水文、数字河道和数字用户[192]。

1. 数字水文

数字水文系统是地球空间多源水文信息的数字集成，它的核心是要形成数字化的、覆盖整个指定地域空间的、多重时空尺度的、多种要素的、对水文分析有用的数据产品。它大量采用空间遥感技术来获取信息，与其他非水文信息同化，如基础地理信息、植被信息、土壤信息等，从而使人们能够获得更精确的各类水文信息。

2. 数字河道

水流在河道内的运行规律，河道各种拦、排、蓄、引水利工程的调度运用都需要通过数字化进行及时的信息收集和精确测量，并可进行预案仿真或局部虚拟现实。

3. 数字用户

建设水权市场，水资源管理部门必须及时获知水权用户的情况，水权用户必须能够及时获知外界情况，使大家都能对水权供求信息有一个清醒的判断。因此，对于各类用水户的经营情况、用水定额等必须建立相应的数据库。各类用户都能从数据库获取必要信息。

9.2　建设取水权市场对数字黄河工程的需求

本书第五章、第六章和第七章已经全面论述了黄河取水权体系和水市场。提高水权可交易性的关键在于降低水权交易费用，解决这一问题的惟一途径是通过提高科技含量创造一种适宜的市场环境，变不可行为可行。建设取水权市场对数字黄河工程的需求如下：

(1)取水权交易信息。取水权市场失灵的主要原因之一是不完全信息，及时获知取水权交易信息将是建设取水权市场的主要影响因素。取水权交易信息包括取水权需求(用水需求)、取水权供给、取水权交易价格。

(2)取水权精确计量及信息快速传递。水的特点是其流动性，在不同河道断面不同边界、不同流速的条件下，精确计量水权水量是一项高技术活动。如何增进计量精度、提高计量速度、加快信息传递速度、降低计量成本是对数字黄河工程的要求。

(3)取水权转让的时滞精确计量。取水权的异地(异时)转让必然带来水权的时间发生改变。其时间的精确计量是分析取水权异地转让可行性的基础工作(因为某一时间的取水权是有限的)，同时也是进行精确调度的基础工作。

(4)取水权转让的沿程损失精确计量。取水权异地转让导致水流在河道中流动的时间增加或减少，因水的自然蒸发散失，其取水权水量也会发生变化。计算取水权转让的沿程损失也是进行精确调度的基础工作。

(5)丰余水权的供给量信息尤其是枯水期丰余水权的供给量信息。丰余水权与基本水权的区别主要在于丰余水权(不包括长期合同丰余水权)的分配主要通过临时／短期拍卖，因此其水量供给信息至关重要。尤其是枯水期，丰余水权也将变得稀缺，成为用水户关注的焦点。

(6)基本水权转让及丰余水权临时购买的水量调度。水量调度是取水权市场能否有效运转的基础工作，决定了取水权可交易程度。因此，对于基本水权转让及丰余水权临时购买而言，水量调度是重要的要求。

(7)生态环境取水权的计算。生态环境是人类赖以生存的物质系统，生态的用水是维系生态发展的重要要素，水权体系中生态环境水权的计算目前尚没有科学的理论。因此，对生态环境水权的计算也是对数字黄河工程的需求。

9.3　基于取水权市场的数字黄河水资源调度和管理系统

9.3.1　数字黄河水资源调度和管理研究进展

数字水资源调度和管理是数字黄河工程的一部分，内容涉及水资源调度和管理领域的各个环节。它的实现需要应用到包括信息技术、计算机模型技术和决策支持技术在内的多种技术措施及经济、法律、行政措施。王煜等[195]在研究黄河的水资源调度管理问题时提出了库群调度和河段空间配水相分离的体系结构，建立的模型群包括水量的时间分配模型、空间分配模型、径流预报模型、需水分析模型、基于 GIS 的空间数据模型、决策反馈模型、多维临界调控模型等。

9.3.2 基于取水权市场的数字黄河水资源调度和管理系统

9.3.2.1 基本思路

已经建立的数字黄河水资源调度和管理体系结构，尽管在需水方面也谈到了引入民主协商，但其基本是从计划管理和行政调配的角度出发。该系统可以作为黄河水资源管理部门宏观调控指导水资源调度管理实践的依据，但在具体的黄河水资源配水调度实施中是不能满足现实要求的。新出现的情况往往使计划者应接不暇，现实与预测往往相差较大，计划调度不能满足用户的真实要求。最佳的选择是将需水的决定权交给具体用户，因为对用户真实信息拥有最多的人是用户自己，他最知道自己在某一水价条件下该用多少水、在水价上升后该削减多少用水、在水价下降之后该增加多少用水；潜在用户会自己判断是提出用水需求还是不提出用水需求。

在黄河上引入水权水市场的管理理念，其出发点在于实现水资源管理指导思想的转变，引入市场经济的调节手段，根据价格调整供求，发挥水资源用户的主动性。水权市场起作用之后，缺水地区的经济结构调整、灌区种植结构调整动力都将源于内，中央的宏观政策更易于实施。

基于以上分析，基于取水权市场的数字黄河水资源调度和管理系统将定位在具体操作的层面。根据实际[217]，该系统针对下游水资源调度和管理，但对全河都具有指导意义。构建的方法是在已建立的水资源调度和管理系统的基础上，根据黄河水权体系运作的特点和要求对其结构、内容进行调整、充实、改进，主要体现在数字黄河水权交易市场的建立、数字黄河水权用户系统的建立、用水需求和河段配水模型改进等方面。

9.3.2.2　数字黄河水资源调度和管理系统的构建

数字黄河水资源调度和管理系统，共包括数字黄河水权交易市场系统、数字黄河水资源用户系统、水资源调度系统、调度管理辅助系统和宏观调控系统 5 个子系统。其框架及其内在关系如图 9-1 所示，箭头代表信息流向或指令发出方向。该系统的详细构成如图 9-2 所示。

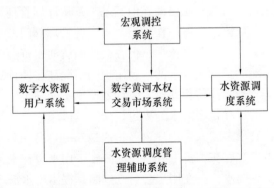

图 9-1　基于取水权市场的数字黄河水资源调度与管理系统结构

1. 数字黄河水权交易市场系统

数字黄河水权交易市场，主要是建立基于互联网的水权信息平台和水权交易系统。

(1)基于互联网的水权信息平台。水权供求信息的及时传递是建设水权市场的基本条件。可以建立相应的黄河水权信息网站，对于每一个用户拥有水权的类型、时间、数量等信息进行公布，开辟专门的网页公布各类水权供求信息。

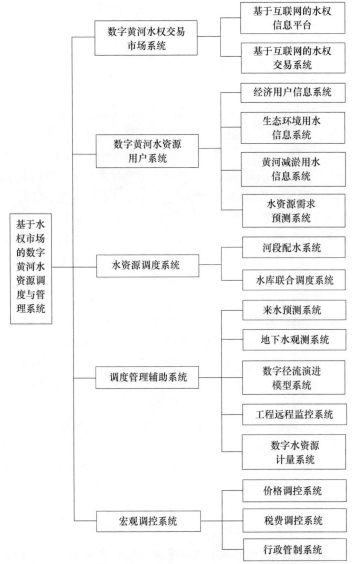

图 9-2　基于水权市场的数字黄河水资源调度与管理系统组成

(2)基于互联网的水权交易系统。在互联网上建立相应的水权交易网站，参照股票市场的建设方式和网上拍卖系统，建设网上水权交易系统，包括结算和交割系统。数字黄河水权交易市场系统直接为水资源调度系统、用户系统、宏观调控系统提供基础信息源，是水资源调度的具体依据。

2. 数字黄河水资源用户系统

数字黄河水权市场的市场主体主要是水权供求双方，即水资源用户。基于 GIS 的数字黄河水资源用户系统包括以下几个方面：

(1)经济用户信息系统。包括：①用户对黄河水资源的需求信息；②黄河水资源用户的基本信息，包括社会经济基本状况、区位描述、收入水平、产业类型、生产规模和结构、耗水定额等；③用户持有水权信息，包括基本水权信息，丰余水权控制指标，水权转让记录等；④用户的历年用水量信息，多年用水量序列等用水基本信息；⑤用户所在地降水、地下水及其他水源情况、使用情况等基本信息。

(2)生态环境用水信息系统。流域和区域生态环境是特殊的水资源用户，基于 GIS 的流域和区域生态用水模型系统包括建立数字黄河湿地生态系统、数字河口生态系统。建立数字生态系统的目的是明确生态环境水权。黄河湿地是我国北方重要的生态系统，对于改善地方气候，保护物种起着重要作用。应该建立数字黄河湿地系统，确定分时的湿地需补给水量。黄河的淡水补给是河口地区生态系统得以维持的基本前提，应该建立数字河口生态系统，通过分析各类生态指标对黄河淡水补给量的要求，提出分时的黄河入海最小流量。

(3)黄河减淤用水信息系统。黄河减淤用水是生态用水的一部分。由于独特的流域地质地貌特点，黄河成为世界上泥沙含量最大的河流，下游淤积导致悬河。维持现行河道寿命的重要途径之一就是减淤。根据科学实验，合理的水沙条件可以减少下游淤积。

因此，减淤用水是黄河自身发展的要求，属于黄河自身的生态水权。获取黄河减淤用水信息，必须加强对调水调沙科学机理的研究，建立数字黄河泥沙冲淤模型。

(4)水资源需求预测系统。数字水资源用户系统的功能，一方面通过用户终端为数字黄河水权交易市场提供基础信息，另一方面是利用宏观指标、统计信息、长系列数据等，通过水资源需求预测系统为宏观调控系统提供参考、指导性数据。

3. 水资源调度系统

水资源调度系统主要由河段配水系统和水库联合调度系统组成。

(1)河段配水系统。专家已经建成的河段配水系统，其中心思想是根据需求预测进行配水，并提出不同的方法以适用于不同的情况，如简单的同比例折扣方法、调度者参与的群决策方法、考虑多个因素的模糊评判方法。基于水权的数字河段配水模型系统主要是根据上游来水和水库调度的结果，并按照水权交易市场的最终输出信息进行配水。为适应不同的情况，在供不应求的情况下，同样可以采用同比例折扣等方法，但主要应采用更能突出水权市场特点的市场竞争法。在一定的水权市场竞争规则的框架内，水用户根据水权供给信息进行市场博弈，利用价格杠杆以及其他宏观调控措施抑制用水需求，使水资源真正配置到应用效率较高、效果较好的地方。市场竞争法要求河段配水系统要与数字水权交易市场系统密切结合。

(2)水库联合调度系统。水资源调度管理的前提是有控制性的水利枢纽存在。三门峡、小浪底水库对黄河下游的水量调节起着关键作用。水资源管理和调度就是要充分发挥水库的调节作用。水库联合调度模型系统是水利界专家早已经关注的课题，经过多年的研究已经有较成熟的理论、较成型的模型和较成功的实践[218]。作为河段配水系统的前端系统，水库调度系统必须按照前者的要求进行调度。

4. 调度管理辅助系统

调度管理辅助系统包括来水预测系统、地下水观测系统、数字径流演进模型系统、工程远程监控系统和数字水资源计量系统。

(1)来水预测系统。基本水权是根据一定频率来水条件进行分配的水权。当遇特枯年份时，基本水权按比例缩减。因此，枯水期径流预报是确定特枯年份基本水权缩减比例的依据。丰余水权是基本水权之外的水量分配。丰余水权的分配方式主要有两种，一是长期合同丰余水权；二是临时短期拍卖水权。丰余水权在丰水年时可能富余，但在枯水年时将比较紧缺，因此根据枯水期来水预报进行的丰余水权的拍卖是水权市场的主要部分。综上所述，高精度的枯水期径流预报是黄河水权市场运作、水库调度和河段配水的基础之一。来水预测系统一般由水文基础资料采集系统、数据库和预报模型构成，是数字黄河工程的重要建设内容。

(2)地下水观测系统。地表水和地下水是相互转化的，水权市场的供求与地下水位的高低有密切联系。应建立数字地下水观测系统，通过区域水量平衡分析，为数字黄河水资源用户系统和数字黄河水资源调度系统提供参考数据。

(3)数字径流演进模型系统。进行水资源的调度，要求必须掌握径流在河道里的演进及传播规律，确定径流在特定河道内的传播过程和沿程损失。建立在数字水文模型和数字河道模型基础上的数字径流演进模型，将大大提高径流演进的精确程度、逼真程度。

(4)工程远程监控系统。水资源调度和管理能够可行的重要基础之一，是各类取水口门等水工程能按照指令及时进行精确调控。目前黄河上已在研制开发水资源调度管理的远程监测与控制系统[220]，其系统功能主要在于：实时监测、远程监视、远程控制、预付水费水量自动控制放水、流量自动调整和控制、安全运行保护装置、自动报警、存储输出等。

(5)数字水资源计量系统。商品可以精确计量是市场化管理的内在要求。水资源的精确计量是水资源配置市场化的内在要求。数字水资源计量系统是工程远程监控系统的重要组成部分，因为监控的重要内涵之一就是水资源的精确计量。

5. 宏观调控系统

宏观调控系统是对整个水资源调度管理系统的运行进行宏观调整控制的系统，是反映管理者意志的系统。管理者可以通过该系统的价格调控系统、税费调控系统、行政管制系统等间接或直接控制水资源的调度。

9.4　本章小结

本章研究建设黄河取水权市场的技术实现问题。

简要概述了数字黄河工程，包括其提出背景、基本概念和系统构成；指出数字黄河水资源管理的基础在于数字水文、数字河道和数字用户。

分析了建设取水权市场对数字黄河工程的需求，包括水权交易信息的传递、水权精确计量及信息快速传递、水权转让的时滞精确计量、水权转让的沿程损失精确计量、丰余水权的供给量信息，尤其是枯水期丰余水权的供给量信息、基本水权转让及丰余水权临时购买的水量调度、生态环境水权的计算等。

建立了基于取水权市场的数字黄河水资源调度和管理系统，包括数字黄河水权交易市场系统、数字黄河水资源用户系统、水资源调度系统、调度管理辅助系统和宏观调控系统5个分系统16个子系统。

第十章 结 语

10.1 总结

10.1.1 本书研究内容和研究成果

本书主要研究内容和研究成果如下：

(1)对国内外水权研究状况进行综述。指出水权是与具体国家和地区的社会制度、水资源情况、文化传统紧密相关的，因此完全模式化的水权制度是不存在的。尽管各国学者针对各国水权实践都在研究水权理论，但完整的水权理论还没有建立。国内水权理论研究，尚处于初始阶段。

(2)从人权角度和产权角度研究了水权概念和水权体系。从人权角度出发，水权指饮水水权以及基本生活用水权、维持基本农业生产的权利、维持基本工业生产的权利、人类对水环境基本的要求，作为人权的水权具有最低限度的道德性、普遍性、历史性和资格性。研究了产权的经济学和法学基础，深入研究了产权角度的水权概念、水权原则，指出水权客体是水资源和具有资源性质的水产品。对水权体系进行分类，分别研究了水资源所有权和使用权。指出水利工程供水权的实质是水资源开发经营权，讨论了水权主体的权利义务问题，提出并研究了区域水权概念及其实质。

(3)研究了河流水权体系。提出了河流水权概念并分析了在整个水权体系中的地位，分析了建立河流水权体系的必要性和意义。初步建立了河流水权体系，研究了河流所有权体系和使用权体系，将河流使用权体系分为直接使用权、开发经营权和生态水权三大类。

(4)研究了河流取水权体系。提出河流取水权概念并对其进行分类，研究了农业水权问题，分析了农业水权的特点、农业水权的确定方法，提出保护和规范农业水权的措施。提出了生态水权概念，将其分为河道本身、河道内生态、河道外流域内生态和流域外生态四类进行讨论。分析了建立河流取水权体系的意义，对东阳—义乌水权转让案、漳河水事纠纷案进行案例研究，分析了两案对建立河流取水权体系的启示。

(5)研究了河流取水权的初始分配，尤其是在区域间的初始分配问题。首先研究了取水权分配中的公平与效率观，河流取水权的分配要体现多种公平观，包括绝对公平观、生态公平观、伦理公平观和效率公平观，探讨了河流取水权分配各阶段的公平与效率侧重。提出了河流取水权区域间初始分配的指导思想和基本原则，分析了其重大意义。着重研究建立了流域内区域间河流取水权初始分配模型，确定了河流取水权的表示方法，提出了建模的技术路线。分析了取水权初始分配影响因素并确定了相应指标，采用 AHP 法确定因素权重。给出了取水权初始分配比例公式，最后对模型进行应用示例并予以分析。

(6)探讨了基于水权水市场理论的河流水资源配置体制改革问题。分析了当前河流水资源配置体制存在的问题和体制改革的社会背景，然后对东阳—义乌水权交易案进行研究，分析了该水权交易发生的独特条件，指出东阳—义乌水权交易模式还不具备推广的条件。提出了河流水资源配置体制改革的方向和措施，指出运用好计划和市场两种手段是水资源配置体制改革的基本方向。从理论角度研究河流水资源配置体制的改革问题，以黄河为背景，运用博弈论对黄河取水权分配体制进行演绎分析。首先讨论了"公地"情况下的取水权博弈；然后引入统一产权约束，分析了政府计划管理低(福利)水价或零水价下的博弈模型和私人经营高水价下的博弈模型，发现不同经济形式下取水权博弈的福利损失较大，都不是最优的体制安排；最后得出建立混合经济形式下的黄河取水权分配体制的结论。为以后对黄河取水权市场的研究打下基础。

(7)研究了黄河取水权体系。简述了我国古代取水权制度以及现代取水权制度，描述了黄河取水权的历史沿革，并简要分析了现行黄河取水权制度。认为现行黄河水资源的配置以行政配置为主，表现在不可转让的取水许可。对黄河水资源使用情况进行分析，探讨其特点，提出了建立取水权体系的目标、指导思想和基本原则，提出黄河取水权体系的基本架构可以分为基本水权和丰余水权两个层次。根据黄河流程长、自然地理和社会经济分布相对分段的特点，黄河干流取水权体系可以划分为三个相对独立的取水权体系进行运作。对黄河基本水权和丰余水权的确定进行研究，分析了区域水权及其作用，建立了黄河取水权管理体系，包括国家管理机构(黄委)、省管理机构、取水口管理机构、各基层水经营部门等4个层次。探讨了黄河取水权体系运作机制，包括其技术前提以及取水权管理、取水权转让和取水权市场等内容，从可操作性角度对黄河下游干流取水权分配的具体方法进行了研究。分析了取水权的运动过程，分别探讨了黄河基本水权和丰余水权的运动过程。

(8)研究了黄河干流区域间取水权市场。对取水权市场进行了分类，确定了本书对黄河取水权市场的研究框架。探讨黄河取水权的可交易性，这是建设黄河取水权市场的基础。从取水权的私人物品性质、时效性、外部性，取水权市场的有效性等方面进行分析，提出了提高黄河取水权可交易性的措施。将黄河干流区域间取水权市场分为黄河干流区域间基本水权市场和丰余水权市场进行探讨，分别对其市场主体、需求、供给、均衡进行分析，探讨了两个市场取水权交易步骤以及市场管制和调控措施。分析了建设黄河取水权市场的体制障碍，指出了其改革方向。

(9)研究了黄河灌区水市场。简述了黄河流域灌区水权制度，分析了改革前我国灌区水权制度存在的问题并简要总结了我国近年来灌区管理体制改革的情况。对灌区的多中心治理结构进行了研究，着重就基于多中心治理结构的灌区水市场进行了探讨，对灌区水市场的市场主体、需求、供给、均衡、市场的管制以及市场运作规则进行了初步研究。论述了正确的节水观，对灌区节水行为进行技术经济分析。通过对不存在干流取水权市场条件下灌区水市场中的灌区经营者收益分析，以及对存在干流取水权市场条件下的灌区节水激励分析，证明建立灌区水市场的外在机制是建立与之激励相容的干流取水权市场。

(10)初步研究了黄河农业水权农转非市场。我国和黄河水资源"农转非"将是必然趋势，黄河农业水权转非主要表现为农业基本水权转非。农业基本水权转非还可以再分为取水口间和取水口内两类，简要分析了取水口内和取水口间农业基本水权转非市场的特点，提出了农业水权转非的价格补偿和其他补偿措施。

(11)初步研究了黄河对外流域调水市场。指出黄河是对外流域调水较多的河流之一，黄河对外流域调水大致可以分为黄河下游灌区引水和"引黄济×"型两类。提出了规范对外流域调水市场的4项措施。初步研究了南水北调水权市场对黄河取水权市场的影响。从减少黄河取水权市场的需求和增加黄河取水权市场的供给两个方面进行了分析，初步研究了两个市场水价衔接问题。

(12)研究了基于取水权市场的黄河水价体系。对水价理论进行了概述，包括水资源价值理论、价格理论、资源型水资源和工程型水资源的价格内涵。分析了水价的作用和水价的形成方式，探讨了全成本水价的构成。对黄河水价的历史沿革进行了回顾，分析了黄河水资源价值的运动过程，从总供给和总需求的均衡研究了黄河水价总水平的确定问题。论述了黄河水价的计价方式及其特点，提出实行基本水价和丰余水价相结合的水价计价方式，建立基于取水权市场的黄河水价体系。

(13)研究了建设黄河取水权市场的技术实现问题。简要概述了数字黄河工程，包括其提出背景、基本概念和系统构成，指出数字黄河水资源管理的基础在于数字水文、数字河道和数字用户。分析了建设取水权市场对数字黄河工程的需求，建立了基于取水权市场的数字黄河水资源调度和管理系统，包括数字黄河水权交易市场系统、数字黄河水资源用户系统、水资源调度系统、调度管理辅助系统和宏观调控系统 5 个分系统 16 个子系统。

10.1.2　本书的创新点

由于水权和水市场的理论研究尚处于初始阶段，本书关于河流水权和黄河取水权市场的系统研究尚属首次，因此本书在许多方面的研究都具有创新性、探索性。其创新点概括如下：

首次从人权角度探讨水权的内涵；深入研究了产权角度的水权概念，提出并分析了水权原则；提出将设施相关权纳入水权体系，按照水权内涵将水权体系分为水资源所有权、水资源使用权以及设施相关权 3 部分；指出水权客体是水资源和具有资源性质的水产品，对水资源和水产品进行区分；指出水利工程供水权的实质是水资源开发经营权；指出处分权根据处分的形式可以细分为必然处分权和需特许处分权两种；按照所有者授予处分权的性质和程度不同，水资源使用权可以分为直接使用权、开发经营权；提出并研究了区域水权概念及其实质。

提出了河流水权概念并分析了在整个水权体系中的地位；初步建立了河流水权体系，研究了河流所有权体系和使用权体系，将河流使用权体系分为直接使用权、开发经营权和生态水权 3 大类。

提出河流取水权概念并对其进行分类；研究了农业水权的特点，完善了保护和规范农业水权的措施；提出了生态水权概念，将其分为河道本身、河道内生态、河道外流域内生态和流域外生态四类进行讨论。

首次研究了取水权分配中的公平与效率观，指出河流取水权的分配要体现多种公平观；探讨了河流取水权分配各阶段的公平与效率侧重。

提出了河流取水权区域间初始分配的指导思想和基本原则；建立了流域内区域间河流取水权初始分配模型，模型充分考虑了影响取水权分配的各种因素，对指标选择和赋值、权重确定进行了研究。

分析了东阳—义乌水权交易案发生的独特条件，指出东阳—义乌水权交易模式不具备推广的条件；提出了河流水资源配置体制改革的方向和措施。

运用博弈论对黄河取水权分配体制进行演绎分析，从理论上探索适宜于当前情势的黄河取水权分配体制，得出建立混合经济形式下的黄河取水权分配体制的结论。

建立了黄河取水权体系。提出了建立黄河取水权体系的目标、指导思想和基本原则；建立了包括基本水权和丰余水权两个层次的黄河取水权体系基本架构；提出将黄河干流取水权体系划分为三个相对独立的取水权分体系；初步研究了黄河基本水权和丰余水权的确定方法；从可操作性角度对黄河下游干流取水权分配的具体方法进行了研究；初步建立了黄河取水权管理体系；初步探讨了黄河取水权体系运作机制，包括其技术前提以及取水权管理、取水权转让和取水权市场等内容；分析了黄河基本水权和丰余水权的运动过程。

对取水权市场进行了分类，确定了黄河取水权市场的研究框架。

深入探讨了黄河取水权的可交易性，这是建设黄河取水权市场的基础；从取水权的私人物品性质、时效性、外部性，取水权市场的有效性等方面进行分析，提出了提高黄河取水权可交易性的措施。

从理论上分别探讨了黄河区域间基本水权市场和丰余水权市

场，包括市场主体、需求、供给、均衡、交易步骤以及市场管制和调控措施等。

初步分析了建设黄河取水权市场的体制障碍，提出了其改革方向。

探讨了基于多中心治理结构的灌区水市场，对灌区水市场的市场主体、需求、供给、均衡、市场的管制以及市场运作规则进行了初步研究；对灌区节水行为进行技术经济分析，包括国民经济评价和财务评价两个方面；证明建立灌区水市场的外在要求是建立与之激励相容的干流取水权市场。

初步研究了黄河农业水权农转非市场，指出黄河农业水权转非主要表现为农业基本水权转非；简要分析了取水口内和取水口间农业基本水权转非市场的特点；提出了农业水权转非的价格补偿和其他补偿措施。

初步研究了黄河对外流域调水市场，将其分为黄河下游灌区引水和"引黄济×"型两类；提出了规范对外流域调水市场的 4 项措施，指出当河流外生态系统需要河流取水权时，应该纳入黄河取水权市场。初步研究了南水北调水权市场对黄河取水权市场的影响，从减少黄河取水权市场的需求和增加黄河取水权市场的供给两个方面进行了分析；初步研究了两个市场水价衔接问题。

建立了基于取水权市场的黄河水价体系。简要分析了黄河水资源价值的运动过程；从总供给和总需求的均衡研究了黄河水价总水平的确定问题；提出实行基本水价和丰余水价相结合的水价计价方式；建立了基于取水权市场的黄河水价体系，包括基本水权水价、基本水权使用费、基本水权承诺费、水权转让价格、合同水权水价、临时用水水价、省际水权转让基金、跨流域调水水权转让基金、农业水权保护基金等；提出了生态水价概念。

分析了建设黄河取水权市场对数字黄河工程的需求，指出数字黄河水资源管理的基础在于数字水文、数字河道和数字用户；

建立了基于取水权市场的数字黄河水资源调度和管理系统，包括5个分系统和16个子系统。

10.2 展望

本书的研究工作只是水权水市场理论研究体系的一个部分，今后将在以下领域开展研究工作：

(1)对整个水权体系进一步深化研究，包括对其框架构成、各分支体系的具体内容、相互关系、边界划定等方面的理论研究。

(2)加强对取水权以外河流其他水权体系的研究，如排污权的初始分配和市场化问题。

本书关于黄河取水权市场的研究，其成果仍然是初步的，有待于进一步深化，今后的主要研究方向有：

(1)完善流域内区域间河流取水权初始分配模型，将它运用于不同层次区域取水权的初始分配，结合黄河实际进行检验；并探讨与政治协商等相结合的具体实施办法。

(2)结合黄河取水权现状，从操作层面研究黄河取水权初始分配的具体实施过程。

(3)研究黄河取水权分配体制的量化博弈模型。

(4)探讨从目前的取水许可制度、订单调水制度向黄河取水权市场过渡的具体步骤。

(5)深化黄河取水权市场交易制度的研究，力争达到可操作的程度。

(6)结合数字黄河工程建设，深化基于取水权市场的数字黄河水资源调度和管理系统的研究。

(7)研究面向市场化改革的黄河水资源配置体制，包括机构设置及其职权安排等。

参 考 文 献

[1] 陈效国，张会言. 黄河水资源可持续利用思路与对策. 水利发展研究, 2001(1)

[2] 张光斗. 论黄河断流问题. 人民黄河，1997(10)

[3] 刘洪先. 国外水权管理特点辨析. 水利发展研究,2002(6)，网络版

[4] Gopalakrishnan C. The doctrine of prior appropriation and its impact on water development: a critical survey, *American Journal of Economics & Society*, 1973

[5] Huffaker R, et al. The role of Prior Appropriation in allocating water resources into the 21st century, *Water Resources Development*, 2000, Vol.16(2)

[6] William G. Water Law—2nd ed, Lewis publishers, Inc. 1988

[7] [澳] 水改革高级指导小组. 鞠茂森，张仁田译. 澳大利亚水交易. 郑州：黄河水利出版社, 2001

[8] 陈明. 澳大利亚的水资源管理. 中国水利，2000(6)

[9] World Bank. 孟志敏译.水权交易市场—机构设置、运作表现及制约情况. 中国水利, 2000(12)

[10] Stevens J. The public trust: a sovereign's ancient prerogative becomes the people's environmental right, *University of California Davis Law Review,* 1980

[11] John R. Teerink and Masahiro Nakashima. 刘斌等译. 美国日本水权水价水分配. 天津：天津科学技术出版社，2000

[12] Mather J. Water resources, John Wiley & Sons, Inc. 1984

[13] Whittlesey N, et al. Water policy issues for the twentyfirst century, *American Journal of Agriculture Economics,* 1995(5)

[14] Hamilton J & Whittlesey N. Interruptible water markets in the Pacific

Northwest, *American Journal of Agricultural Economics*, Pullman. 1989

[15] Tarlock D. The Endangered Species Act and western water rights, *Land and Water Law Review*, 1985

[16] Green G, et al. Water allocation, transfers and conservation: links between Policy and Hydrology, *Water Resources Development*, 2000, Vol.16(2)

[17] Gould G. Water right transfers and third-party effects, *Land and Water Law Review*, 1988

[18] 王金霞, 黄季焜. 国外水权交易的经验及对我国的启示. 水信息网, 2002-4-16

[19] Dinar A, et al. Water Allocation Mechanisms, Readings of the WRM Course, the World Bank. 1998

[20] Young R. Why are there so few transactions among water users? *American Journal of Agricultural Economics*, 1986

[21] Saliba B C & Bush D B. *Water markets in theory and practice: market transfers, water values and public policy*, Studies in water policy and management No.12 (Boulder, CO, Westview Press), 1987

[22] Goodman D J & Howe C W. Determinations of Ditch Company share prices in the South Platte River Basin, *American Journal of Agricultural Eonomics*, 1997

[23] Colby B. Transactions costs and efficiency in western water allocation, *American Journal of Agriculture Economics*, 1990

[24] Michelsen A M, et al. Expectations in water-rights prices, *Water Resources Development*, 2000, Vol.16(2)

[25] 胡鞍钢, 等. 转型期水资源配置的第三种思路: 准市场和政治民主协商.中国水利, 2000(11), 网络版

[26] 黄河, 等. 水资源的不可专有性与水权. 中国水利报, 2000-11

[27] 李中锋. 水权: 联系经济社会平等发展的基本纽带. 水利发展研究, 2001(4)

[28] 王浩，甘泓，武博庆. 水资源资产与现代水利. 中国水利，2002(10)，网络版

[29] 黄河. 水市场的特点和发展措施. 中国水利，2000(12)，网络版

[30] 汪恕诚. 水权与水市场. 中国水利，2000(11)

[31] 姜文来. 水权及其作用探讨. 中国水利，2000(12)，网络版

[32] 石玉波. 关于水权与水市场的几点认识. 中国水利，2001(2)，网络版

[33] 傅春，等. 国内外水权研究的若干进展. 中国水利，2000(6)，网络版

[34] 董文虎. 浅析水资源水权与水利工程供水权. 中国水利，2001(2)

[35] 马晓强，等. 南水北调须和制度创新结合. 中国经济时报，2001-1-15

[36] 刘杰. 我国农业水权浅析. 水信息网，2001-6-28

[37] 熊向阳. 水权的法律和经济内涵分析. 水信息网，2001-6-25

[38] 赵伟. 水权的法律释解及制度建立. 水信息网，2002-5-9

[39] 常云昆，等. 中国水问题与水权制度. http://www.huaxia.org.cn/old/zazhi/renwen/，2000

[40] 汪恕诚. 资源水利的本质特征、理论基础和体制保障. 中国水利报，2002-10-10

[41] 汪恕诚. 水权管理与节水社会. 中国水利，2001(4)，网络版

[42] 张岳，任光照. 关于我国建立水权制度的几个问题. 中国水利，2001(9)，网络版

[43] 李曦，熊向阳. 建立现代水权制度的体制障碍分析与改革构想. 水利发展研究，2002(4)

[44] 邵益生. 论水权管理的几个问题. 中国建设报，2002-9-27

[45] 张仁田，童利忠. 水权、水权分配与水权交易体制的初步研究. 水利发展研究，2002(5)

[46] 王亚华，胡鞍钢. 我国水权制度的变迁. 水信息网，2002-8-14

[47] 阮本清，梁瑞驹，王浩，等. 流域水资源管理. 北京：科学出版社，2001

[48] 李英明. 用水权理论加强水资源管理的若干思考. 中国水利，2002(10)，网络版

[49] 冯尚友. 水资源持续利用与管理导论. 北京：科学出版社，2000

[50] 刘文强. 塔里木河流域水资源管理机制创新研究. 西北水资源与水工程，2001, vol. 11(2)

[51] 董文虎. 再析水权、水价、水市场. 中国水利报，2001-4-15

[52] 熊向阳. 对水资源专有性、定价和水权交易等问题的探讨. 水信息网，2001-6-22

[53] 蔡守秋. 论水权转让的范围、原则和条件. 水信息网，2002-4-19

[54] 钟玉秀. 对水权交易价格和水市场立法原则的初步认识. 中国水利报，2001-6-29

[55] 王治. 关于建立水权与水市场制度的思考. 水信息网，2001-12-25

[56] 焦爱华，杨高升. 中国水市场的运作模型研究. 水利科技进展，2001(4)

[57] 水利部经济调节司等. 浙江"东阳—义乌"水权转让的调研报告. 2001

[58] 浙江省水利厅. 关于东阳市向义乌市转让横锦水库部分用水权的调查报告. 水信息网，2001-7-6

[59] 潘田明. "东阳—义乌"水权转让的启示及其反思. 水信息网，2001-4-2

[60] 陆鼎言，郑永敢，卢晓宇. 关于东阳—义乌水权转让的几点思考. 水信息网，2001-8-17

[61] 傅晨，吕绍东. 水权转让的产权经济学分析——由浙江省东阳义乌有偿转让用水权引发的思考. 水信息网，2001-9-13

[62] 张岳. 关于中国建立水市场的几点认识和建议. 水信息网，2001-3-21

[63] 胡鞍钢，王亚华. 从东阳—义乌水权交易看我国水资源分配体制改革. 光明日报，2001-5-16

[64] 苏青，施国庆. 从东阳—义乌水权交易看我国水资源配置体制改革的方向. 水利发展研究，2001(6)

[65] 汪恕诚. 就专家来信谈水权转让. 中国水利报，2001-2-27

[66] 叶舟. 水电资源开发权有偿转让的制度研究. 水利水电技术，2002(3)

[67] 傅春，等. 水权、水权转让与南水北调工程基金的设想. 中国水利，2001(2)，网络版

[68] 张郁. 南水北调中的水权交易市场构建. 中国水情分析研究报告, 2001(17)

[69] 刘斌, 朱尔明. 试论南水北调工程与水权制度. 中国水利, 2002(1), 网络版

[70] 刘洪先. 水权理论与南水北调工程水权分配. 人民黄河, 2002(3)

[71] 陈效国. 黄河流域水权制度若干问题探讨. 中国水利, 2001(8), 网络版

[72] 常云昆. 黄河断流与黄河水权制度研究. 北京: 中国社会科学出版社, 2001

[73] 毛寿龙. 关于黄河断流的制度分析. http://www.wiapp.org/bindex.html, 2000

[74] 胡和平, 王亚华. 灌区改革中的水权问题. 中国水利报, 2001-10-18

[75] 李甲林. 洪水河灌区水权制度改革的探索与实践. 中国水利, 2002(9), 网络版

[76] 杨光斌. 政治学原理. 北京: 中国人民大学出版社, 1998

[77] 吴宣恭. 产权理论比较——马克思主义与西方现代产权学派. 北京: 经济科学出版社, 2000

[78] 刘伟. 经济改革与发展的产权制度解释. 北京: 首都经济贸易大学出版社, 2000

[79] R.科斯. 社会成本问题. 上海: 上海三联书店, 1990

[80] R.科斯. 财产权利与制度变迁—产权学派与新制度学派译文集. 上海: 上海三联书店、上海人民出版社, 1994

[81] 杨立新. 漫议物权法的用益物权体系. 杨立新民法网, 2002-2-10

[82] 杨立新. 他物权的历史演进和我国他物制度的重新构造. 杨立新民法网, 2001-6-1

[83] 王利明. 物权法律制度(全国人大常委会法制讲座第二十二讲). 中国人大新闻网, 2001-8-31

[84] 上海市国有土地租赁暂行办法释义. 东方网, 2002-2-8

[85] 苏青, 施国庆. 区域水权及其市场主体. 水利经济, 2002(4)

[86] 中国资源科学百科全书·水资源学：河流. 水信息网，2002-2-27

[87] 中国资源科学百科全书·水资源学：流域. 水信息网，2002-2-27

[88] 水利部水资源司. 我国水环境问题及对策. 水利部网，2000-4-15

[89] 汪恕诚. 水环境承载能力分析与调控. 水信息网，2001-11-6

[90] 李贵宝，周怀东，尹澄清，等. 我国水环境与生态问题及其可持续发展的对策. 水信息网，2001-7-17

[91] 曲福田. 可持续发展的理论与政策选择. 北京：中国经济出版社，2000

[92] 中国工程院"21世纪中国可持续发展水资源战略研究"项目组. 中国可持续发展水资源战略研究综合报告. 水信息网转载，2001-12-10

[93] 崔树彬. 关于生态环境需水量若干问题的探讨. 水信息网，2001-7-5

[94] 吴中如. 黄河断流对生态环境的影响及对策. 中国科学报，2001-6-15

[95] 李丽娟，郑红星. 海滦河流域河流系统生态环境需水量计算. 水信息网，2002-3-8

[96] 何萍，王家骥，苏德毕力格，等. 海河流域生态环境可持续发展对策研究. 水信息网，2002-3-18

[97] 刘会远，陈庆秋. 水生态恢复的经济学思考——对海河流域水生态恢复研究的几点建议. 水信息网，2002-4-30

[98] 敬正书. 关于解决漳河上游水事问题的调查报告. 中国水利，2002(6)，网络版

[99] 袁贵仁. 关于效率和公平的若干理论问题. 光明日报，2000-10-10

[100] 乔新生. 也论效率与公平的关系——与袁贵仁先生商榷. 人民网，2000-12-1

[101] 刘可非. 立足公平，保证效率——论新社会主义. 人民网，2000-10-10

[102] 刘可非. 还是要立足公平、保证效率. 人民网，2000-11-1

[103] 黄焕金. 关于公平与效率. 人民网，2000-10-13

[104] 梁彦军. 公平与效率的关系. 中国学生网，2001-7-19

[105] 张泽祯译. 跨流域调水——关于效率和公平的争论. 中国水情分析研究报告，2000(32)

[106] 常炳言，薛松贵，张会言. 黄河流域水资源的合理分配与优化调度. 郑州：黄河水利出版社，1998

[107] 唐克旺. 水资源可持续利用指标体系探讨. 水信息网，2001-10-26

[108] 叶明，杨志峰，刘昌明. 蓄滞洪区可持续发展评价指标体系研究. 中国水利，2001(3)，网络版

[109] 雷孝章，王金锡，彭沛好，等. 中国生态林业工程效益评价指标体系. 自然资源学报，1999(2)，网络版

[110] 马滇珍，张象明. 水资源综合评价指标. 水问题论坛，2001(2)

[111] 汪浩，等. 层次分析标度评价与新标度研究. 系统工程理论与实践，1993(9)

[112] 刘豹，等. 层次分析法——规划决策的工具. 系统工程, 1984, Vol.2, No.2

[113] 郭凤鸣. 层次分析法模型选择的思考. 系统工程理论与实践，1997(9)

[114] 张维迎. 博弈论与信息经济学. 上海：上海三联书店、上海人民出版社，1999

[115] 张五常. 我只用两个原则说明问题. http://www.cenet.org.cn/，2002

[116] [美]埃莉诺·奥斯特罗姆，罗伊·加德纳. 灌溉系统自主治理与不对称问题的解决. http://www.wiapp.org/acpapers/a16.html，2002

[117] [美] 乔. B. 史蒂文斯. 集体选择经济学. 上海：上海三联书店、上海人民出版社，1999

[118] Y.巴泽尔[美]. 产权的经济分析. 上海：上海三联书店、上海人民出版社，1999

[119] 柯礼聃. 建立新型的黄河流域管理体制. 中国水利，2001(4)，网络版

[120] 黎诣远. 微观经济分析. 北京：清华大学出版社，1997

[121] Nelson. 市场的复杂性和局限性. 清华公共管理国际论坛，http://www.sppm.tsinghua.edu.cn/，2002

[122] 苏青，施国庆，薛松贵，等. 黄河下游干流水权体系建设问题探讨. 人民黄河，2000(2)

[123] 席家治. 黄河水资源. 郑州：黄河水利出版社，1996

[124] 黄河水利委员会黄河水量调度管理局. 黄河水量统一调度管理见成效. 中国水利网，2001-9-5

[125] 苏茂林. 2001 年黄河水量调度工作综述. 人民黄河，2002(1)

[126] 黄河的治理与开发编写组. 黄河的治理与开发. 北京：水利出版社，1982

[127] 薛松贵. 黄河水资源问题及对策. 中国水利科技网，2000-9-8

[128] 陈先德. 黄河水文. 郑州：黄河水利出版社，1996

[129] 王道席. 黄河下游水资源调度管理研究. 河海大学博士论文，2000

[130] 李远华. 实时灌溉预报的方法及应用. 水利学报，1994(2)

[131] 安新代. 小浪底水库灌溉优化调度模型. 人民黄河，1992(6)

[132] 吴敬琏. 市场经济的培育发展. 北京：中国发展出版社，1993

[133] 樊钢. 市场机制与经济效率. 上海：上海三联书店、上海人民出版社，1995

[134] [美]保罗. A. 萨缪尔森，威廉. D. 诺德豪斯. 经济学(第 12 版). 北京：中国发展出版社，1992

[135] 高鸿业. 西方经济学. 北京：中国经济出版社，1996

[136] [美]R. 波斯纳. 法律的经济分析. 北京：中国大百科全书出版社，1997

[137] 许新宜，王浩，甘泓. 华北地区宏观经济水资源规划理论与方法. 郑州：黄河水利出版社，1997

[138] 王敏捷，冯有连. 黄河上中游流域水资源管理体制探讨. 水利发展研究，2002(2)

[139] 李新民，时明立，王大明，等. 建立符合中国国情，适应 21 世纪治理开发要求的新型黄河管理体制. 黄河网，2001-12-10

[140] 刘树坤. 21 世纪的水利建设应从强化流域管理体制入手. 中国水情分析研究报告，2000(15)

[141] 刘振邦. 水资源统一管理的体制性障碍和前瞻性分析. 中国水利，2002(1)，网络版

[142] 黄河水利委员会勘测规划设计研究院. 黄河水利水电工程志. 郑州：

河南人民出版社，1996

[143] 水利部. 水利辉煌五十年. 水利部网，1999

[144] 安利华. 宁夏水价改革暨水资源利用情况汇报. 中国水价改革研讨会交流材料，水信息网，2002-4-21

[145] 田克军. 河套灌区灌溉管理体制改革探讨. 中国水利，2001(3)，网络版

[146] 李晶，钟玉秀，梁新，等. 内蒙古河套灌区水价及水费征管改革经验. 水利发展研究，2001(3)

[147] 王秀峰. 从宁夏、山东引黄灌溉史看黄河断流及水资源管理. 黄河网，2001-12-4

[148] 郑通汉，制度激励与灌区的可持续运行——关于内蒙古自治区河套灌区价格和供水管理体制改革的调查与思考. 中国水利，2001(12)，网络版

[149] 李代鑫. 中国灌溉管理与用水户参与灌溉管理. 水信息网，2002-6-20

[150] 赵金河，李远华，陈崇德，等. 农民用水者协会在灌区高效用水中的作用. 中国水利，2001(12)，网络版

[151] 毛寿龙. 基础设施政策的制度基础. http://go6.163.com/21public/xzgd/zckx/04.htm，2000

[152] 刘斌. 美国节水灌溉思路、措施和管理. 中国水利科技网，2000-8-18

[153] 赵乐诗，马祖融. 对美国帝王谷灌区的考察及启示. 中国水利，2001(7)，网络版

[154] 黄河水利史述要编写组，黄河水利史述要. 北京：水利出版社，1982

[155] 陈晓坤. 中国灌区管理模式的探讨. 人民黄河，2002(1)

[156] 韩丽宇. 美国联邦政府灌溉投资的偿还. 水利发展研究，2001(4)

[157] 张岳，刘钰，杨继富，等. 加快建立我国农业节水保障体系的对策和建议. 中国水利，2002(3)

[158] 朱尔明. 南水北调工程. 水信息网，2000.10.17

[159] 王流泉，王晓贞. 从水利经济角度论述南水北调迫切性. 水利经济，

2000(2)

[160] 许新宜. 分期实施是南水北调工程总体规划的实践基础. 水信息网,
2001-11-8

[161] 许新宜. 水资源合理配置是南水北调工程总体规划的理论基础. 中
国水利, 2001(8), 网络版

[162] 陈西庆. 跨国界河流、跨流域调水与我国南水北调的基本问题. 长江
流域资源与环境, 2000(2)

[163] 王志民. 对南水北调工程水价政策的思考. 中国水利报, 2000-12-26

[164] 姜文来. 水资源价值论. 北京: 科学出版社, 1999

[165] 汪党献, 王浩, 尹明万. 水资源水资源价值水资源影子价格. 水科学
进展, 1999, Vol.10 No.2 网络版

[166] 魏炳才. 我国水利工程供水价格政策和改革思路. 中国水利,
2001(1), 网络版

[167] 曹瑞英, 张秉伟, 侯正良. 乡镇供水工程水价核定分析. 中国水利
2001(1), 网络版

[168] 沈大军, 梁瑞驹, 王浩, 等. 水价理论与实践. 北京: 科学出版社,
1999

[169] 惠纪祥. 陕西省农业灌溉水价政策及改革设想. 中国水利, 2001(1),
网络版

[170] 吴季松. 合理水价形成机制初探. 中国水利, 2001(1), 网络版

[171] 刘玉春. 城市供水合理水价结构分析. 中国水利, 2001(1), 网络版

[172] 何锦峰, 陈国阶. 水资源动态完全成本定价的理论探讨. 自然资源学
报, 2000(3)

[173] 邱忠恩, 谈昌莉, 朱勤. 关于制定跨流域调水工程供水价格有关问题
的探讨. 水利发展研究, 2001(4)

[174] 董文虎. 水价形成机制探析. 中国水利, 2001(8), 网络版

[175] 钟玉秀, 杨柠, 崔丽霞, 等. 合理的水价形成机制初探. 水利发展研
究, 2001(2)

[176] 李锦秀，徐嵩龄，廖文根. 水资源保护规划中水环境价值分析研究. 中国水利科技网，2001-12-4

[177] 杜建明. 对水价构成的探讨. 中国水利，2002(1)，网络版

[178] 沈菊琴，陆庆春，杜晓荣. 从经济角度探讨水价的制定. 中国水利，2002(1)，网络版

[179] 惠纪祥. 水利工程农业供水价格管理. 全国水价改革研讨会专家讲座，水信息网，2002-4-20

[180] 施熙灿. 国外(地区)水价概况. 中国水价改革研讨会专家讲座，水信息网，2002-4-21

[181] 李志远. 黄河下游引黄渠首水价现状及改革建议. 中国水利网，2002-4-22

[182] 王春元，杨永江. 水资源经济学. 北京：中国水利水电出版社，1999

[183] 余文学，赵敏，胡维松，等. 水利经济学——基本理论与政策. 南京：河海大学出版社，1995

[184] 敬正书. 关于水资源可持续利用战略的思考. 中国水利网，2001-12-13

[185] 李国英. 建设"数字黄河"工程. 人民黄河，2001(11)

[186] 李国英. 建设"原型黄河"完善的测验体系. 中国水利，2002(8)，网络版

[187] 李国英. 建设"模型黄河"工程. 中国水利，2002(6)，网络版

[188] 王家耀，周海燕. 关于"数字黄河"的若干思考. 人民黄河，2002(1)

[189] 王志坚，艾萍. 关于"数字黄河"的思考. 黄河网，2001-11-18

[190] 禹雪中. 数字化水环境管理. 中国水利科技网，2001-12-6

[191] 邬伦. "数字地球"与"数字黄河"关键技术及解决方案要点. 中国水利，2002(2)，网络版

[192] 倪伟新，张英. "数字黄河"之基础工作. 中国水利，2002(2)，网络版

[193] 水利部黄河水利委员会水文局. 数字黄河水文框架. 黄河网，

2001-11-18

[194] 邓淑珍. 水资源实时监控系统试点建设综述. 中国水利，2002(8)，网络版

[195] 王煜，张会言，侯传河，等. 数字黄河水资源调度和管理. 黄河网，2001-12-31

[196] 李国英. 关于黄河治理的若干重大问题. 水利水电技术，2000(4)

[197] 赵勇，李文学. 实现黄河下游河道的长期相对稳定. 黄河网，2001-12-13

[198] 贺伟程. 黄河水资源情势分析. 中国水情分析研究报告，2000(7)

[199] 周小虎. 市场配置资源的制度修正. 北京：经济科学出版社，1999

[200] 申长友. 市场管理行为规范论. 北京：法律出版社，1999

[201] 刘志彪. 产权、市场与发展. 南京：江苏人民出版社，1995

[202] 张帆. 环境与自然资源经济学. 上海：上海人民出版社，1998

[203] 李会明. 非市场失灵理论与中国市场经济实践. 上海：立信会计出版社，1996

[204] [美]罗伯特·考特，托马斯·尤伦. 法和经济学. 上海：上海三联书店、上海人民出版社，1994

[205] 茅于轼. 择优分配原理. 北京：商务印书馆，1998

[206] 傅家骥，全允桓. 工业技术经济学(第三版). 北京：清华大学出版社，1996

[207] [美]哈尔·瓦里安. 微观经济学(高级教程 第三版). 北京：经济科学出版社，1997

[208] 姜洪. 利益主体　宏观调控与制度创新. 北京：经济科学出版社，1998

[209] 叶秉如. 水资源系统优化规划和调度. 北京：中国水利水电出版社，2001

[210] M schiffler. *Intersectoral Water Markets:A Solution for the Water Crisis in Arid Areas*? Water: Economics, Management and Demand， Edited by

Melvyn Kay, Tom Franks and Laurnce Smith, Published in 1997 by E & FN Spon

[211] 尹仲春，梁卫平，符正良. 湖南省大型灌区改革探讨. 中国水利，2002(6)，网络版

[212] 刘东民，赵秀生，于素花. 塔里木河中下游水资源管理机制探讨. 资源科学，2001，Vol.23, No.2

[213] 郑垂勇. 水资源与国民经济协调发展研究——理论·模型·实践. 南京：河海大学出版社，1996

[214] 谢新民，杨小柳. 半干旱半湿润地区枯季水资源实时预测理论与实践. 北京：中国水利水电出版社，1999

[215] 徐华飞. 我国水资源产权与配置中的制度创新. 中国人口资源与环境，2001，11(2)

[216] Howe C W, et al. Innovative Approaches to Water Allocation：The Potential for Water Markets. *Water Resources Research*，1986，22(4)

[217] 陈效国，席家治，薛松贵. 黄河三门峡以下非汛期水量调度系统研究项目综述. 人民黄河, 2001(12)

[218] 周之豪，沈曾源，等. 水利水能规划. 北京：水利电力出版社，1988

[219] 王亚华，胡鞍钢. 黄河流域水资源治理模式应从控制向良治转变. 人民黄河，2002(1)

[220] 张继华. 黄河水资源管理调度监控指挥系统研制与推广. 水信息网，2002-7-14

[221] 蒋云钟. 流域水资源实时监控管理系统研究. 中国水利科技信息网，2002-3-27

后　记

　　本书是在我博士学位论文基础上修改而成的。本书付梓首先要感谢河海大学的培养。"河孕育文明，海蕴藏智慧"。河海大学的悠久历史、淳朴学风感化、熏陶了多少学子，激起他们献身河海的热情。搁笔之际，回忆在母校的美好时光，一股暖流溢满心头。

　　本书是在施国庆教授的悉心指导和严格要求下完成的，全书各章都凝结了导师的智慧。从1994年慕名到考入门下攻读硕士、博士学位，多年来，无论从做人、做事、做学问，导师都身体力行，严格要求。"师者，传道、授业、解惑也"，导师的严谨、敬业、睿智都将激励我不断进步。

　　我还要特别感谢黄河水利委员会移民局的培养，移民局尊重人才、鼓励进步的浓厚学习氛围激励了我读书的勇气。局长、教授级高工杨建设是另一个影响我工作、学习、生活的长者，他平易近人、循循善诱、高屋建瓴的领导风范令我折服。

　　在论文的选题和写作过程中，得到了河海大学章仁俊博导、史安娜教授、黄涛珍副研究员、陈绍军副教授、黄河水利委员会苏茂林教授级高工、薛松贵教授级高工、翟家瑞教授级高工、王建中教授级高工、乔西现高工、陈连军高工、李艳霞副编审的指导。在论文的评阅和答辩阶段，承蒙中国工程院李京文院士、河海大学周之豪博导、中国水科院王浩博导、清华大学胡和平博导、水利部吴季松博导、南京农业大学欧名豪博导、南京理工大学孙剑平博导、南京水科院刘城鉴教授级高工、河海大学方国华教授等专家的指导。在此，谨向他们表示衷心的感谢。

　　本书的写作是在众多专家的研究成果基础上进行的，引述了很多的研究成果，更多地是受到诸多专家智慧的启发。牛顿曾说："我是站在巨人肩膀之上。"因此，对各位前辈、专家致以敬意。

感谢治黄著作出版资金评审委员会的各位专家，他们的高度评价赐给了本书付梓的机会。还要感谢黄河水利出版社的大力支持，他们对工作的认真负责使本书增色不少。

最后，还要特别感谢父母妻子和哥姐多年来的鼎力支持，他们为我创造了温暖的家庭环境。

苏　青

2004 年 10 月